Windows Vista
POUR
LES NULS
2e édition

Andy Rathbone

FIRST
Interactive

Windows Vista Pour les Nuls

Titre de l'édition originale : Windows Vista For Dummies

Publié par Wiley Publishing, Inc.
111 River Street
Hoboken, NJ 07030-5774

Copyright © 2007 Wiley Publishing, Inc.

Pour les Nuls est une marque déposée de Wiley Publishing, Inc.
For Dummies est une marque déposée de Wiley Publishing, Inc.

Edition française publiée en accord avec Wiley Publishing, Inc.
© 2007 Éditions First
2 ter rue des Chantiers
75005 Paris - France
Tél. 01 45 49 60 00
Fax 01 45 49 60 01
E-mail : firstinfo@efirst.com
Web : www.efirst.com

ISBN : 978-2-7540-0435-0
Dépôt légal : 4e trimestre 2007

Collection dirigée par Jean-Pierre Cano
Edition : Pierre Chauvot
Traduction : Bernard Jolivalt
Illustration de couverture : Bernard Jolivalt

Imprimé en France par Pollina - n° L46044

Sommaire

Introduction

*B*ienvenue dans *Windows Vista pour les Nuls,* le best-seller consacré à Vista !

La popularité de ce livre se réduit sans doute à cela : certaines personnes veulent être à la pointe de Windows. Elles adorent interagir avec des boîtes de dialogue. Elles en viennent à appuyer sur des touches au hasard, espérant découvrir des fonctionnalités cachées, non documentées. D'autres mémorisent d'interminables commandes informatiques en se lavant les cheveux.

Et vous ? Vous n'êtes pas nul, c'est sûr. Mais pas très emballé non plus par l'informatique et Windows. Ce que vous voulez, c'est que le boulot soit fait, point. Et passer ensuite à plus important. Vous n'avez pas l'intention de changer vos habitudes, et il n'y a là rien de mal.

C'est là que ce livre entre en jeu. Au lieu de survoler Windows, il vous fournit l'information dont vous avez besoin au moment où vous en avez besoin. Plutôt que de devenir un expert de Windows Vista, vous apprendrez juste ce qu'il faut pour apprendre vite, efficacement et sans peine, et préserver ainsi votre temps pour des activités plus plaisantes.

À propos de ce livre

N'essayez pas de lire ce livre d'un seul trait, ce serait inutile. Considérez-le plutôt comme un dictionnaire ou une encyclopédie. Allez à la page contenant l'information désirée, lisez-la puis appliquez ce qui est préconisé.

Ne vous fatiguez pas à tenter de mémoriser tout le jargon de Windows Vista, comme "Sélectionnez l'élément de menu dans la liste déroulante". Laissez cela aux allumés d'informatique. En fait, chaque fois que vous buterez sur des notions techniques, un pictogramme vous le signalera.

Selon votre humeur du moment, vous lirez l'encadré ou vous passerez votre chemin.

À la place d'un obscur jargon informatique, ce livre s'attache plutôt à des sujets comme ceux-ci, expliqués en français bien de chez nous :

- Veiller à la sûreté et à la sécurité de l'ordinateur.

- Trouver, démarrer et fermer les programmes.

- Localiser les fichiers que vous avez enregistrés ou téléchargés la veille.

- Configurer l'ordinateur afin que toute la famille puisse s'en servir.

- Copier des données vers et à partir d'un CD ou d'un DVD.

- Numériser et imprimer votre travail.

- Mettre des PC en réseau afin de partager l'accès à l'Internet ou l'imprimante.

- Corriger Windows Vista lorsqu'il fait des siennes.

Il n'y a rien à mémoriser ni à apprendre. Contentez-vous d'aller à la bonne page, de lire de brèves explications, puis revenez à votre travail. Contrairement à d'autres ouvrages, celui-ci évite tout ce qui est technique afin de ne pas vous détourner de votre travail.

Comment utiliser ce livre

Windows Vista vous laissera parfois dans l'expectative. Aucun autre programme n'affiche autant de boutons, de barres et de charabia à l'écran. Si quelque chose vous intrigue, reportez-vous à ce livre. Recherchez le mot ou le thème dans l'index ou dans la table des matières, ne lisez que ce qui se rapporte au sujet puis exécutez ce qui est recommandé.

Si vous avez de l'audace et que vous désirez aller plus loin, lisez les paragraphes précédés d'une puce, après chaque section. Vous y découvrirez d'intéressants détails complémentaires, astuces et références croisées. Mais ne vous sentez pas obligé. Vous n'êtes pas tenu d'en apprendre plus que ce qui vous est nécessaire, surtout si le temps vous manque.

Ce que vous devrez taper apparaît sous cette forme :

Tapez **Lecteur Windows Media** dans le champ Rechercher.

Dans cet exemple, vous tapez les mots *Lecteur Windows Media* puis vous enfoncez la touche Entrée. La saisie informatique prêtant parfois à confusion, une brève explication décrit ce qui doit apparaître à l'écran.

Tout message ou information affichée à l'écran est présenté de cette manière :

`www.andyrathbone.com`

Ce livre ne se défile pas en vous renvoyant au manuel pour en savoir plus. D'abord, parce que Windows Vista ne comporte pas de manuel. Il n'explique pas comment démarrer des applications spécifiques, comme Microsoft Office. Vista est suffisamment compliqué en soi ! Fort heureusement, d'autres titres de la collection *Pour les Nuls* sont consacrés aux logiciels les plus connus.

Ne vous croyez toutefois pas livré à vous-même. Ce livre couvre largement Vista, plus qu'il n'en faut pour votre usage. Si vous avez des questions ou des commentaires à formuler à propos de *Windows Vista pour les Nuls,* laissez un message (en anglais) sur mon site, à l'adresse `www.andyrathbone.com`.

Enfin, rappelez-vous que ceci est un ouvrage de référence. Il n'est pas censé faire de vous un expert de Windows Vista, mais vous fournir l'information dont vous avez besoin, et vous éviter ainsi de devoir apprendre tout, absolument tout sur Windows.

Et vous ?

Il se peut que vous possédiez déjà Windows Vista, ou que vous envisagiez une mise à jour. Vous savez ce que vous attendez de votre ordinateur ; le problème, c'est de faire en sorte que l'ordinateur fasse ce que vous attendez de lui. Vous vous êtes mis à l'informatique d'une manière ou d'une autre, avec l'aide d'un ami "qui s'y connaît", sur le tas, au bureau ou en suivant une formation.

Ce livre vous tirera d'affaire s'il n'y a personne dans les environs pour vous aider.

Comment ce livre est structuré

Le contenu de ce livre a été passé au crible. L'ouvrage est scindé en sept parties, divisées chacune en chapitres thématiques. De plus, chacun de ces chapitres a été finement saucissonné en courtes sections consacrées chacune à une subtilité de Windows Vista. Vous trouverez parfois l'obscur objet de votre désir dans un encadré. D'autres fois, vous devrez parcourir toute une section, voire ingurgiter un chapitre entier. Tout cela dépend de vous et de vos exigences.

Voici un aperçu des différentes parties

Première partie : Les éléments de Windows Vista que vous êtes censé déjà connaître

Cette partie dissèque l'ossature de Vista : l'écran d'accueil et les boutons des utilisateurs, le gigantesque bouton Démarrer qui masque tout ce qui est important, et le Bureau de l'ordinateur, où vous disposez ce qui vous est utile. Elle explique entre autres comment déplacer les fenêtres, et comment cliquer du bouton droit à bon escient. Bref, vous découvrirez ce qu'aux yeux de tous vous êtes censé déjà connaître.

Deuxième partie : Programmes et fichiers

Windows Vista est livré avec une foule de programmes, mais les trouver et les démarrer est souvent ardu. Vous apprendrez dans cette partie comment les exploiter. Si un programme ou un fichier important est parti sans laisser d'adresse, vous découvrirez comment lancer Vista à ses trousses, dans tout l'ordinateur, afin qu'il le retrouve vite fait.

Troisième partie : Du côté de l'Internet

Parcourez cette partie pour vous familiariser avec le tout dernier lieu de divertissement informatique : l'Internet. Vous apprendrez comment envoyer un courrier électronique ou surfer sur les meilleurs sites du Web. Mieux : un chapitre entier est consacré à la barre d'outils sécuritaires d'Internet Explorer. Elle arrête tous les infects sites frauduleux qui tentent de vous escroquer et tient à distance les parasites du Web qui cherchent à s'introduire dans votre ordinateur au cours de vos pérégrinations virtuelles.

Quatrième partie : Personnaliser Vista et le mettre à jour

Si Windows Vista doit être ramené dans le droit chemin, vous recourrez à l'un des commutateurs cachés dans le Panneau de configuration. Un autre chapitre décrit les tâches de maintenance de l'ordinateur que vous pourrez facilement exécuter vous-même, évitant ainsi des frais inutiles. Vous découvrirez comment partager l'ordinateur entre plusieurs membres d'une famille ou d'une colocation, sans que les uns aillent farfouiller dans les données des autres.

Et, le jour où vous acquerrez un second ordinateur, le chapitre consacré aux réseaux informatiques vous expliquera comment les mettre rapidement en liaison afin de partager une connexion Internet, des fichiers ou l'imprimante.

Cinquième partie : Musique, films et mémoires (et aussi les photos)

Reportez-vous à cette partie pour écouter de la musique sur CD, DVD, ou regarder des films. Achetez quelques CD bon marché et gravez-y une compilation de vos morceaux préférés. Ou alors, copiez le CD afin que l'original ne risque pas d'être rayé lorsque vous écoutez de la musique en voiture.

Les possesseurs d'un appareil photo numérique se doivent de lire le chapitre consacré au transfert des images de l'appareil vers l'ordinateur, à l'archivage des photos et leur envoi par courrier électronique. Vous avez acheté un caméscope numérique ? Reportez-vous à la section expliquant comment éliminer les séquences foireuses et ne graver que les plus belles sur un DVD qui fera – pour une fois – l'admiration de vos proches.

Sixième partie : À l'aide !

Bien que la maison ne tremble pas quand Windows plante, c'est quand même ennuyeux. Vous trouverez dans cette partie quelques recommandations salutaires en cas de pépin.

Vous ne savez pas comment transférer les fichiers d'un ancien ordinateur vers le nouveau ? Eh bien, vous le saurez ici (mais si vous envisagez de faire migrer l'ancien ordinateur sous XP vers Vista, lisez l'Annexe qui décrit l'opération en détail).

Septième partie : Les Dix Commandements

Cette partie aborde quelques points propres à Vista, notamment les dix problèmes les plus exaspérants et comment en venir à bout. En prime pour les possesseurs d'ordinateur portable, j'ai collecté dans un chapitre les dix outils pour portables les plus utiles, avec des instructions pas à pas pour la plupart des tâches nomades.

Les pictogrammes

Les pictogrammes de ce livre attirent l'attention sur certains points précis. Vous pouvez vous dispenser de lire ceux concernant des points purement techniques, mais pas ceux qui signalent un risque pour Windows Vista ou vos données.

Ce pictogramme signale que des informations techniques vous attendent au tournant. Tirez-vous vite de là si vous êtes technophobe.

Ce pictogramme attire l'attention sur des informations qui faciliteront l'utilisation de l'ordinateur, comme empêcher le chat de piétiner le clavier ou se frotter avec délectation contre l'écran.

N'oubliez pas de vous souvenir de mémoriser ce dont il est question ici. Vous pouvez placer un signet ici, ou écorner la page.

L'ordinateur n'explosera certes pas en exécutant les délicates tâches signalées par ce pictogramme, mais enfiler une combinaison de protection NBC (nucléaire biologique chimique) ne sera pas une vaine protection.

Vous passez de Windows XP à Windows Vista ? Ce pictogramme signale les différences fondamentales entre les deux systèmes d'exploitation.

Et ensuite ?

Vous voilà fin prêt pour passer aux choses sérieuses. N'hésitez pas à aller directement à la page répondant à l'une de vos interrogations. Ce livre est l'arme qui vous prémunira des allumés qui ont concocté les invraisemblables notions d'informatique que vous devez vous coltiner. Notez au crayon tous les paragraphes que vous jugez utiles, les concepts clés et griffonnez vos propres notes en regard de ce qui vous paraît un peu compliqué.

Plus vous annoterez ce livre, plus il vous sera facile de retrouver ce qui vous est utile.

Première partie

Les éléments de Windows Vista que vous êtes censé déjà connaître

"J'annonce B7 !"
"- Coulé !"

Windows Vista est imposé à de nombreux utilisateurs sans qu'ils aient le choix, car ce système d'exploitation est installé dans leur nouvel ordinateur. Ou alors, leur entreprise a opté pour Vista, contraignant tout le monde à s'y mettre, sauf le patron, qui n'a pas d'ordinateur. Ou alors, vous avez été séduit par la publicité de Microsoft.

Quoi qu'il en soit, cette partie reprend les bases de Windows Vista et de ses concepts, comme le glisser-déposer, le couper-coller et le déplacement des barres d'outils.

Il explique ce que Vista a apporté à Windows et comment ne pas se laisser complètement submerger par toutes ces nouveautés.

Chapitre 1
Mais qu'est Windows Vista ?

Dans ce chapitre :

▶ Faire connaissance avec Windows Vista.

▶ Présentation des nouvelles fonctionnalités de Vista.

▶ Comprendre à quel niveau Vista affecte les anciens programmes.

▶ Déterminer si votre ordinateur est suffisamment puissant pour Vista.

▶ Déterminer la version de Vista dont vous avez besoin.

*V*ous avez sans doute entendu parler de Windows, de ses boîtes de dialogue, fenêtres et pointeur de souris qui vous accueillent chaque fois que vous allumez l'ordinateur. À vrai dire, des millions de gens de par le monde utilisent Windows tandis que vous lisez ces lignes. Il est préinstallé dans presque chaque nouveau PC vendu aujourd'hui.

Ce chapitre vous aide à comprendre pourquoi Windows est installé dans votre ordinateur et présente la toute dernière version développée par Microsoft : Vista. Il explique aussi en quoi Windows Vista diffère des versions précédentes, et notamment si vous devez procéder à la mise à jour vers Vista et surtout, si votre fidèle ordinateur la supportera.

Qu'est Vista et pourquoi l'adopter ?

Développé et vendu par Microsoft, Windows est différent des programmes que vous utilisez habituellement pour coucher vos états d'âme sur un traitement de texte ou envoyer des mots doux à l'élu(e) de votre cœur par courrier électronique. Windows Vista est en effet un système d'exploitation, c'est-à-dire un ensemble de programmes qui régissent votre utilisation de l'ordinateur. Il existe depuis une vingtaine d'année et Vista en est la dernière mouture.

Programmes, logiciels, etc.

NdT : Les divers termes désignant une seule et même chose décontenancent toujours l'utilisateur. C'est le cas des termes *programme, logiciel, application, exécutable, utilitaire*, et j'en oublie sans doute.

Sans entrer dans les détails, tous sont à peu près la même chose. Microsoft affectionne le terme "programme", qui désigne le logiciel une fois qu'il est installé, alors que le commun des mortels utilise de préférence le mot "logiciel", qui est plutôt le produit lui-même, dans sa boîte avant installation (la nuance est subtile). Les termes "application" et "exécutable" sont plus fréquemment utilisés par les informaticiens. Enfin, un utilitaire est un petit logiciel destiné à effectuer des tâches techniques annexes, comme la décompression d'un fichier ou la conversion d'un format de fichier en un autre.

Retenez que tous exécutent des tâches (traitement de texte, navigateur Web), par opposition aux fichiers de données qui contiennent ce que vous créez (textes, photos, sons...), et qui ne peuvent être ouverts qu'avec une application (ou un logiciel, ou un programme, c'est du pareil au même).

Windows – "fenêtres", en anglais – tire son nom de ces petits cadres, appelés "fenêtres", qui prolifèrent sur l'écran. Chacune montre un type de données ou d'information : une photographie, le programme que vous utilisez ou un message d'erreur plus ou moins sibyllin. Plusieurs fenêtres peuvent être ouvertes en même temps (gare aux courants d'air) et activées tour à tour afin d'utiliser plusieurs programmes à la fois. Vous pouvez aussi agrandir une fenêtre afin qu'elle occupe la totalité de l'écran.

À l'instar d'un pion dans la cour d'un collège, Windows surveille chaque fenêtre et toutes les parties de l'ordinateur. Quand vous allumez l'ordinateur, Windows apparaît, supervise tous les programmes en cours et veille à ce qu'ils s'exécutent harmonieusement, même si l'un commence à se chamailler avec un autre.

Windows Vista est livré avec une foule de programmes. Bien que l'ordinateur puisse s'en passer, il est agréable d'en disposer. Ces programmes permettent d'exécuter diverses tâches, comme écrire et imprimer des lettres, aller sur l'Internet, écouter de la musique et même réduire votre interminable film de vacances en très court métrage de trois minutes.

Pourquoi utiliser Windows Vista ? Parce que, comme la plupart des gens, vous n'avez guère le choix car Vista est aujourd'hui préinstallé sur tous les PC. Pour lui échapper, la seule solution consiste à acheter un ordinateur Apple (très design mais plus cher) ou opter pour un PC dans lequel le système d'exploitation installé est Linux (très sophistiqué et dont la maintenance est plus ardue). Mais autour de vous, la plupart des gens utilisent surtout Windows.

✔ Microsoft s'est donné du mal et a travaillé dur pendant plusieurs années pour faire de Vista la version la plus sûre de Windows. Demandez à ceux qui ont connu la version précédente.

✔ Windows facilite le partage de l'ordinateur entre plusieurs utilisateurs. Chacun bénéficie de son propre compte d'utilisateur. Après avoir cliqué sur son nom, dans l'écran d'accueil de Vista, l'utilisateur retrouve son travail comme il l'avait laissé. Vista propose aux parents de nouveaux outils pour mieux contrôler l'usage de l'ordinateur par leur progéniture et délimiter ce qui leur est autorisé sur l'Internet.

✔ Une nouvelle version automatisée de Centre de sauvegarde facilite ce qui devrait être une règle intransgressible : procéder chaque soir à une copie des fichiers importants. Vista est doté d'un programme de sauvegarde, mais il n'est pas automatique. C'est à vous qu'il incombe de le démarrer chaque soir.

✔ Enfin, le nouveau et puissant logiciel de recherche vous permet d'oublier où vous avez bien pu fourrer vos fichiers. Cliquez sur le menu Démarrer et tapez ce que le fichier contient : quelques mots d'un document, le nom du groupe qui interprète un morceau, voire la date à laquelle vous avez photographié Guillemette lors de son pot de départ...

Est-il indispensable de passer à Vista ?

Microsoft sort une nouvelle version de Windows à quelques années d'intervalle. Si vous avez acheté votre PC entre 2001 et 2006, vous avez sans doute pris vos habitudes avec Windows XP. D'où la lancinante question : est-ce que cela vaut la peine de passer à Vista alors que Windows XP fait l'affaire ?

À vrai dire, si Windows XP vous convient, vous n'aurez probablement pas besoin de Vista. Mais Microsoft espère bien que les améliorations qu'il apporte vous inciteront à mettre la main au portefeuille.

Une sécurité accrue

La nouvelle présentation de Windows Vista, plus sophistiquée, complique la prise de contrôle du PC par des programmes malveillants. Par exemple, le programme intégré Windows Defender est constamment à l'affût des espiogiciels, ces petits logiciels qui espionnent vos activités, font souvent surgir des fenêtres publicitaires et ralentissent l'ordinateur. Microsoft entraîne Windows Defender en permanence, comme le montre la Figure 1.1, afin qu'il reconnaisse et élimine toutes nouvelles souches de ces logiciels malfaisants.

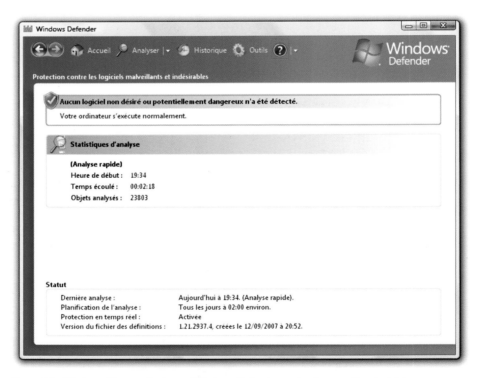

Figure 1.1 : Windows Vista est livré avec Windows Defender, un éradicateur d'espiogiciels que Microsoft met automatiquement à jour afin qu'il détecte les dernières versions de logiciels malveillants.

Les autres parties du système sécuritaire de Vista ne sont hélas pas aussi simples à décrire. Sachez que le PC reconnaît un programme selon une succession de chiffres, ou chaîne de chiffres, ce qui lui permet de distinguer une bonne chaîne – celle d'un traitement de texte, par exemple – d'une mauvaise, comme celle d'un virus. Pour résoudre un problème d'identification, Vista s'en remet à vous : chaque fois qu'un programme particulièrement puissant tente de s'exécuter sur votre ordinateur, Vista affiche le message Windows a besoin de votre autorisation pour continuer. À vous ensuite de choisir entre Continuer ou Annuler.

Pour vous mettre à l'aise quant à ce choix crucial, je vous renvoie au Chapitre 10, consacré aux nouvelles fonctions de sécurité de Vista.

Windows Defender vous met à l'abri des espiogiciels, mais Vista ne comporte pas d'antivirus. C'est à vous qu'il appartient d'en installer un.

La nouvelle versi...

Attention

Ne rien charger

SANS avoir lu le

Chapitre en entier

Internet Explorer 7, qui ... ...et de surfer plus facilement sur le Web e... ...ce aux nouvelles fonctionnalités que voi...

- **La navigation à** ...ieux sites Web à l'écran supposait ...nternet Explorer. Avec Vista, Internet Explorer peut accéder à plusieurs sites à la fois, ouverts chacun dans des pages distinctes accessibles en cliquant sur un onglet, en haut de l'interface (Figure 1.2). Il est ainsi plus facile de comparer des prix sur divers sites marchands, ou lire une page Web tandis qu'une autre est téléchargée à l'arrière-plan. Il est même possible d'enregistrer un groupe de pages comme page d'accueil : chaque fois que vous démarrez Internet Explorer, vos sites favoris seront à votre disposition, chacun rangé sous son propre onglet.

- **Un filtre anti-hameçonnage :** Une toute nouvelle activité frauduleuse appelée hameçonnage – ou *phishing* – consiste à envoyer des courriers électroniques provenant prétendument d'une banque, des sites Paypal ou eBay, ou d'ailleurs. Ces courriers à la présentation convaincante se prévalent d'un problème de sécurité pour vous extorquer des données confidentielles (mode de passe, code de carte bancaire...). Le nouveau Filtre anti-hameçonnage d'Internet Explorer détecte les sites Web frauduleux avant que

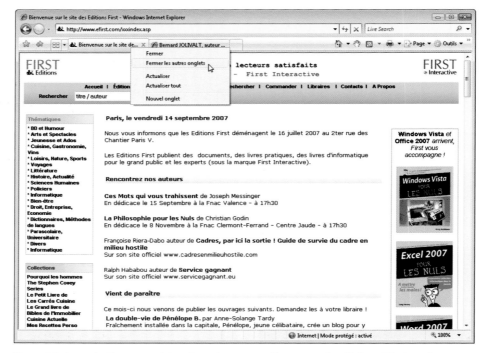

Figure 1.2 : La navigation par onglets est une des nouveautés marquantes d'Internet Explorer 7.

vous ayez communiqué des informations, préservant la sécurité de votre nom et de votre mot de passe.

✒ **Un champ Rechercher intégré :** Lassé de s'en remettre à Google pour trouver un site Web ? La partie supérieure d'Internet Explorer 7 est dotée d'un petit champ Rechercher, pour les recherches à la volée. Il est programmé pour utiliser le moteur de recherche MSN de Microsoft, mais vous apprendrez au Chapitre 8 comment l'utiliser avec Google.

✒ **Des flux RSS :** Initiales de *Really Simple Syndication,* "agrégation réellement simple", cette fonction permet d'afficher les gros titres de vos sites Web favoris dans une liste déroulante. En gardant un œil dessus, vous êtes informé en permanence sans quitter le site que vous parcourez actuellement. Les flux RSS permettent de savoir si de nouveaux articles sont apparus sur vos sites préférés, évitant ainsi de vaines visites. Ils accélèrent le surf et permettent entre autres d'éviter les publicités.

Le Lecteur Windows Media et Windows Media Center

La nouvelle version du Lecteur Windows Media de Vista arbore des commandes plus rationnelles et plus faciles à utiliser. Mais la grande vedette est incontestablement le Windows Media Center, qui ne se contente pas de lire des CD et des DVD, mais permet aussi de regarder la télévision sur le PC et d'enregistrer des émissions sur le disque dur afin de les visionner ultérieurement.

L'enregistrement de la télévision exige cependant deux éléments importants : un tuner TV installé dans l'ordinateur et la version appropriée de Vista (car il existe cinq versions de Vista, comme nous le verrons à la fin de ce chapitre). L'installation d'un tuner TV peut se limiter à l'insertion d'un petit boîtier dans le port USB ou d'une carte dans le PC. J'explique ces deux manipulations dans mon livre *PC Mise à niveau et dépannage Pour les Nuls,* édité par First Interactive.

La gravure des DVD

Cinq ans après l'apparition des graveurs de DVD, Windows est enfin capable d'exploiter ces équipements sans recourir à des logiciels tiers. Windows Vista permet de graver des fichiers et des films sur des DVD et sur des CD.

En fait, la nouvelle version de Movie Maker, décrite au Chapitre 16, permet de graver une séquence filmée avec un caméscope numérique sur un DVD lisible par un lecteur de DVD de salon branché au téléviseur. Annoncez cette nouvelle à vos amis et préparez-vous à un déluge de films de vacances à graver urgemment.

Le calendrier

Pour la première fois, Windows est doté d'un calendrier (voir Figure 1.3) qui gère vos rendez-vous. Il est même possible de le publier sur d'autres PC ou sur des sites Web, et assurer la synchronisation de votre calendrier avec ceux de vos proches ou de vos collègues.

Une recherche de fichiers plus facile

Windows XP traîne vraiment des pieds pour rechercher un fichier. Il lui faut de longues minutes pour en retrouver un dans un disque dur bien rempli et, si vous effectuez la recherche d'après un mot ou une phrase contenus dans un fichier, c'est carrément interminable. Vista, lui, profite

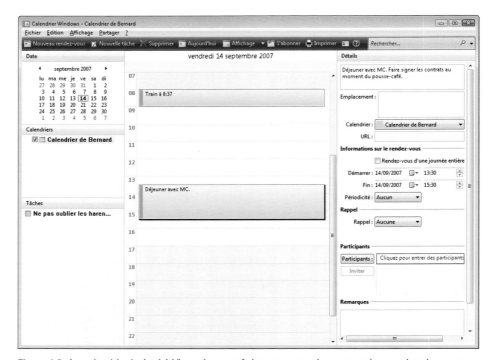

Figure 1.3 : Le calendrier intégré à Vista gère vos tâches et vos rendez-vous, et les synchronise avec celles des calendriers d'autrui.

du moindre temps mort pour tenir à jour un index de chacun des mots qui se trouvent dans le disque dur.

Au lieu de rechercher constamment des fichiers, Vista mémorise automatiquement leur emplacement. Recherchez par exemple tous les documents contenant le mot "Céleri", et Vista enregistre le résultat dans un nouveau dossier Recherche. Chaque fois que vous créez un nouveau document où il est question de céleri, Vista le place automatiquement dans ce dossier. Pour voir un document, ouvrez le dossier Recherche et cliquez sur la recherche Céleri : Vista liste tous les fichiers où ce mot figure, d'où une récupération rapide et facile.

Un champ Rechercher se trouve dans le menu Démarrer, en haut de chaque dossier, dans la fenêtre Aide et support et aussi à d'autres emplacements bien choisis. Grâce au commode champ Rechercher et à l'index toujours à jour, une recherche de fichier est plus rapide que jamais.

Vista met même l'index à jour avec des mots provenant des sites Web que vous avez récemment visités, permettant de relire rapidement les gros titres que vous aviez parcourus la semaine précédente.

L'utilisation du champ Rechercher est expliquée en détail au Chapitre 6.

Vista est plus beau

Microsoft a peaufiné une belle interface transparente à l'aspect tridimensionnel appelée Windows Aéro, accessible uniquement aux PC dotés de puissantes capacités graphiques. Appuyez sur les touches Windows et Tab lorsque vous ne parvenez pas à trouver une fenêtre ouverte, et toutes les fenêtres apparaissent dans une vue en perspective, ainsi que le montre la Figure 1.4.

Figure 1.4 : Appuyez sur Tab ou actionnez la molette de la souris pour faire défiler les fenêtres de l'interface Aéro. Lorsque celle qui vous intéresse est au premier plan, relâchez la touche Windows pour l'afficher.

Immobilisez le pointeur de la souris sur n'importe quel nom figurant dans la Barre des tâches, et Vista affiche une miniature montrant le contenu de cette fenêtre, ce qui facilite le choix d'une fenêtre parmi beaucoup d'autres.

Mon PC peut-il recevoir Vista ?

Si Windows XP tourne correctement sur votre PC, ce dernier parviendra probablement à exécuter Vista, mais pas forcément au mieux de ses possibilités. Une mise à niveau de l'ordinateur peut améliorer les choses. J'explique comment procéder dans mon livre *Upgrader et booster un PC Pour les Nuls.* Voici la liste d'achat :

- **Vidéo :** Vista exige de puissantes capacités graphiques pour ses fonctionnalités les plus spectaculaires, comme l'effet 3D de la Figure 1.4. La mise à jour de la carte graphique peut entraîner un surcoût de 150 euros ; elle est difficile voire impossible pour les ordinateurs portables. Mais même dans ce cas, rien n'est perdu : Vista se contente de la carte installée, sans afficher de vues en 3D.

- **Mémoire :** Vista est gourmand en mémoire vive. Pour de bons résultat, 1 Go ou plus est recommandé. La mémoire étant bon marché et facile à installer, ne chipotez pas.

- **Lecteur de DVD :** Contrairement à Windows XP, livré sur un CD, Vista est fourni sur un DVD. Il faut donc que le PC soit équipé d'un lecteur de DVD pour l'installer. Ce n'est sans doute pas un problème pour la plupart des PC de bureau, mais les ordinateurs portables un peu anciens risquent d'en être dépourvu.

La plupart de vos actuels programmes devraient tourner sans problème sur Windows Vista. Ce ne sera toutefois pas le cas de certains d'entre eux, dont beaucoup de programmes liés à la sécurité, comme les antivirus, les pare-feux et les logiciels de contrôle parental. Vous devrez contacter leur éditeur pour savoir si une mise à jour gratuite est prévue.

Vous ne connaissez pas la version de Windows installée dans votre PC ? Cliquez du bouton droit sur Ordinateur ou choisissez Ordinateur dans le menu Démarrer et sélectionnez Propriétés. La version de Windows est affichée dans la fenêtre.

Vista peut-il ressembler à XP et se comporter comme lui ?

Certains tiennent à la nouvelle interface de Vista, d'autres sont aussi décontenancés face à elle que devant le tableau de bord inhabituel d'une voiture qu'ils viennent de louer. Procédez comme suit pour que Vista ressemble presque à Windows XP :

1. **Commencez par modifier le menu Démarrer : cliquez du bouton droit sur le bouton Démarrer, choisissez Propriétés, sélectionnez Menu Démarrer classique puis cliquez sur OK.**

2. **Au tour du Bureau, à présent : cliquez du bouton droit sur une partie vide du Bureau et choisissez Personnaliser. Choisissez Thèmes et, dans le menu déroulant, Windows Classique. Cliquez sur OK.**

3. **Enfin, placez les menus en haut de chaque dossier : ouvrez le dossier Documents, depuis le menu Démarrer. Cliquez ensuite sur le bouton Organiser, sélectionnez Options des dossier et de recherche et, dans le menu déroulant Thèmes, choisissez Windows classique. Cliquez sur OK.**

Ces manipulations ne font pas que restituer l'apparence de la version précédente de Windows, mais accélèrent un PC un peu ancien qui peinerait à afficher les couches de graphismes tape-à-l'œil de Vista.

Les cinq versions de Vista

Windows XP était proposé en deux versions : l'une pour les particuliers, l'autre pour les entreprises. Microsoft a compliqué les choses en proposant cinq versions de Windows Vista, chacune à un prix différent.

Trois versions seulement s'adressent au grand public. La plupart des consommateurs choisiront sans doute l'édition Windows Vista Édition Familiale. Les différentes versions sont décrites dans le Tableau 1.1.

Bien qu'il y ait de quoi se perdre parmi ces cinq versions, choisir celle dont vous avez besoin n'est pas difficile. Et, comme Microsoft a placé toutes ces versions sur un même DVD, il est possible de procéder à tout moment à une mise à niveau en déverrouillant – moyennant finances – les fonctionnalités propres à telle ou telle version.

Tableau 1.1 : Les cinq versions de Windows Vista.	
Version de Vista	*Description*
Windows Vista Édition Familiale Basique	Réminiscence de Windows XP Édition Familiale, cette version est dépourvue des fonctions multimédias les plus attrayantes, comme la gravure des DVD, la TVHD (télévision haute définition), l'enregistrement des émissions de télé et autres fonctions apparentées.
Windows Vista Édition Familiale	Semblable à Windows Vista Édition Familiale Basique, mais avec les fonctions multimédias. Cette version s'adresse à ceux qui regardent la télévision sur leur PC ou veulent créer des DVD à partir des séquences tournées avec leur caméscope numérique.
Windows Vista Professionnel	À l'instar de Windows XP Édition Professionnelle, cette version vise les entreprises. Elle comporte entre autres un logiciel de télécopie, mais contient moins de fonctionnalités multimédias que Vista Édition Familiale.
Windows Vista Entreprise	Cette version professionnelle offre encore plus de fonctions, comme la prise en charge de langues supplémentaires et de plus vastes réseaux.
Windows Vista Édition Intégrale	Hybride des versions Familiale et Professionnel, cette version s'adresse aux utilisateurs intensifs du PC, comme les joueurs, les spécialistes de la vidéo et autres personnes qui passent leur temps sur un clavier d'ordinateur.

✔ Si vous ne regardez pas la télévision sur votre PC et que vous ne comptez pas graver des films réalisés avec votre caméscope numérique, vous ferez une économie sensible en vous en tenant à **Windows Vista Édition Familiale Basique.** Il est parfait pour le traitement de texte, le courrier électronique et l'Internet.

✔ Si vous voulez graver des DVD et/ou enregistrer des émissions de télévision sur le PC, choisissez plutôt **Windows Vista Édition Familiale.**

✔ Ceux qui ont fait de leur PC un serveur Web – ils se reconnaîtront – opteront pour **Windows Vista Professionnel.**

✔ Les fanas de jeux vidéo et les professionnels de l'informatique choisiront **Windows Vista Édition Intégrale** car il comporte tout ce que l'on trouve dans les autres versions.

✔ Les techniciens en informatique qui travaillent en entreprise devront convaincre leur patron d'opter pour la version **Windows Vista Professionnel** ou **Windows Vista Entreprise,** selon qu'il s'agisse respectivement d'une petite entreprise ou d'une grande société.

La version **Windows Vista Starter** dont vous avez peut-être entendu parler n'est pas vendue en France, en Belgique, au Canada, en Suisse et dans d'autres pays industrialisés. Elle est en effet réservée aux pays émergents, comme la Malaisie, où elle est vendue à prix réduit (ce n'est pas tant un geste de bonne volonté qu'une tentative de limiter le piratage informatique).

Vous avez dit OEM ?

Quand vous achetez un PC dans lequel Windows Vista est déjà installé, vous payez ce dernier, mais beaucoup moins cher que si vous l'aviez acheté séparément, dans un bel emballage. Les fabricants d'ordinateurs et les intégrateurs qui montent des PC de toutes pièces achètent en effet des versions spéciales de Vista appelées OEM (*Original Equipment Manufacturer*). Elles leur sont vendues à des tarifs autrement plus avantageux que pour les particuliers.

Certains magasins proposent cependant de vendre des versions OEM de Windows Vista. Par exemple, Windows Vista Édition Intégrale, vendu en moyenne plus de 570 euros, sera proposé à moins de 200 euros. Généralement, la vente est subordonnée à l'achat d'un équipement de PC comme un disque dur, une carte graphique afin de se conformer à l'obligation faite par Microsoft de ne vendre cette version qu'avec tout ou partie d'un ordinateur neuf, mais certains magasins vendent les versions OEM librement, sans aucune contrepartie.

Que faut-il penser de ces versions ? Elles sont pleinement fonctionnelles et leur activation par Microsoft, après l'installation, ne pose aucun problème. Deux restrictions doivent cependant être connues de l'utilisateur :

✔ Microsoft ne fournit aucun support technique pour les versions OEM, car c'est au vendeur de l'ordinateur – auquel ces versions sont destinées – de se charger de ce service. L'acheteur de Vista OEM devra donc se débrouiller tout seul. Pas de problème s'il est doué en informatique. Autrement, il devra trouver un féru d'informatique dans son entourage, qui saura remettre Windows Vista dans le droit chemin.

✔ Une version OEM ne peut être installée que sur un seul ordinateur. Si ce dernier tombe définitivement en panne, Windows Vista ne pourra pas être installé sur un nouvel équipement, ou plus précisément, Vista sera installé mais ne pourra pas être activé et cessera donc de fonctionner au bout de deux semaines.

À vous de voir si vous êtes disposé à payer Windows Vista "plein pot" comme... à peine dix pour cent des utilisateurs.

Chapitre 2

Le Bureau, le menu Démarrer et autres mystères de Vista

Dans ce chapitre :

▷ Démarrer Windows Vista.
▷ Entrer un mot de passe.
▷ Ouvrir une session Windows Vista.
▷ Utiliser le Bureau et autres fonctionnalités de Windows Vista.
▷ Fermer la session de Windows Vista.
▷ Éteindre l'ordinateur.

C e chapitre propose un tour du propriétaire de Windows Vista. Vous allumerez l'ordinateur, démarrerez Windows et consacrerez quelques moments à regarder d'un œil bovin les différents éléments de Vista : le Bureau, la Barre des tâches, le menu Démarrer et la Corbeille (dans laquelle on ne jette ni peaux de bananes ni pots de yaourt vides).

Les programmes que vous utilisez s'étalent sur le Bureau, qui est en fait l'arrière-plan de Windows. La Barre des tâches sert à passer d'un programme ou fichier à un autre. Pour placer d'autres programmes sur le Bureau, déroulez le menu Démarrer : il est truffé de boutons permettant d'ajouter d'autres programmes à ceux qui y sont déjà.

Vous voulez vous débarrasser d'un fichier ? Déposez-le dans la Corbeille où il disparaîtra. Mais avec la possibilité, au besoin, de le récupérer.

Parvenir dans le monde de Vista

Démarrer Vista se réduit à allumer l'ordinateur : Vista apparaît peu après avec son beau *look* futuriste. Mais, avant de pouvoir travailler, Windows Vista vous présentera peut-être un écran intermédiaire (voir Figure 2.1) où vous serez invité à cliquer sur votre nom.

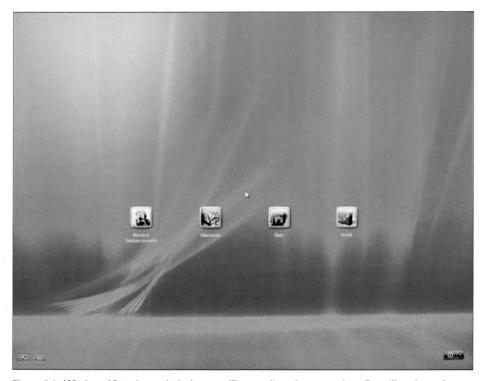

Figure 2.1 : Windows Vista demande à chaque utilisateur d'ouvrir une session afin qu'il sache toujours qui est en train de se servir de l'ordinateur.

J'ai personnalisé mon écran d'accueil ; le vôtre sera un peu différent. Si aucun nom d'utilisateur n'est affiché, vous disposez de trois options :

✔ **Si vous venez d'acheter l'ordinateur, utilisez le compte nommé Administrateur.** Conçu pour octroyer les pleins pouvoirs sur l'ordinateur, l'utilisateur du compte Administrateur peut configurer de nouveaux comptes pour de nouveaux utilisateurs, installer des logiciels, graver des CD, ouvrir une connexion à l'Internet et accéder à tous les fichiers de l'ordinateur, même ceux des autres utilisateurs. Windows Vista exige qu'une personne au moins soit administrateur, même si l'ordinateur n'est pas relié à d'autres. Reportez-vous au Chapitre 13 pour en savoir plus à ce sujet.

✎ **Utilisez le compte Invité.** Conçu pour ceux que vous hébergez dans la maisonnée, ce compte permet aux visiteurs – la baby-sitter, des amis... – d'utiliser temporairement l'ordinateur. Cette fonctionnalité est activée ou désactivée dans la zone Ajouter ou supprimer des comptes d'utilisateur, comme nous le verrons au Chapitre 13.

✎ **Il n'y a ni compte Visiteur ni compte d'utilisateur ?** Il ne vous reste plus qu'à demander au propriétaire de l'ordinateur de bien vouloir créer un compte d'utilisateur à votre nom. S'il ne sait pas comment faire, faites-lui lire le Chapitre 13 où tout est expliqué.

Vous ne voulez pas ouvrir de session *via* l'écran d'accueil ? Ces quelques boutons sur l'écran d'accueil régissent aussi d'autres options :

✎ Le petit bouton bleu, dans le coin inférieur gauche de l'écran, visible à la Figure 2.1, permet de configurer Windows Vista pour les malvoyants, les malentendants et ceux qui éprouvent des difficultés motrices (nous y reviendrons au Chapitre 11). Si vous avez cliqué sur ce bouton par mégarde, cliquez sur Annuler afin de quitter le menu d'options sans rien modifier.

✎ Pour éteindre le PC à partir de l'austère écran d'accueil, cliquez sur le petit bouton rouge en bas à droite (il est visible dans la Figure 2.1). Pas de panique si vous avez cliqué dessus par mégarde : appuyez brièvement sur le bouton de mise en marche du PC, et l'écran réapparaît.

✎ Cliquez sur la petite flèche à droite du bouton rouge, et Vista met fin à la session, soit en se mettant en veille, soit en éteignant le PC, soit en redémarrant. Ces options sont expliquées à la fin de ce chapitre.

Windows Vista revient à cet écran d'accueil chaque fois que vous n'avez rien fait sur le PC pendant dix minutes. Pour mettre fin à ce comportement agaçant, cliquez du bouton droit sur le Bureau et choisissez Personnaliser. Choisissez Écran de veille puis décochez la case de l'option À la reprise, afficher l'écran d'ouverture. Vous n'aurez ainsi à ouvrir la session qu'une seule fois au démarrage, et non à tout bout de champ.

Les comptes d'utilisateur

Windows Vista permet à plusieurs personnes d'utiliser l'ordinateur, mais sans que les fichiers des uns se mêlent à ceux des autres. Pour cela, il doit savoir qui est en train d'utiliser l'ordinateur. Quand vous ouvrez une session – vous vous annoncez – en cliquant sur votre nom d'utilisateur, comme à la Figure 2.1, Windows Vista ouvre votre Bureau personnalisé, où vous pourrez semer votre pagaille personnalisée.

Le travail terminé, ou si vous désirez faire une pause, fermez la session comme nous l'expliquons à la fin de ce chapitre, afin que quelqu'un d'autre puisse utiliser l'ordinateur. Plus tard, quand vous serez de retour, votre Bureau en pagaille vous attendra.

La pagaille que vous semez sur votre Bureau, c'est votre pagaille. Vous retrouvez tout comme vous l'avez laissé. Si vous ne retrouvez plus la lettre urgente, ce n'est certainement pas Eric qui l'a supprimée accidentellement en jouant au Démineur ou au Solitaire. De même, le Bureau de Rose contient toujours les liens vers ses sites Web préférés et tous les morceaux MP3 de Mylène Farmer sont toujours dans son dossier Musique personnalisé.

La question qui vous brûle les lèvres est bien sûr : comment personnaliser l'icône du nom d'utilisateur, en y plaçant une photo comme à la Figure 2.1 ? Après avoir ouvert la session, déployez le menu Démarrer et cliquez sur la petite image tout en haut. Windows ouvre fort opportunément un menu dans lequel vous choisirez Modifier votre photo. Cliquez sur Rechercher d'autres images, puis passez en revue les photos stockées dans le dossier Images. Vous apprendrez au Chapitre 16 comment recadrer les photos en carré.

Protéger votre compte par un mot de passe

Comme Windows Vista permet à plusieurs personnes d'utiliser un même ordinateur, comment empêcher Roméo de lire la lettre d'amour de Juliette à Gréco ? Ou encore, comment empêcher que Luc efface la bande-annonce de *La Guerre des Étoiles* que Leila avait téléchargée ? Le mot de passe (facultatif) résout ce genre de problèmes.

Démarrer Windows Vista pour la première fois

Si vous avez déjà installé Windows Vista ou si vous allumez votre ordinateur pour la première fois, vous avez déjà été gratifié de quelques gâteries supplémentaires. L'Accueil Windows contient les boutons suivants, personnalisés en fonction de votre PC :

- **Afficher les détails de l'ordinateur :** L'Accueil Windows commence à cette page. Elle liste des détails techniques sur le PC : la version de Vista, le processeur, la mémoire vive, la carte vidéo et autres babioles.

- **Transférer des fichiers et des paramètres :** Vous venez d'allumer votre tout nouveau PC sous Vista ? Cette zone fort utile permet de tranférer tous les fichiers de l'ancien PC vers le nouveau, une tâche décrite au Chapitre 19.

- **Ajouter de nouveaux utilisateurs :** Ignorez cette option à moins que d'autres personnes utilisent votre PC. Si c'est le cas, cliquez dessus afin de déclarer ces personnes auprès de Windows. C'est dans cette zone aussi que vous indiquez ce que vos enfants – ou votre conjoint, colocataire... – ont le droit de faire avec le PC. Nous y reviendrons au Chapitre 13.

- **Connexion à Internet :** Prêt à surfer sur le Web et à relever le courrier électronique ? Cette fonction communique les paramètres de connexion à Vista, un processus expliqué au Chapitre 8.

- **Extras pour Windows Édition Intégrale :** Les possesseurs de Vista Édition Intégrale trouveront ici des logiciels complémentaires à télécharger.

- **Mise à niveau permanente de Windows :** Les possesseurs d'autres versions de Vista peuvent cliquer ici pour migrer vers une version plus puissante.

- **Quelles sont les nouveautés dans Windows Vista :** Commode pour ceux qui ont effectué une mise à jour depuis Windows XP, ce bouton présente les nouvelles fonctionnalités de votre version particulière de Vista.

- **Personaliser Windows :** Choisissez cette option pour choisir un nouvel arrière-plan pour votre Bureau, changer les couleurs de Vista ou peaufiner l'affichage.

- **Enregistrer Windows en ligne :** Vous devez passer par là si vous ne voulez pas que Vista cesse de fonctionner à brève échéance.

- **Windows Media Center :** Ce bouton fait monter le Windows Media Center en puissance afin de pouvoir enregistrer des émissions de télévision (voir Chapitre 15).

- **Fonctions de base de Windows :** Conçu pour les débutants qui viennent de s'offrir leur premier PC, ce didacticiel explique comment utiliser la souris et le clavier, et gérer les fichiers et les dossiers.

Démarrer Windows Vista pour la première fois (*suite*)

- **Centre Options d'ergonomie** : Les handicapés apprécieront la diversité des outils d'accessibilité décrits au Chapitre 11.

- **Centre de sauvegarde et de restauration** : La sauvegarde des fichiers est expliquée au Chapitre 10.

- **Démonstration de Windows Vista** : Ces courtes séquences du programme d'aide de Vista, exposées au Chapitre 20, vous familiarisent avec différentes tâches de Vista.

- **Panneau de configuration** : Centre nerveux du PC, le Panneau de configuration permet de paramétrer les interactions entre Vista et votre PC, comme nous le verrons au Chapitre 11.

Vista ne montre initialement que quelques boutons. Pour les voir tous, cliquez sur le bouton Afficher tous les 14 éléments.

En tapant un mot de passe lors de l'ouverture d'une session, comme à la Figure 2.2, vous demandez à l'ordinateur de ne reconnaître que vous, et personne d'autre. Nul ne pourra accéder à vos fichiers, excepté l'administrateur, qui a un droit de regard sur tous les fichiers et peut même supprimer votre compte d'utilisateur.

Procédez comme suit pour configurer ou modifier le mot de passe :

Créer un mot de passe pour votre compte

Bernard
Administrateur

●●●●●●

Confirmer le nouveau mot de pas

Figure 2.2 : En configurant un mot de passe, personne d'autre ne peut accéder à vos fichiers.

1. **Cliquez sur le bouton Démarrer, puis sur Panneau de configuration, puis sur Comptes d'utilisateurs et protection des utilisateurs. Choisissez ensuite Modifier votre mot de passe Windows.**

   Si le Panneau de configuration affiche la présentation classique, cliquez sur l'icône Comptes d'utilisateur et choisissez Créer un mot de passe pour votre compte.

2. **Choisissez Créer un mot de passe pour votre compte, ou Modifier votre mot de passe.**

La formulation change selon que vous créez un nouveau mot de passe ou que vous en modifiez un.

3. **Tapez un mot de passe facile à retenir par vous, mais pas par les autres.**

Le mot de passe doit être court et simple : votre légume préféré par exemple, ou votre marque de fil dentaire.

4. **Dans le dernier champ tapez un pense-bête qui vous rappellera le mot de passe à vous, mais pas aux autres.**

5. **Cliquez sur le bouton Créer un mot de passe.**

6. **De retour à l'écran des comptes d'utilisateurs, choisissez Créer un disque de réinitialisation de mot de passe, à gauche de l'écran.**

Vista vous conduit dans le processus de création d'un disque de réinitialisation de mot de passe à partir d'une disquette, d'un CD, d'un DVD, d'une carte mémoire ou d'une clé USB, procédure expliquée en détail au Chapitre 17.

Windows Vista demande désormais le mot de passe chaque fois que vous voulez ouvrir une session.

✔ Un mot de passe fait la différence entre les majuscules et les minuscules : *Caviar* et *caviar* sont considérés comme deux mots de passe différents.

✔ Vous avez déjà oublié votre mot de passe ? Lorsque celui que vous avez tapé est refusé par Vista, le pense-bête permettant de s'en rappeler est aussitôt affiché. Attention : comme tout le monde peut le lire, il ne faut pas qu'il soit trop explicite. En dernier recours, insérez le disque de réinitialisation de mot de passe, une action expliquée au Chapitre 17.

Vous en apprendrez encore bien davantage sur les comptes d'utilisateur au Chapitre 13.

Que Windows ne me demande plus le mot de passe !

Windows ne demande le nom et le mot passe que s'il doit savoir qui est installé devant l'ordinateur. Cette information lui est indispensable pour n'importe laquelle de ces trois raisons :

- Votre ordinateur fait partie d'un réseau. L'identité sert à déterminer les droits et accès autorisés.

- Le propriétaire de l'ordinateur tient à limiter les actions possibles.

- L'ordinateur est partagé entre plusieurs personnes, et vous ne tenez pas à ce que les autres puissent ouvrir une session sous votre nom et modifier vos fichiers et vos paramètres.

Si tout cela ne s'applique pas à vous, purgez le mot de passe en exécutant les deux premières étapes de la section "Protéger votre compte par un mot de passe", et choisissez Supprimer le mot de passe au lieu de Modifier le mot de passe.

Sans mot de passe, n'importe qui peut ouvrir une session avec votre compte d'utilisateur et examiner – voire supprimer – vos fichiers. Si l'ordinateur se trouve sur un lieu de travail, cela peut être une source de sérieux problèmes. Si un mot de passe vous a été communiqué, il vaut mieux le conserver.

Travailler sur le Bureau

Un bureau est généralement horizontal, pas incliné ou vertical. Autrement, tout glisserait et roulerait, ce qui serait bien ennuyeux. Mais dans Windows Vista, le Bureau est représenté sur l'écran de l'ordinateur. C'est là que vous placez vos affaires. Vous pouvez créer des fichiers et des dossiers directement à partir de votre nouveau Bureau électronique, et les disposer sur l'écran. Chaque programme s'exécute dans sa propre fenêtre, placée sur le Bureau.

Windows Vista démarre sur un Bureau bien net, quasiment vide. Au gré de votre travail, il s'emplit d'icônes, c'est-à-dire de boutons qui ouvrent des fichiers ou démarrent des programmes lorsque vous double-cliquez dessus. Certaines personnes accumulent les icônes sur le Bureau afin d'y accéder rapidement. D'autres préfèrent les organiser : lorsqu'ils terminent un travail, ils placent les icônes dans des dossiers, comme nous le verrons au Chapitre 4.

Le Bureau est composé de quatre éléments, comme le montre la Figure 2.3 :

Barre des tâches   Volet Windows

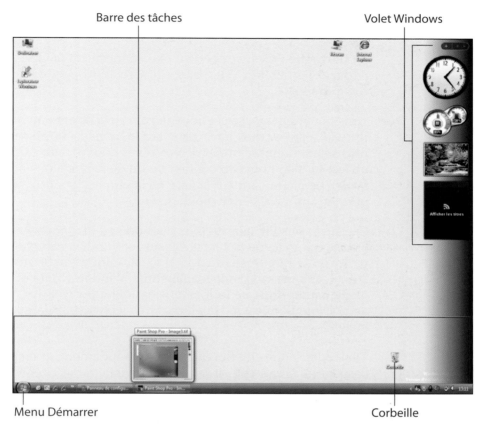

Menu Démarrer   Corbeille

Figure 2.3 : Le Bureau de Windows Vista s'étend sur la totalité de l'écran. Il est composé de quatre parties : le bouton Démarrer, la Barre des tâches, la Corbeille et le Volet Windows facultatif.

La Barre des tâches : S'étirant voluptueusement le long du bord inférieur du Bureau, la Barre des tâches contient tous les fichiers et programmes actuellement ouverts. Placez le pointeur de la souris sur l'un d'eux pour voir, le nom, une miniature le représentant, comme vous le remarquez à la Figure 2.3.

Le menu Démarrer : Situé à gauche sur la Barre des tâches, le menu Démarrer déploie un choix de programmes à exécuter.

Le Volet Windows : Nouveauté de Vista, le Volet Windows est arrimé au bord droit où il offre une variété de gadgets personnalisés, comme les prévisions météorologiques, un indicateur d'utilisation du processeur et de la mémoire, un jeu Puzzle graphique (ou taquin), etc.

La Corbeille : C'est sur cette icône en forme de panier que vous déposez les fichiers à supprimer (qui restent cependant facilement récupérables).

✔ Vous pouvez démarrer de nouveaux projets directement à partir du Bureau : cliquez du bouton droit sur le Bureau, choisissez Nouveau puis sélectionnez le projet de vos rêves dans le menu, qu'il s'agisse de l'ajout d'un nouveau contact ou du démarrage de votre logiciel favori. Le menu contient la liste de la plupart des programmes, permettant d'y accéder rapidement.

✔ Un objet vous intrigue au plus haut point ? Risquez-vous à immobiliser le pointeur de la souris dessus, et Windows affichera une petite bulle expliquant de quoi il s'agit. Cliquez du bouton droit sur l'objet, et dans sa grande mansuétude, Windows Vista déroulera un menu listant presque tout ce que cet objet permet de faire. Cette astuce fonctionne avec la plupart des icônes du Bureau et de vos logiciels.

✔ Toutes les icônes du Bureau peuvent soudainement disparaître, laissant un écran vide. Il se peut que Vista les ait cachées en croyant bien faire. Pour les rétablir, cliquez du bouton droit dans le Bureau vide et, dans le menu, choisissez Affichage. Enfin, assurez-vous que l'option Afficher les icônes du Bureau est cochée afin que tout reste visible.

Mettre de l'ordre sur un Bureau encombré

Lorsque le Bureau est aussi encombré d'icônes qu'une pelouse de feuilles mortes en automne, Vista propose plusieurs moyens d'y mettre un peu d'ordre. Si vous voulez seulement que le Bureau paraisse plus organisé, cliquez dessus du bouton droit, choisissez Trier par puis sélectionnez l'une de ces options :

✔ **Nom :** Dispose toutes icônes en colonnes, par ordre alphabétique.

✔ **Taille :** Dispose les icônes selon la taille en octets, les plus petites en haut des colonnes.

- **Type :** Tous les fichiers Word, par exemple, sont groupés, de même que toutes les icônes de liens vers des sites Web.

- **Date de modification :** Les fichiers sont disposés selon la date de leur création ou de leur dernière modification.

Cliquer du bouton droit sur le Bureau et choisir l'option Affichage permet de régler les dimensions des icônes et sélectionner d'autres options de disposition :

- **Réorganisation automatique :** Dispose automatiquement toutes les icônes en colonnes, mêmes celles qui viennent d'être repositionnées.

- **Aligner sur la grille :** Cette option dispose régulièrement les icônes sur une grille invisible.

- **Afficher les icônes du Bureau :** Cette option doit être active en permanence. Autrement, Windows masque toutes les icônes. Si le Bureau est subitement vidé de toutes les icônes, pensez à vérifier cette option.

La plupart des options d'affichage se trouvent dans le menu Affichages des dossiers.

Égayer l'arrière-plan du Bureau

Pour rendre le Bureau plus attrayant, Windows Vista est accompagné de jolies images à placer à l'arrière-plan. Certaines personnes appellent ces images des "papiers peints".

Si vous ne trouvez pas votre bonheur parmi les images de Vista, vous pouvez choisir une de vos photos comme arrière-plan.

1. **Cliquez du bouton droit dans une partie vide du Bureau. Choisissez Personnaliser puis l'option Arrière-plan du Bureau.**

2. **Cliquez sur l'une des images visibles dans la Figure 2.4. Vista l'affiche aussitôt à l'arrière-plan du Bureau.**

   Vous avez trouvé ? Cliquez sur le bouton Enregistrer pour la garder sur le Bureau. Si vous cherchez encore, passez à l'étape suivante.

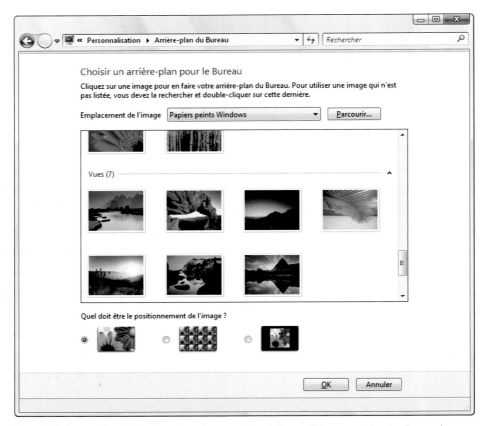

Figure 2.4 : Essayez les différents arrière-plans en cliquant dessus. Cliquez sur le bouton Parcourir pour accéder à des photos stockées dans d'autres dossiers.

3. **Cliquez sur le bouton Parcourir et rechercher un fichier d'image dans le dossier Images.**

C'est dans ce dossier que la plupart des gens stockent leurs photos (naviguer parmi les dossiers est expliqué au Chapitre 4).

4. **Vous avez trouvé une photo qui vous plaît ?**

Quittez le programme : la photo choisie reste sur le Bureau, en tant qu'arrière-plan.

Voici quelques astuces pour agrémenter votre Bureau :

- NdT : Par défaut, Vista recherche des arrière-plans dans le dossier `C:\Windows`. Or, les plus beaux – la Figure 2.4 en donne un aperçu – se trouvent dans le dossier `C:\Windows\Web\Wallpaper`.

- Lorsque vous parcourez des images, Windows Vista détermine automatiquement si l'image doit être répétée à l'écran, centrée ou étirée afin de remplir tout l'espace. Pour supplanter ces choix automatiques, choisissez, en bas de la fenêtre, l'option à appliquer dans la rubrique Quelle doit être le positionnement de l'image ? Essayez chaque effet.

- Vous pouvez facilement "emprunter" une image sur l'Internet pour en faire un arrière-plan. Cliquez dessus du bouton droit et sélectionnez Choisir comme image d'arrière-plan. L'image est subrepticement copiée comme arrière-plan, dans le Bureau. Vous pouvez en faire autant avec les photos du dossier Images, en cliquant dessus du bouton droit et en choisissant la même option.

- Pour modifier complètement l'apparence de Windows Vista, cliquez du bouton droit sur le Bureau, choisissez Personnaliser puis Thèmes. Destiné à ceux qui ne sont jamais content de ce qu'ils ont, les différents thèmes changent les couleurs des boutons, bordures et champs. Ils sont décrits au Chapitre 11. Si vous avez téléchargé des thèmes depuis l'Internet, soumettez-les à un antivirus, comme l'explique le Chapitre 10.

La Corbeille à papier virtuelle

 La Corbeille visible dans un coin du Bureau a le même usage que la vraie, au pied de votre véritable bureau. Elle permet de se débarrasser – croit-on ! – d'un document compromettant.

Un fichier, un dossier, ou tout autre élément peut être placé dans la Corbeille de deux manières :

- En cliquant dessus du bouton droit et en choisissant Supprimer, dans le menu. Windows demande prudemment si vous êtes bien sûr de vouloir vous débarrasser de cet élément. Cliquez sur Oui, et il se retrouve aussitôt dans la Corbeille.

- Pour supprimer instantanément un élément, cliquez dessus et appuyez sur la touche Suppr.

Vous voulez récupérer un élément supprimé ? Double-cliquez sur l'icône Corbeille pour accéder à son contenu, cliquez du bouton droit sur l'élément désiré et choisissez Restaurer. Il est aussitôt renvoyé là où il avait été supprimé. Vous pouvez aussi récupérer un élément en le faisant glisser jusque sur le Bureau ou jusque dans un dossier.

La Corbeille peut être plus que bourrée d'éléments supprimés. Si vous recherchez un fichier récemment supprimé, effectuez un tri par date de son contenu. Pour cela, cliquez sur l'en-tête Date de suppression, en haut de la Corbeille (si les en-têtes ne sont pas visibles, cliquez sur la petite flèche de l'icône Affichages et, dans la liste, sélectionnez Détails).

Pour supprimer définitivement un élément, supprimez-le à l'intérieur de la Corbeille : cliquez dessus et appuyez sur la touche Suppr. Pour supprimer tout ce qui se trouve dans la Corbeille, cliquez dedans du bouton droit et choisissez Vider la Corbeille.

Pour supprimer définitivement un élément sans qu'il transite par la Corbeille, maintenez la touche Majuscule enfoncée tout en appuyant sur Suppr, et l'objet disparaît sans aucune possibilité de le récupérer. Une astuce précieuse pour se débarrasser de données sensibles, comme un numéro de carte bancaire.

    ✔ Lorsque la Corbeille contient au moins un élément, l'icône de corbeille à papier vide est remplacée par une icône de corbeille pleine.

    ✔ Pendant combien de temps les éléments supprimés subsistent-ils dans la Corbeille ? Jusqu'à ce qu'elle occupe 10% environ du disque dur. Ensuite, les éléments les plus anciens sont purgés pour laisser de la place aux plus récents. Si vous manquez de place sur le disque dur, réduisez la part allouée aux éléments supprimés en cliquant du bouton droit sur la Corbeille et en choisissant Propriétés. Réduisez la valeur de Taille personnalisée afin que les fichiers les plus anciens soient plus rapidement éliminés. En revanche, si vous augmentez la taille de la Corbeille, les éléments supprimés perdureront un peu plus longtemps.

    ✔ La Corbeille ne conserve que les éléments supprimés provenant du disque dur de votre ordinateur. Les fichiers effacés sur une disquette, une carte mémoire, un lecteur MP3, une clé USB ou un caméscope numérique le sont définitivement.

> ✔ Si vous supprimez un élément sur un ordinateur distant, au travers d'un réseau informatique, cet élément sera irrécupérable. La Corbeille ne conserve que ceux effacés sur votre propre ordinateur, pas sur celui d'autrui. Et pour quelque obscure raison, l'élément effacé ne se retrouve pas dans la Corbeille de l'ordinateur distant. Affreux affreux affreux.

La raison d'être du bouton Démarrer

 Le bouton Démarrer bleu clair se trouve dans le coin inférieur gauche du Bureau, où il est accessible en permanence. Cliquer sur le bouton Démarrer permet de démarrer des programmes, régler les paramètres de Vista, trouver de l'aide en cas de pépin ou – ce qui est appréciable – quitter Vista, éteindre le PC et vérifier ainsi qu'il y a une vie après l'ordinateur.

Cliquez une seule fois sur le bouton Démarrer, et une première couche de menus apparaît, comme le révèle la Figure 2.5.

Le contenu du menu Démarrer évoluera au fur et à mesure que vous installerez des logiciels. C'est pourquoi le menu Démarrer de l'ordinateur d'un ami sera sans doute quelque peu différent du vôtre.

Figure 2.5 : Le bouton Démarrer de Windows Vista contient de nombreux menus permettant de démarrer les programmes.

> ✔ Vos dossiers Documents, Images et Musique sont toujours à un clic du menu Démarrer. Ces dossiers ont été conçus en fonction de leur contenu. C'est ainsi que le dossier Images, par exemple, affiche une miniature de vos photos numériques. Quel est le plus gros avantage de ces dossiers ? Placer vos fichiers dedans permet de les retrouver plus facilement. L'organisation des fichiers est expliquée au Chapitre 4.

- Windows place fort opportunément vos programmes les plus utilisés dans la colonne de gauche du menu Démarrer, où ils sont rapidement accessibles.

- Vous avez vu l'indication Tous les programmes, en bas à gauche du menu Démarrer ? Cliquez dessus et un autre menu propose d'autres options (comme il recouvre le premier menu, cliquez sur Précédent pour revenir au précédent).

- Un élément du menu Démarrer ne vous paraît pas clair ? Immobilisez le pointeur de la souris sur l'intrigante icône et Windows vous renseignera par un message explicite.

- Bizarrement, vous devez cliquer sur le bouton Démarrer pour arrêter Windows. Vous sélectionnez ensuite l'option Arrêter, une manipulation expliquée à la fin de ce chapitre.

Le domaine de prédilection du menu Démarrer

Le menu Démarrer affiche toujours, de haut en bas, les éléments de la liste qui suit. Vous les utiliserez constamment dans Windows. C'est pourquoi, même si la section consacrée au bouton Démarrer vous ennuie, faites au moins semblant de vous intéresser à ces explications.

Si le menu Démarrer vous emballe, vous adorerez la section "Personnaliser le menu Démarrer", un peu plus loin, qui explique comment le réarranger entièrement.

Internet : Cette option permet de surfer sur l'Internet (voir Chapitre 8).

Courrier électronique : Choisissez cette commande pour envoyer ou relever le courrier avec le nouveau programme Windows Mail, décrit au Chapitre 9.

Les programmes récemment utilisés : La colonne de gauche du menu Démarrer est constamment mise à jour avec les programmes que vous utilisez le plus souvent, afin que vous puissiez les démarrer rapidement.

Le champ Rechercher : Judicieusement placé au-dessus du menu démarrer, il permet de retrouver un fichier en tapant quelques bribes de son contenu : quelques mots d'un courrier électronique, d'un document, le nom d'un groupe de musiciens, une date de création de fichier ou quoi que soit... Appuyez sur la touche Entrée, et Vista trouve rapidement. La fonction Rechercher est abordée à fond au Chapitre 6.

Le nom d'utilisateur : Le nom de votre compte d'utilisateur apparaît en haut à droite du menu Démarrer. Cliquez dessus pour voir un dossier contenant tous vos fichiers, ainsi que les dossiers Documents, Images et Musique.

Images : Stockez vos photos numériques dans ce dossier. L'icône de chaque photo est en réalité une miniature de son contenu.

Musique : Stockez vos morceaux ici afin que le Lecteur Windows Media puisse les trouver et les jouer plus facilement.

Jeux : Windows offre plusieurs nouveaux jeux, dont un jeu d'échec digne de ce nom. Ce n'est pas trop tôt !

Rechercher : La commande Rechercher, dans la liste du menu Démarrer, permet de retrouver un ou plusieurs fichiers d'après des critères précis. Ce serait le cas, par exemple, de tous les fichiers contenant le mot "huîtres" créés ces deux derniers mois. Mais si vous effectuez une recherche plus générale, tenez-vous-en au champ Rechercher, en bas du menu Démarrer.

Documents récents : Vous avez ouvert un fichier au cours des quelques dernières heures ? Il figure très probablement ici, ce qui permet d'y revenir rapidement.

Ordinateur : Cette option fournit des informations sur les zones de stockage de l'ordinateur : dossiers, disques durs, lecteurs de CD, appareil photo numérique et autres équipements.

Réseau : Si votre ordinateur est en réseau, cliquez ici pour accéder aux autres ordinateurs.

Connexion : Cette zone permet de se connecter à différents réseaux, un sujet couvert au Chapitre 14. Elle offre aux possesseurs d'ordinateurs portables un moyen rapide de se connecter à un réseau sans fil ou, pour ceux qui utilisent une connexion téléphonique à bas débit, de se connecter à l'Internet d'un seul clic.

Panneau de configuration : Cette zone permet de paramétrer les innombrables éléments de l'ordinateur, comme le décrit le Chapitre 11.

Programmes par défaut : Cliquez ici pour définir le programme qui doit être démarré lorsque vous ouvrez un fichier. Par exemple, c'est là que vous demandez à Windows de jouer un morceau avec iTunes plutôt qu'avec le Lecteur Windows Media.

Aide et support : Embrouillé et déconcerté ? Cliquez ici pour obtenir une réponse (le système d'aide est entièrement expliqué au Chapitre 20).

 Veille/Arrêt : Cliquer ici met le PC en veille ou l'éteint. Ces options sont expliquées à la dernière section de ce chapitre.

 Verrouillage : Cette commande verrouille votre compte d'utilisateur, permettant à d'autres personnes d'ouvrir une session sans accéder à vos fichiers.

 Le Chapitre 11 explique comment affecter différentes tâches au bouton de mise en veille, notamment comment faire pour qu'il éteigne l'ordinateur.

Lancer un programme à partir du menu Démarrer

Rien n'est plus facile. Cliquez sur le bouton Démarrer et le menu Démarrer se déploie. Si vous y trouvez l'icône du programme – ou logiciel – désiré, cliquez dessus et Windows le charge.

Si le programme ne figure pas dans la liste, cliquez sur Tous les programmes, en bas du menu Démarrer. Un autre menu apparaît, qui contient une liste de programmes et de dossiers pleins de programmes. Vous avez trouvé celui que vous cherchez ? Cliquez sur son nom et Windows l'affiche à l'écran.

Si vous ne trouvez décidément pas le programme, pointez le curseur sur les petits dossiers du menu Tous les programmes. Un sous-menu mentionne leur contenu. Toujours rien ? Essayez avec un autre dossier.

Quand vous aurez enfin trouvé le programme, cliquez sur son nom, et il s'ouvre sur le Bureau, prêt à travailler.

✔ Vous n'avez toujours pas trouvé le programme ? Reportez-vous au Chapitre 6, à la section consacrée à la recherche des fichiers et des dossiers égarés. Vista parviendra à découvrir le programme perdu.

✔ Il existe un autre moyen de charger un programme, au travers d'un fichier qui a été créé ou modifié par lui. Par exemple, si vous avez écrit des lettres au fisc avec Microsoft Word, double-cliquez sur l'un de ces courriers pour démarrer Word.

✔ Si vous ne parvenez pas à localiser un programme dans la liste, tapez son nom dans le champ Rechercher du menu Démarrer.

Tapez par exemple **Windows Mail** et appuyez sur Entrée. Le programme Mail s'ouvre aussitôt, prêt à envoyer du courrier électronique.

✔ Si vous ne savez pas comment naviguer parmi les dossiers, reportez-vous au Chapitre 4. Vous y apprendrez comment vous déplacer à l'aise dans l'arborescence des dossiers, ce qui réduira considérablement le temps perdu à chercher des fichiers.

Personnaliser le menu Démarrer

Le menu Démarrer de Windows Vista est génial, du moins tant que vous ne butez pas sur un élément qui n'y figure pas, ou tant qu'un élément rarement utilisé n'y est pas indûment présent.

✔ **Pour ajouter l'icône de votre programme favori dans le menu Démarrer,** cliquez du bouton droit sur l'icône du programme et, dans le menu, choisissez Ajouter au menu Démarrer. Windows copie l'icône dans la colonne de gauche du menu Démarrer. De là, vous pouvez la faire glisser dans la zone Tous les programmes, si vous le désirez.

✔ **Pour ôter une icône indésirable de la colonne de gauche du menu Démarrer,** cliquez dessus du bouton droit et choisissez l'option Supprimer de cette liste. Notez qu'ôter une icône du menu Démarrer ne supprime pas le programme lui-même de l'ordinateur ; seul le raccourci qu'est l'icône en question est supprimé.

Quand vous installez un programme – comme vous le découvrirez au Chapitre 11 –, il est presque toujours automatiquement ajouté au menu Démarrer. Il annonce ensuite sa présence de manière voyante en arborant son nom sur un fond coloré ocre, comme le révèle la Figure 2.6.

La Barre des tâches

Cette section présente l'une des fonctionnalités les plus appréciables de Windows Vista. Chaque fois que vous ouvrez plus d'une fenêtre sur le Bureau, l'une a tendance à recouvrir l'autre, ce qui n'est guère agréable. Lorsqu'elles sont nombreuses, retrouver une fenêtre est parfois fastidieux.

La Barre des tâches résout élégamment ce problème. Il s'agit d'une zone qui conserve une trace de tous les programmes ouverts. Comme le montre la Figure 2.7, elle se trouve en bas de l'écran, mais vous pouvez l'ancrer contre n'importe quel bord (un conseil : déplacez la Barre des tâches de bord en bord. Si elle refuse de bouger, cliquez dessus du bouton droit et voyez si l'option Verrouiller la Barre des tâches n'est pas cochée).

Immobilisez le pointeur de la souris sur un programme affiché dans la Barre des tâches pour voir une miniature qui le représente, comme à la Figure 2.7. Elle est visible même si la fenêtre du programme est actuellement recouverte par une autre, à l'écran (cet affichage ne fonctionne que si les capacités graphiques de l'ordinateur sont suffisantes).

Figure 2.6 : Le programme SnagIt 7 qui vient d'être installé signale sa présence récente par un fond coloré ocre.

Vous avez remarqué qu'à la Figure 2.7 le bouton Galerie de la tâche photos Windows est plus sombre que les autres ? C'est parce que la fenêtre de ce logiciel est actuellement la *fenêtre active,* sur le Bureau. Autrement dit, c'est celle en cours d'utilisation. Dans la Barre des tâches, un des boutons est toujours plus sombre, sauf si vous avez réduit toutes les fenêtres.

Figure 2.7 : Les boutons dans la Barre des tâches correspondent aux programmes actuellement en cours.

Demander à Vista de démarrer automatiquement les programmes

Beaucoup de gens s'installent devant l'ordinateur, l'allument puis effectuent mécaniquement les mêmes gestes pour charger les programmes fréquemment utilisés. Or, Windows Vista peut automatiser cette tâche. C'est dans le dossier Démarrage, niché dans le menu Tous les programmes, que tout se passe. Lorsque Vista se met en route, il examine le contenu du dossier Démarrage. S'il y trouve un programme, il le lance aussitôt.

Procédez comme suit pour que vos programmes favoris démarrent en même temps que Windows Vista :

1. **Cliquez sur le bouton Démarrer et choisissez Tous les programmes.**

2. **Cliquez du bouton droit sur l'icône Démarrage et choisissez Ouvrir.**

   L'icône Démarrage s'ouvre sous la forme d'un dossier.

3. **Faites glisser et déposez tous vos programmes et fichiers favoris dans le dossier Démarrage.**

   Vista place automatiquement des raccourcis vers ces programmes et fichiers dans le dossier Démarrage.

4. **Fermez le dossier Démarrage.**

À présent, chaque fois que vous allumerez l'ordinateur et ouvrirez une session, Vista chargera automatiquement les programmes et les fichiers que vous venez d'y placer.

Plusieurs actions peuvent être appliquées aux fenêtres ouvertes, à partir de la Barre des tâches :

- Pour activer un programme présent dans la Barre des tâches, cliquez sur son nom. Sa fenêtre s'affiche au premier plan et y reste, à l'instar de n'importe quelle autre fenêtre ouverte, prête à recevoir vos actions.

- Pour fermer une fenêtre figurant dans la Barre des tâches, cliquez du bouton droit sur son nom et choisissez Fermer, dans le menu. Le programme disparaît comme si vous aviez choisi la commande Quitter, dans son menu Fichier. Si votre travail n'a pas été enregistré, un message vous demande s'il faut le faire.

- Si la Barre des tâches a disparu sous le bord inférieur de l'écran, approchez le pointeur de la souris du bord et la barre refait surface.

Cliquez ensuite dessus du bouton droit, choisissez Propriétés et décochez la case Masquer automatiquement la Barre des tâches.

Réduire des fenêtres dans la Barre des tâches et les récupérer

Windows multiplie les fenêtres. Vous en ouvrez une pour écrire une lettre élogieuse au théâtre municipal, puis vous en ouvrez une autre pour vérifier son adresse sur le Minitel, et une autre encore montrant son site Web afin de réserver des places pour le prochain spectacle. En un rien de temps, plusieurs fenêtres s'empilent sur le Bureau.

 Windows Vista propose un moyen commode pour éviter l'encombrement : placer une fenêtre dans la Barre des tâches en cliquant sur un minuscule bouton carré Réduire. La fenêtre réduite dans la Barre des tâches disparaît instantanément du Bureau.

 Pour qu'un programme réduit dans la Barre des tâches réapparaisse dans sa fenêtre, il suffit de cliquer sur son nom, dans la barre. On ne fait pas plus simple.

- ✔ Chaque bouton de la Barre des tâches mentionne le nom du programme qu'il représente. Immobiliser le pointeur de la souris dessus affiche une miniature de ce programme (si les capacités graphiques du PC sont insuffisantes, Vista se contente d'afficher le nom du programme dans une bulle).

- ✔ Quand vous réduisez une fenêtre, vous ne supprimez pas son contenu et ne fermez pas le programme. Quand vous la réaffichez en cliquant sur son nom, dans la Barre des tâches, elle réapparaît exactement telle qu'elle était auparavant, avec le même contenu.

 - ✔ Chaque fois que vous chargez un programme, son nom apparaît sur la Barre des tâches. Si une fenêtre n'est plus visible sur le Bureau, cherchez-la dans la Barre des tâches et cliquez dessus pour l'afficher au premier plan.

Les différentes zones de la Barre des tâches

La Barre des tâches a plus d'un tour dans sa besace. Voici par exemple un aperçu des icônes qui occupent sa partie droite – appelée Zone de notification –, que montre la Figure 2.8.

Figure 2.8 : Ces icônes exécutent des tâches spécifiques.

✔ **L'horloge :** Immobilisez le pointeur de la souris sur l'horloge, et Vista affiche le jour de la semaine et la date. Cliquez sur l'horloge pour accéder à un calendrier mensuel très pratique. Pour modifier l'heure, la date, voire ajouter un second fuseau horaire, cliquez sur l'horloge et choisissez Modifier les paramètres de la date et de l'heure, une tâche détaillée au Chapitre 11.

✔ **La flèche :** Parfois, la Barre des tâches masque des éléments. Cliquez sur la petite flèche à l'extrême gauche (voir Figure 2.8) pour dévoiler éventuellement quelques icônes supplémentaires. Reportez-vous à la section "Personnaliser la Barre des tâches", plus loin dans ce chapitre, pour en savoir plus sur ces icônes.

✔ **Le haut-parleur :** Cliquez sur le petit haut-parleur pour régler le volume de la carte audio, comme le montre la Figure 2.9. Ou alors, cliquez sur le mot Mélangeur pour afficher une table de mixage. Elle permet de régler le volume sonore de chaque programme et faire en sorte que le Lecteur Windows Media joue plus fort que les ennuyeux bips d'alerte des autres logiciels.

✔ **Les autres icônes :** Elles apparaissent souvent près de l'horloge. Par exemple, lorsque vous imprimez, une petite icône en forme d'imprimante apparaît. Les ordinateurs portables affichent souvent le niveau de la batterie, et des icônes indiquent si vous êtes connecté à l'Internet ou à un réseau local. À l'instar des autres icônes, double-cliquer dessus affiche des informations concernant l'imprimante, la batterie ou les connexions.

Figure 2.9 : Actionnez le curseur pour régler le volume.

> ✏ **La partie vide :** La zone non occupée de la Barre des tâches contient un menu. Vous voulez réduire en un clin d'œil toutes les fenêtres ouvertes sur le Bureau ? Cliquez du bouton droit dans une zone vide de la Barre des tâches et, dans le menu, choisissez Afficher le Bureau.

Pour organiser les fenêtres ouvertes, cliquez du bouton droit dans une partie vide de la Barre des tâches et choisissez l'une des commandes de réarrangement. Vista fait le ménage parmi les fenêtres ouvertes en les disposant régulièrement à l'écran. Nous y reviendrons au Chapitre 3.

Personnaliser la Barre des tâches

Windows Vista a introduit une foule de nouvelles options pour la Barre des tâches. Cliquez du bouton droit sur le bouton Démarrer, choisissez Propriétés puis cliquez sur l'onglet Barre des tâches. Le Tableau 2.1 explique les diverses options proposées, avec en prime quelques recommandations personnelles. Notez que vous devrez décocher l'option Verrouiller la Barre des tâches pour que certaines des options fonctionnent.

Tableau 2.1 : Personnaliser la Barre des tâches.

Option	*Recommandations*
Verrouiller la Barre des tâches	Cliquer sur cette option empêche de modifier l'apparence de la Barre des tâches. Il sera par exemple impossible de l'élargir en tirant le bord supérieur vers le haut. Ne verrouillez la Barre des tâches qu'après l'avoir configurée à votre gré.
Masquer automatiquement la Barre des tâches	Lorsque cette option est active, la Barre des tâches disparaît automatiquement en bas de l'écran lorsque le pointeur de la souris n'est pas dessus (approchez-le pour la faire réapparaître). Je laisse cette option inactive afin de toujours voir la Barre des tâches.
Conserver la Barre des tâches au-dessus des autres fenêtres	Cette option affiche la Barre des tâches en permanence, au premier plan. Je conserve cette option.

Tableau 2.1 : Personnaliser la Barre des tâches. (*suite*)	
Grouper les boutons similaires de la barre des tâches	Quand vous ouvrez de nombreux programmes et fenêtres, Windows met en peu d'ordre en regroupant les fenêtres similaires – tous les documents Word, par exemple – sur un seul bouton. Cette option évitant l'encombrement de la Barre des tâches, laissez-la cochée.
Afficher la zone de Lancement rapide	Cette option ajoute la barre d'outils Lancement rapide à la Barre des tâches. Elle contient plusieurs icônes fort commodes décrites plus loin dans ce chapitre.
Afficher les aperçus de la fenêtre (miniatures)	Cette option affiche une miniature, en fait une petite photo de la fenêtre, dont le bouton est survolé par le pointeur de la souris, dans la Barre des tâches. Conservez cette option afin de localiser plus facilement une fenêtre difficile à trouver (cette option n'est accessible que si la puissance graphique du PC est suffisante).

Configurez la Barre des tâches à votre convenance (vous ne risquez absolument rien). Ceci fait, cochez l'option Verrouiller la Barre des tâches décrite au début du Tableau 2.1.

Les barres d'outils de la Barre des tâches

Microsoft permet de configurer plus encore la Barre des tâches, jusqu'à la rendre méconnaissable. Beaucoup d'utilisateurs apprécient la profusion des barres d'outils, la possibilité d'ajouter des barres et boutons supplémentaires à la Barre des tâches. D'autres activent une barre d'outils par mégarde et ne savent pas comment se débarrasser de cette satanée chose.

Pour activer ou désactiver une barre d'outils, cliquez sur une partie vide de la Barre des tâches (voire sur l'horloge) puis choisissez Barres d'outils, dans le menu. Le menu en question contient les options suivantes :

   ✓ **Adresse :** Si vous choisissez cette option, une partie de la Barre des tâches est occupée par un champ de saisie des adresses de pages

Web que vous désirez visiter. C'est pratique, mais Internet Explorer permet d'en faire autant.

☞ **Lecteur Windows Media :** Lorsque cette option est activée, comme à la Figure 2.10, la barre affiche des commandes permettant de contrôler le Lecteur Windows Media lorsqu'il est réduit.

Figure 2.10 : La barre d'outils du Lecteur Windows Media.

☞ **Liens :** Cette barre d'outils ajoute un accès rapide à vos sites Web favoris. Utilisez-la pour visiter n'importe lequel des sites répertoriés dans les Favoris d'Internet Explorer.

☞ **Bureau :** Ceux qui trouvent le menu Démarrer un peu lourdingue lui préfèrent cette barre d'outils pour accéder rapidement aux ressources de leur PC. Elle permet de parcourir les fichiers, les favoris de réseau et les menus du Panneau de configuration.

☞ **Lancement rapide :** Seule barre d'outils que Vista affiche dès son installation à côté du bouton Démarrer, elle offre plusieurs icônes fort utiles, comme le montre, plus haut, la Figure 2.6. L'icône Bureau réduit tout ce qui se trouve sur le Bureau de Vista tandis que l'icône de l'effet 3D aide à retrouver une fenêtre égarée. Vous pouvez ajouter vos propres icônes à la barre d'outils Lancement rapide en les faisant glisser dessus.

☞ **Nouvelle barre d'outils :** Cliquez dessus afin de choisir un dossier – Documents, par exemple – et en faire une barre d'outils. Le contenu de ce dossier sera ainsi rapidement accessible.

Certaines personnes apprécient les barres d'outils car elles leur font gagner du temps, d'autres trouvent qu'elles occupent trop de place et n'en valent pas la peine. De plus, des barres d'outils comme le Panneau de saisie du PC Tablet ne fonctionnent que si vous avez branché un coûteux panneau tactile au PC. À vous de savoir ce que vous désirez ou non.

À condition de ne pas être verrouillées, les barres d'outils peuvent être déplacées en cliquant sur la petite barre verticale à pointillés, à gauche, et en les faisant glisser. Elles peuvent aussi être étirées et contractées en tirant la poignée.

Les deux extrémités de la Barre des tâches

Deux groupes d'icônes se partagent chaque extrémité de la Barre des tâches : à gauche se trouve la barre d'outils Lancement rapide, à droite la Zone de notification. En quoi diffèrent-elles ?

La barre d'outils Lancement rapide n'est qu'un ensemble d'icônes des programmes les plus fréquemment utilisés. Elles ne diffèrent en rien des raccourcis présents sur le Bureau ou dans des dossiers. Elles ne représentent pas des programmes en cours, mais sont des boutons qui les démarrent.

La Zone de notification, elle, contient des programmes actuellement en cours qui ne sont pas exécutés dans des fenêtres conventionnelles. Vous remarquerez entre autres l'icône de Windows Defender, qui fonctionne en permanence en tâche de fond, à l'affût des espiogiciels. Une autre contrôle les sons de Vista, une autre encore peut afficher l'état de la connexion Internet ou de l'imprimante. Vous pouvez même y trouver l'icône d'Apple iTunes ou de logiciels tiers.

Et alors ? Eh bien, disons que dans la mesure où les icônes de la Zone de notification représentent des programmes en cours, l'ordinateur risque de ralentir si elles sont trop nombreuses. Si vous repérez une icône inutile dans cette zone, vous accélérerez quelque peu le PC en ouvrant le Panneau de configuration et en désinstallant ce programme inutile. Pour fermer rapidement et temporairement un programme présent dans la Zone de notification, cliquez sur son icône du bouton droit et choisissez Quitter.

Le Volet Windows

Les utilisateurs équipés d'un écran de grande taille apprécient le nouveau Volet Windows de Vista et ses gadgets. En revanche, les possesseurs de petits écrans le trouvent envahissant.

 Si le Volet Windows (Figure 2.11) n'orne pas votre écran, obligez-le à se montrer en cliquant sur la petite icône Volet Windows, dans la Zone de notification. Il contient, de haut en bas : la météo, des indicateurs de charge de travail du processeur et d'occupation de la mémoire vive, une des horloges disponibles, des flux RSS et un convertisseur de devises.

Pour découvrir la collection de *gadgets* livrés avec Vista (des petits programmes que l'on peut afficher ou non dans le volet Windows) cliquez sur le signe "plus" en haut du Volet Windows. La fenêtre qui s'ouvre propose, entre autres, un calendrier et un lecteur de flux RSS.

Cliquez sur Télécharger d'autres gadgets pour découvrir un véritable gisement de petits programmes : un site Web débordant de gadgets prêts à être téléchargés.

🖊 Vous préférez placer le Puzzle graphique tout en haut ? Tirez-le jusqu'à cet emplacement. Vous pouvez même tirer les gadgets hors du Volet Windows et les disposer sur le Bureau, à condition d'avoir beaucoup de place.

🖊 Pour modifier les paramètres d'un gadget – sélectionner les photos devant figurer dans le diaporama, par exemple – amenez le pointeur de la souris dessus puis cliquez sur la minuscule icône qui apparaît. Pour supprimer un gadget, cliquez sur le petit "X".

Fermer une session Vista

Le meilleur moment de la journée pourrait bien être celui où vous quittez Vista. Vous procédez pour cela comme vous aviez commencé, à partir du bouton Démarrer (eh oui...). Si ce bouton est caché, maintenez la touche Ctrl enfoncée et appuyez sur Échap pour le faire sortir de sa tanière. L'un de ces boutons se trouve en bas du menu Démarrer :

🖊 **Veille/Alimentation :** Le mode Veille (icône du haut, dans la marge) est commode lorsque vous ne comptez pas utiliser l'ordinateur pendant quelques heures mais que vous désirez reprendre une tâche où vous l'avez laissée. Conçue pour les utilisateurs pressés, cette option mémorise les fenêtres ouvertes puis éteint le PC. Quand vous le rallumez, les programmes et les documents réapparaissent sur le Bureau comme vous les aviez laissés. Sur les

Figure 2.11 : Le Volet Windows contient des gadgets, c'est-à-dire des petits programmes qui peuvent y être placés ou ôtés.

ordinateurs portables, cette option est un bouton Arrêt (en bas dans la marge) qui éteint simplement le PC.

✔ **Verrouiller :** Prévue pour un rapide pèlerinage à la machine à café, cette option verrouille le PC et affiche l'image de votre compte d'utilisateur. De retour, tapez votre mot de passe et Vista réaffiche aussitôt le Bureau tel qu'il était avant. Cette option est disponible sur les ordinateurs de bureau et portables.

Windows Vista offre plusieurs autres moyens de clore une session. Remarquez la flèche à droite du bouton Verrouiller. Cliquez dessus pour voir jusqu'à sept options (Figure 2.12).

Figure 2.12 : Cliquez sur la petite flèche pour accéder à d'autres options de fermeture de session.

✔ **Changer d'utilisateur :** Choisissez cette option si quelqu'un veut vous emprunter l'ordinateur pour quelques minutes. L'écran d'accueil apparaît, mais Windows laisse vos programmes ouverts en arrière-plan. Quand vous récupérez l'ordinateur, vous retrouvez tout à la même place.

✔ **Fermer la session :** Choisissez cette option quand vous avez fini de travailler sur le PC et que quelqu'un d'autre veut l'utiliser. Windows enregistre votre travail et votre configuration et retourne à l'écran d'accueil, prêt à recevoir un autre utilisateur.

✔ **Verrouiller :** Pour quelque raison que la raison ignore, Microsoft propose de nouveau l'option Verrouiller décrite précédemment.

✔ **Redémarrer :** Ne choisissez cette option que si Vista a fait des siennes : blocage de programme(s), comportement bizarre... Windows Vista s'arrête puis il est rechargé, en espérant que tout soit entre-temps rentré dans l'ordre...

✔ **Veille :** Nouveauté de Vista, cette option enregistre une copie de votre travail dans la mémoire du PC, mais aussi sur le disque dur, puis elle passe à un état de moindre consommation électrique. Quand vous réveillez le PC, Vista affiche de nouveau le Bureau comme si de rien n'était. Sur un ordinateur portable, Veille n'enregistre le travail qu'en mémoire vive. Si le niveau de la batterie est dangereusement faible, le contenu de la mémoire est transféré sur le disque dur et l'ordinateur est éteint.

✔ **Veille prolongée :** Présente sur certains ordinateurs portables, cette option copie votre travail sur le disque dur puis éteint la machine. Ce processus consomme plus de courant que le mode Veille.

✔ **Eteindre :** Choisissez cette option si personne d'autre n'utilisera le PC avant un bon moment. Windows Vista enregistre tout et éteint l'ordinateur.

Quand vous informez Vista que vous voulez quitter, il vérifie dans toutes les fenêtres ouvertes que les tâches ont bien été enregistrées. Si vous avez oublié de le faire, il vous le signale et propose d'enregistrer en cliquant sur OK. Vous l'avez échappé belle...

Vous n'êtes pas obligé de quitter Vista. En fait, des utilisateurs laissent l'ordinateur allumé tout le temps sous prétexte que c'est mieux pour sa longévité. D'autres l'éteignent tous les jours pour la même raison. D'autres encore affirment que la nouvelle fonction Veille de Vista est un bon compromis entre les deux attitudes. Mais tout le monde est d'accord pour reconnaître que le moniteur doit être éteint lorsqu'on ne l'utilise pas, car cela permet de le laisser refroidir, ce qui est assurément une bonne chose.

N'éteignez jamais l'ordinateur sauvagement, en coupant le courant. Veillez toujours à ce que Vista ait appliqué l'une des procédures officielles : Veille, Veille prolongée ou Éteindre. Autrement, Windows Vista ne pourrait pas préparer l'ordinateur au prochain démarrage, ce qui pourrait provoquer de désastreux dysfonctionnements.

Tout sur les fenêtres

C e chapitre s'adresse à ceux qui veulent connaître Windows par le menu. Il s'adresse aussi à tous ceux qu'intriguent tous ces boutons, bordures et champs éparpillés dans Vista, et qui demandent ce qui se passe en cliquant dessus ou dedans.

Dans les pages qui suivent, nous dépiauterons une fenêtre ordinaire, celle du dossier Documents en l'occurrence. Chaque partie sera dûment analysée, expliquée et commentée.

Vous découvrirez aussi ce que sont les boutons, zones de texte, fenêtres, barres, listes et autres joyeusetés que vous rencontrerez chaque fois que vous tenterez de tirer quelque chose d'utile de Vista.

Dissection d'une fenêtre typique

La Figure 3.1 montre une fenêtre avec ses différentes parties. Vous aurez reconnu la fenêtre du dossier Documents où vous stockez la plus grande partie de votre travail.

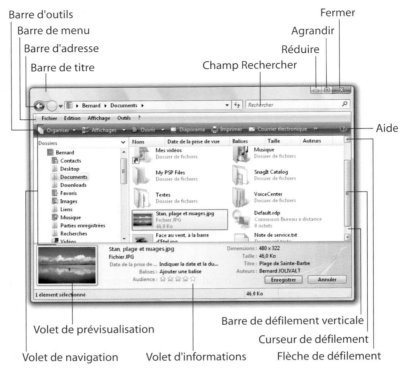

Figure 3.1 : Voici les éléments d'une fenêtre de Vista. Rien à voir avec les fenêtres à meneaux d'un château de la Loire.

Une fenêtre se comporte différemment selon l'endroit où l'on clique. Les quelques sections qui suivent décrivent les parties principales de la fenêtre du dossier Documents, expliquent comment cliquer dedans et comment Windows réagit à ces sollicitations.

✏ Ceux qui connaissent Windows XP se souviennent du dossier Mes documents où ils fourraient tous leurs fichiers. Dans Vista, l'adjectif possessif Mes a disparu pour ne laisser qu'un dossier Documents. Les dossiers Mes images et Ma musique ont subis le même sort.

✏ Windows Vista regorge de petits boutons aux formes bizarres, de bordures et de zones de texte. Vous n'êtes pas obligé de retenir le nom de chacun de ces éléments, bien que cela vous sera utile le jour où vous recourrez au système d'aide de Windows.

✓ Beaucoup d'actions, dans Windows, s'effectuent en cliquant, double-cliquant ou en cliquant du bouton droit, des choix expliqués dans l'encadré "Clic, double-clic et clic droit". Un conseil : dans le doute, commencez toujours par un clic du bouton droit.

✓ Après avoir cliqué de ci de là dans quelques fenêtres, vous vous rendrez compte combien il est facile de travailler avec. Le plus dur est de trouver la bonne commande la première fois (un peu comme pour les téléphones mobiles).

Clic, double-clic et clic droit

Le clic et le double-clic régissent presque tout dans Windows. Or, Microsoft lui-même semble bien en peine d'expliquer la différence entre les deux. Selon lui, le clic sert à sélectionner un élément tandis que le double-clic sert à le choisir. Limpide, n'est-ce pas ?

Vous sélectionnez un élément en le mettant en surbrillance (en langage clair : sur fond coloré). Par exemple, vous cliquez dans une zone de texte, dans une fenêtre ou sur un nom de fichier pour les sélectionner. Ce clic fait généralement apparaître l'élément sur un fond de couleur plus sombre, curieusement appelé "surbrillance" dans le jargon des informaticiens. L'élément sélectionné est alors prêt pour d'autres actions.

En revanche, choisir un élément est plus décisif : un double-clic sur un fichier invite Windows à l'ouvrir immédiatement.

Ces arguties microsoftiennes m'ennuient. C'est pourquoi j'opte toujours pour la troisième voie : le clic du bouton droit. Il déploie presque immanquablement un menu – appelé "menu contextuel", car son contenu varie d'un élément à un autre – qui liste toutes les actions possibles. Je choisis une option et Windows s'occupe du reste.

Conclusion : dans le doute, cliquez toujours du bouton droit.

Tirer une fenêtre par sa Barre de titre

Surmontant quasiment toutes les fenêtres, la Barre de titre affiche généralement le nom du fichier ouvert et celui du programme. La Figure 3.2 montre celle de WordPad (en haut) et du Bloc-notes (en bas). La Barre de titre de WordPad mentionne uniquement "Document" car son inavouable contenu n'a pas encore été enregistré.

Sous sa modeste apparence, la banale Barre de titre cache une puissance insoupçonnée, révélée dans les paragraphes qui suivent :

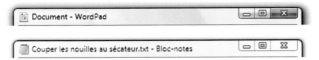

Figure 3.2 : Une Barre de titre de WordPad (en haut) et du Bloc-notes (en bas).

✏ Les barres de titre servent à déplacer commodément les fenêtres sur le Bureau. Cliquez sur une Barre de titre et, le bouton de la souris enfoncé, déplacez-la où bon vous semble. La fenêtre suit le mouvement. Vous avez trouvé où la déposer ? Relâchez le bouton de la souris et la fenêtre reste à son nouvel emplacement.

✏ Double-cliquez sur la Barre de titre, et la fenêtre occupe la totalité de l'écran. Double-cliquez de nouveau dessus, et la fenêtre se remet à la taille précédente.

✏ Dans Windows XP, toutes les barres de titre mentionnaient le titre de ce qui se trouvait dans la fenêtre. Mais Vista ne le fait plus, préférant afficher un bandeau vide à la place du nom du dossier (reportez-vous à la Figure 3.1). Bien que bon nombre de barres de titre de Vista n'affichent plus de titre, elles n'en fonctionnent pas moins comme telles. Vous pouvez donc les déplacer sur le Bureau exactement comme vous le faisiez sous Windows XP.

✏ Trois boutons carrés se trouvent à l'extrémité droite de la Barre de titre. Il s'agit, de gauche à droite, des boutons Réduire, Niveau inférieur (ou Agrandir) et Fermer. Ils sont décrits plus loin dans ce chapitre, dans la section "Manœuvrer les fenêtres sur le Bureau".

✏ Dans Windows XP, la fenêtre dans laquelle vous étiez en train de travailler arborait toujours une Barre de titre en surbrillance, ou plus exactement d'une couleur différente de celles des autres fenêtres ouvertes. Par contre, celles de Vista sont toutes de la même couleur. Pour savoir dans quelle fenêtre vous travaillez actuellement, jetez un coup d'œil sur le bouton rouge Fermer, à droite de la Barre de titre. C'est l'état de ce bouton qui différencie la fenêtre active – celle dans laquelle vous travaillez (en haut dans la Figure 3.2) – des autres (en bas dans la Figure).

Glisser, déposer et se carapater

Bien que le terme "glisser-déposer" évoque le patinage artistique – mais sans laisser choir sa partenaire –, c'est avant tout une action fréquemment utilisée partout dans Windows. Elle sert à déplacer un élément d'un endroit à un autre.

Pour faire glisser une icône, cliquez dessus avec le bouton gauche ou droit de la souris – je préfère le droit – et déplacez-la sur le Bureau tout en maintenant le bouton enfoncé. Arrivée à destination, relâchez le bouton : l'icône est déposée. Délicatement.

Effectuer le glisser-déposer avec le bouton droit fait apparaître un utile petit menu demandant si vous désirez copier ou seulement déplacer l'icône.

Vous avez commencé à déplacer un élément et vous vous rendez compte qu'il ne fallait pas le déplacer ? Ne relâchez pas le bouton de la souris, mais appuyez sur Échap pour annuler l'action. Ouf ! Mais si vous aviez relâché le bouton, rien n'était perdu : il aurait suffit de choisir Annuler dans le menu contextuel.

La Barre d'adresse de Windows

Sous la barre de titre d'un dossier se trouve une Barre d'adresse semblable à celle de la Figure 3.3. Elle rappelle quelque chose aux vieux de la vieille d'Internet : mais c'est bien sûr, elle vient tout droit d'Internet Explorer !

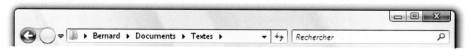

Figure 3.3 : Chaque dossier est doté d'une Barre d'adresse qui ressemble à celle d'Internet Explorer.

La Barre d'adresse est divisée en trois parties :

✔ Les boutons **Retour à** et **Avancer à :** Ces deux flèches conservent la trace de votre périple parmi les dossiers du PC. Le bouton Retour à vous fait revenir au dossier que vous venez de visiter. Le bouton Avancer à vous en ramène. Cliquez sur la minuscule flèche à droite de la flèche du bouton Avancer à pour afficher la liste des emplacements précédemment visités ; cliquez sur l'un d'eux pour y retourner.

✔ **La Barre d'adresse :** À l'instar de la barre d'adresse d'Internet Explorer qui affiche l'adresse du site Web que vous visitez, celle de Vista affiche l'adresse du dossier courant. Par exemple, à la Figure 3.3, la Barre d'adresse affiche *Bernard, Documents, Textes.* Cette formulation indique que vous travaillez dans le dossier Textes, qui se trouve dans le dossier Documents du compte d'utilisateur Bernard. Eh oui, cette notion d'adresse est suffisamment compliquée pour que tout un chapitre – le quatrième – lui soit consacré.

Vous pouvez bien sûr taper une adresse Internet, comme www.efirst.com, dans la Barre d'adresse de n'importe quel dossier. Ceci entraînera le démarrage d'Internet Explorer, qui ouvrira le site Web indiqué.

✔ **Le champ Rechercher :** Autre apparentement avec Internet Explorer, tous les dossiers de Vista sont dotés d'un champ Rechercher. Sauf qu'au lieu de s'effectuer sur l'Internet, c'est dans le dossier en cours que la recherche est faite. Si vous tapez le mot **carotte** dans le champ (jeu de mot involontaire), Vista examine le contenu du dossier et signale chaque fichier contenant ce mot.

Pour étendre la recherche au-delà du dossier en cours, cliquez sur la petite flèche à côté de la loupe, à gauche du champ. Un menu permet d'effectuer la recherche dans la totalité de l'ordinateur, voire sur l'Internet. La nouvelle fonction de recherche de Vista est décrite au Chapitre 6.

D'autres parties de la Barre d'adresse méritent d'être mentionnées :

✔ Vous avez remarqué les petites flèches entre les mots Bernard, Documents et Textes ? Elles procurent un accès rapide vers d'autres dossiers. Cliquez sur l'une d'elles, celle de Documents par exemple : un petit menu permet d'aller vers l'un des sous-dossiers qui s'y trouvent.

✔ Quand vous lancez une recherche sur l'Internet, le champ Rechercher utilise le moteur de recherche de Microsoft (cet arrangement permet à Microsoft de récolter un peu de sous par la publicité). Pour effectuer la recherche avec Google ou tout autre moteur, démarrez Internet Explorer, cliquez sur la petite flèche près de la loupe du champ Rechercher et sélectionnez Find More Providers, comme je l'explique en détails au Chapitre 8.

Activer la barre de menus cachée de Vista

Les menus de Windows Vista sont plus variés que ceux d'un restaurant chinois. Afin que les utilisateurs pensent plutôt à leur ordinateur qu'au canard laqué, Vista cache tous les éléments de menus dans une barre de menus (voir Figure 3.4).

Figure 3.4 : La barre de menus.

Chaque entrée de la barre de menus contient des options. Pour les voir, cliquez sur un mot, comme Édition (Figure 3.5). Le menu qui apparaît présente toutes les options relatives à l'édition – la modification, si vous préférez – d'un fichier.

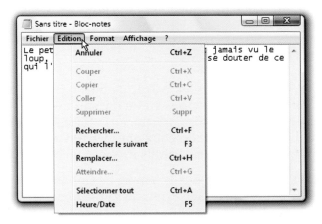

Figure 3.5 : Cliquez sur un menu pour accéder aux commandes qui sont associées.

De même qu'un plat peut ne plus être disponible au restaurant, il arrive parfois que Windows ne puisse pas accéder à un élément du menu. Ces options indisponibles, comme Couper, Copier, Coller et Atteindre, dans la Figure 3.5, sont en grisé.

Si vous avez accidentellement cliqué sur le mauvais terme, dans une barre de menus, déployant ainsi un menu erroné, cliquez simplement sur le terme que vous désiriez. Windows ne vous en voudra pas et affichera aussitôt l'autre menu.

Pour quitter complètement un menu, cliquez ailleurs, n'importe où dans l'espace de travail de la fenêtre.

Pour faciliter l'usage des raccourcis clavier, Vista souligne dans chaque menu le caractère à utiliser. Appuyez sur la touche Alt pour voir ces lettres. Pour déployer le Menu Fichier, vous appuierez sur les touches Alt+F (attention : Alt+F+X ferme la fenêtre).

Choisir le bon bouton

Les anciens de Windows XP conservent un souvenir ému du Volet des tâches de leurs dossiers, un panneau commodément placé à gauche qui contenait des boutons pour les tâches les plus communes. Il n'y en a plus dans Vista. Ces boutons et les tâches qu'ils représentent ont été relégués dans des petites barrettes appelées "barres d'outils". La Figure 3.6 montre celle du dossier Ordinateur.

Figure 3.6 : La barre d'outils du dossier Ordinateur.

Il est inutile d'en savoir long sur les barres d'outils car Vista place automatiquement les boutons appropriés sur le dossier qui en a besoin. Ouvrez le dossier Musique, et Vista affiche aussitôt un bouton Lire tout, permettant d'écouter tous les morceaux qui s'y trouvent. Ouvrez le dossier Images, et l'amicale barre d'outils propose un bouton Diaporama.

Si la signification d'un bouton vous échappe, immobilisez le pointeur de la souris dessus. Un petit message explique sa raison d'être. Voici à quoi servent certains d'entre eux :

✔ **Organiser** : Présent dans la barre d'outils de chaque dossier, ce bouton permet de modifier la présentation d'un dossier en choisissant l'un de ces panneaux d'information qui bordent la fenêtre. Vous pouvez activer ou désactiver le Volet de navigation, qui contient des raccourcis. Ou alors, vous pouvez désactiver le Volet d'informations qui fournit des informations sur le fichier sélectionné, en bas de chaque dossier.

✔ **Affichages** : Ce deuxième bouton présent en haut de chaque dossier est sans doute le plus utile, car il permet de varier l'affichage des fichiers. Maintenez le clic pour passer d'une taille d'icône à une autre, et arrêtez de cliquer pour conserver la taille qui vous plaît. Pour sélectionner un type d'affichage, cliquez sur la flèche à côté du bouton pour voir la liste des présentations disponibles. Choisissez Détails, par exemple, pour afficher un maximum d'informations sur les fichiers : sa taille, sa date de création et autres renseignements. Les photos gagnent à être présentées avec l'option Grandes icônes ou Très grandes icônes.

Les icônes dans vos dossiers sont trop grandes ou trop petites ? La touche Ctrl enfoncée, actionnez la molette de votre souris dans un sens pour les agrandir, dans l'autre pour les réduire.

✔ **Partager :** Cliquez sur ce bouton pour partager le ou les fichiers sélectionnés avec quelqu'un sur un autre ordinateur, à condition toutefois qu'il ait un compte d'utilisateur et un mot de passe sur votre ordinateur. Cette fonctionnalité n'est visible et utile que si l'ordinateur est relié à un réseau informatique (voir Chapitre 14).

✔ **Graver :** Cliquez ici pour copier les éléments sélectionnés sur un CD ou sur un DVD. Si vous n'avez rien sélectionné dans le dossier, la totalité du dossier est gravée. Un moyen commode pour procéder à une sauvegarde rapide.

✔ **Aide :** Cliquez sur le point d'interrogation bleu, en haut à droite de chaque dossier, pour obtenir une aide sur chaque élément présentement affiché.

Raccourcis rapides avec le Volet de navigation

Examinez un véritable bureau et vous constaterez que les éléments les plus fréquemment utilisés se trouvent à portée de main : le bac à courrier, l'agrafeuse et peut-être quelques viennoiseries rapportées du snack-bar. Dans le même esprit, Vista recueille tous les éléments fréquemment utilisés, dans le PC, et les place dans le nouveau Volet de navigation que montre la Figure 3.7.

Situé à gauche de chaque dossier, le Volet de navigation est divisé en deux parties. Celle du haut, appelée Liens favoris, contient une liste d'éléments ; celle du bas, visible après avoir cliqué sur la barre Dossiers, affiche l'organisation des dossiers. Voici une description plus détaillée de ces deux parties du Volet de navigation :

✔ **Liens favoris :** Ne les confondez pas avec les Favoris d'Internet Explorer (Chapitre 8). Les Liens favoris du Volet de navigation sont en effet des raccourcis qui renvoient aux dossiers fréquemment visités situés dans votre ordinateur.

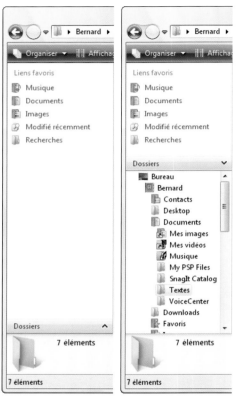

Figure 3.7 : Le Volet de navigation contient des raccourcis vers les dossiers fréquemment visités (à gauche). Cliquez sur le mot Dossiers pour afficher leur arborescence (à droite).

- **Documents :** Cliquez sur ce raccourci pour aller directement à la racine de tous vos dossiers, le dossier Documents.

- **Modifiés récemment :** Vous l'avez deviné, cliquer sur ce raccourci liste tous les fichiers qui ont été modifiés au cours des 30 derniers jours. Ils sont classés par date, les plus récents en haut. C'est un moyen commode pour accéder rapidement à vos travaux en cours.

- **Images :** Ce raccourci ouvre le dossier Images, réceptacle de vos photos numériques.

- **Musique :** Eh oui, ce raccourci pointe vers le dossier Musique, où un seul double-clic suffit pour écouter un morceau de votre choix.

- **Recherches :** Cliquez sur ce raccourci pour accéder aux recherches que Vista a sauvegardées quand vous les aviez lancées. Plusieurs types de recherches fort utiles sont réunies là : tous les courriers électroniques reçus au cours des sept derniers jours par exemple, les morceaux récemment acquis et vos dernières photos numériques.

✏ **Dossiers :** Cliquer sur ce mot, en bas du panneau, donne accès à la deuxième partie du Volet de navigation. Elle affiche une arborescence des dossiers (nous y reviendrons au Chapitre 4). C'est un moyen commode d'accéder rapidement à n'importe quel dossier de l'ordinateur.

Les conseils qui suivent vous permettront d'exploiter plus efficacement le Volet de navigation :

✏ Ne vous privez pas de personnaliser le Volet de navigation en y glissant et déposant des dossiers ou des raccourcis. Vous les aurez ainsi toujours sous la main. Pour en supprimer un, cliquez dessus du bouton droit et choisissez Supprimer le lien.

✏ Si vous avez supprimé des liens favoris par mégarde, demandez à Vista de réparer votre erreur en cliquant n'importe où dans le Volet de navigation et en choisissant Restaurer les versions précédentes.

Le volet de détails

Le nouveau volet de détails que montre la Figure 3.8 se trouve au pied de chaque dossier. Comme l'indique son nom, ce petit bandeau divulgue des informations concernant le fichier actuellement affiché. Les fanas de technique en raffoleront.

Figure 3.8 : Le volet de détails affiche des informations concernant le fichier sur lequel vous venez de cliquer.

Ouvrez un dossier, et le volet de détails indiquera le nombre de fichiers qu'il contient. Il précise même si ces fichiers sont dans votre ordinateur ou ailleurs sur un réseau.

La véritable information apparaît quand vous cliquez sur un fichier : sélectionnez un fichier de musique, et le volet de détails montre une vignette de son album, le titre du morceau, le nom de l'artiste, la durée et la taille du fichier et même la note que vous lui avez attribuée dans le Lecteur Windows Media. Cliquez sur le fichier d'une photo pour voir un aperçu, la date à laquelle vous l'avez prise et ses dimensions.

- ✐ Le volet de détails en sait plus qu'il n'en dit. Comme il est redimensionnable, tirez son bord supérieur légèrement vers le haut. L'agrandir ainsi révèle encore plus d'informations sur le fichier : sa taille, sa date de création, la date de la dernière modification et autres renseignements. Après les avoir lus, ramenez le bord du volet vers le bas.

- ✐ Si vous trouvez que le volet de détails occupe trop de place, tirez son bord supérieur vers le bas ou mieux, désactivez-le : cliquez sur le bouton Organiser, tout à fait à gauche dans le coin, cliquez sur Disposition dans le menu déroulant puis sur Volet des détails (refaites cette manipulation pour réafficher le volet de détails).

- ✐ Quand vous éditez les propriétés d'un fichier, vous pouvez ajouter un mot-clé vous permettant de le retrouver plus facilement. Les mots-clé sont expliqués au Chapitre 6.

Se déplacer dans un dossier avec la barre de défilement

La barre de défilement, qui évoque une cage d'ascenseur (voir Figure 3.9), se trouve à la bordure de toute fenêtre bien remplie. Dans la barre, un curseur de défilement – parfois surnommé "ascenseur" – monte et descend lorsque vous parcourez un document. La position du curseur dans la barre indique si vous êtes plutôt au début, au milieu ou à la fin du contenu de la fenêtre.

Vous pouvez voir le curseur descendre et monter comme un ludion en appuyant sur les touches PageBas et Page-Haut (on s'amuse follement avec Vista). Mais le déplacer avec la souris est encore plus drôle : cliquer de ci de là dans la barre fait aller directement à tel ou tel endroit dans le document.

Mais assez ri, passons aux choses sérieuses :

Figure 3.9 : Une barre de défilement.

- ✏ Cliquer dans la barre au-dessus du curseur fait reculer d'une page, exactement comme si vous aviez appuyé sur la touche PageHaut. De même, cliquer sous le curseur équivaut à appuyer sur PageBas. Plus l'écran est grand, plus vous verrez des données sur chaque page.

- ✏ Pour décaler le contenu ligne par ligne, cliquez sur l'une des flèches de défilement en haut ou en bas de la barre de défilement.

- ✏ Une barre de défilement peut aussi se trouver en bas d'une fenêtre. Elle est commode pour parcourir une feuille de calcul ou tout autre document large. Le déplacement s'effectue horizontalement.

- ✏ La fenêtre est dépourvue de barre ? C'est parce que la totalité de son contenu est visible. A quoi bon des barres ?

- ✏ Pour aller très vite, prenez l'ascenseur. Autrement dit, faites glisser le curseur de défilement avec la souris. Le contenu de la fenêtre défile à toute vitesse. Arrivé à la bonne page, relâchez le bouton de la souris.

- ✏ Vous utilisez une souris à molette ? Actionnez-la et le contenu de la fenêtre défilera verticalement comme avec l'ascenseur (NdT : le défilement horizontal est possible avec certains modèles de souris, en appuyant latéralement sur la molette).

Bordures ménagères

La plupart des fenêtres sont entourées d'une bordure. Comparée à la barre de défilement, elle est vraiment mince.

Pour modifier les dimensions d'une fenêtre, tirez sa bordure dans un sens ou dans l'autre. Notez que tirer un coin est encore plus pratique.

Certaines fenêtres n'ont pas de bordure (dur, dur...). Elles ne peuvent donc pas être redimensionnées, même si leur taille ne vous convient pas.

Hormis pour le redimensionnement, vous n'utiliserez guère les bordures.

Interagir avec les boîtes de dialogue

Tôt ou tard, Windows Vista se mettra en mode "Rond-de-cuir tatillon", vous obligeant à remplir d'ennuyeux formulaires avant de répondre à votre demande. Pour cette paperasserie informatique, Vista utilise des boîtes de dialogue.

Une boîte de dialogue est une fenêtre affichant un petit formulaire ou une check-list. Elle peut comporter plusieurs parties, évoquées dans les sections qui suivent. Ne vous fatiguez pas à essayer de retenir le nom de chaque partie ; il est plus important de retenir à quoi elles servent.

Cliquer sur le bon bouton de commande

Un bouton de commande est sans doute l'élément le plus facile à identifier, car son usage est inscrit dessus. Vous êtes censé cliquer sur l'un d'eux après avoir rempli le formulaire. Selon le bouton sur lequel vous avez cliqué, Windows fait ce que vous lui avez demandé (s'il le veut bien) ou affiche un autre formulaire (souvent).

Le Tableau 3.1 montre les boutons auxquels vous serez confrontés un jour ou l'autre.

Tableau 3.1 : Les boutons de commande communs de Vista.	
Bouton	*Description*
OK	Cliquer sur le bouton OK revient à dire : "J'ai fini de remplir le formulaire et je suis prêt à passer à autre chose". Vista prend connaissance de votre requête et la traite.
Annuler	Si vous avez un doute sur ce que vous avez saisi dans le formulaire, cliquez sur le bouton Annuler. Vista fait disparaître le formulaire, comme si de rien n'était. Ouf ! Notez que le petit bouton "X", en haut à droite de la fenêtre, agit comme le bouton Annuler.
Suivant >	Cliquez sur le bouton Suivant pour passer à la prochaine phase. Vous voulez plutôt revenir en arrière ? Cliquez sur le bouton Précédent.
Modifier...	Si vous rencontrez un bouton dont le nom est suivi de points de suspension, vous n'êtes pas sorti de l'auberge : cliquer dessus ouvre en effet un autre formulaire où vous devrez entrer d'autres choix, paramètres et options.
Par défaut	Pour changer un paramètre douteux, cliquez sans état d'âme sur le bouton Par défaut ou Restaurer. Vista rétablira les paramètres d'origine (ceux au moment de l'installation).

> ✔ La bordure du bouton OK est généralement plus sombre que celle des autres. Cela signifie qu'il est sélectionné (en "surbrillance", en

jargon informatique). Il suffit alors d'appuyer sur la touche Entrée, ce qui vous évite l'incommensurable tâche de cliquer sur OK.

✔ Si vous avez cliqué sur le mauvais bouton mais *que vous ne l'avez pas relâché,* n'en faites rien ! Car un bouton de commande n'agit pas tant que le bouton de la souris est enfoncé. Le doigt toujours appuyé, glissez-la afin que le pointeur quitte le bouton erroné, puis relâchez le doigt.

✔ Intrigué par les options obscures d'une boîte de dialogue ? Cliquez sur le point d'interrogation en haut à droite de la fenêtre puis cliquez sur la commande pour obtenir une explication. Parfois, immobiliser le pointeur de la souris sur une option est suffisant pour que Vista condescende à afficher une info-bulle explicative.

Choisir parmi les boutons d'option

Windows Vista oblige souvent à ne choisir qu'une seule option dans une liste. Par exemple, un jeu pourra être joué au niveau Débutant ou Intermédiaire. Comme il est impossible d'être les deux à la fois, Vista n'accepte qu'une de ces options.

Quand un seul choix est possible, Windows Vista a recours à des boutons d'option (voir Figure 3.10). Quand vous sélectionnez une option, puis une autre, la marque de validation disparaît de la première pour apparaître dans la deuxième. Vous en trouverez dans beaucoup de boîtes de dialogue.

Figure 3.10 : Sélection d'une option.

Les boutons d'option sont souvent appelés "boutons radio" en raison de leur ressemblance avec les boutons concentriques des anciens postes de radio.

Taper dans une zone de texte

Une zone de texte ressemble aux zones vides d'un formulaire administratif que vous devez remplir. Elle peut recevoir n'importe quel type de données : des mots, des chiffres, un mot de passe ou des épithètes plus ou moins flatteurs. La Figure 3.11 montre la boîte de dialogue qui apparaît lorsque vous désirez rechercher un ou plusieurs mots dans un document. La zone de texte est l'endroit où vous les tapez.

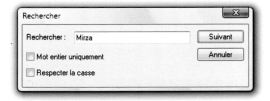

Figure 3.11 : Cette boîte de dialogue contient une zone de texte.

✒ Quand une zone de texte est active, c'est-à-dire prête à recevoir votre prose, elle est entourée d'une bordure spéciale indiquant qu'elle est sélectionnée, ou alors, une barre d'insertion clignote dedans.

✒ Si la zone de texte n'est pas sélectionnée et que rien ne clignote dedans, c'est qu'elle n'est pas prête à recevoir votre saisie. Pour annoncer votre intention, vous devez d'abord cliquer dedans.

✒ Pour utiliser une zone de texte qui contient déjà des mots, supprimez-les avant de commencer à taper. Ou alors et mieux : double-cliquez dans le texte existant, ce qui le sélectionne, et tapez directement votre prose ; elle remplacera l'ancien texte.

✒ Eh oui, une zone de texte obéit à beaucoup de règles.

Choisir des options dans des zones de liste

Certaines zones, opportunément appelées "zones de liste", n'acceptent aucune saisie. Elles se contentent d'afficher une liste d'éléments dans laquelle vous faites votre choix. C'est le cas de la liste des polices de caractères disponibles dans un traitement de texte, comme le montre la Figure 3.12.

Figure 3.12 : Sélection d'une police dans une zone de liste.

✒ Vous avez remarqué comment la police Comic Sans MS est en surbrillance dans la Figure 3.12 ? C'est parce qu'elle est actuellement sélectionnée dans la liste. Appuyez sur Entrée, ou cliquez sur le bouton OK, s'il est proposé, afin que le programme utilise désormais cette police.

- ✔ Vous avez remarqué la barre de défilement le long de la zone de liste ? Elle fonctionne comme toutes les autres : cliquez sur les flèches ou appuyez sur les touches fléchées Haut et Bas pour faire défiler les noms des polices.

- ✔ Certaines zones de listes sont surmontées d'une zone de texte. Quand vous choisissez un nom dans la liste, il apparaît dans la zone. Vous pourriez bien sûr taper vous-même le nom dans la zone de texte, mais ce serait bien moins drôle.

- ✔ Si une liste est interminable, tapez les premières lettres du nom que vous recherchez. Windows Vista se positionnera aussitôt au premier nom qui commence par ces caractères.

Les sélections multiples

En général, vous ne pouvez sélectionner qu'un seul élément dans une zone de liste. Mais d'autres listes, comme celle des fichiers dans l'Explorateur Windows, permettent de sélectionner plusieurs éléments à la fois. Voici comment procéder :

- ✔ Pour sélectionner plusieurs éléments, maintenez la touche Ctrl enfoncée tout en cliquant sur chacun d'eux.

- ✔ Pour sélectionner une plage d'éléments adjacents, cliquez sur le premier d'entre eux. Ensuite, touche Majuscule enfoncée, cliquez sur le dernier élément de la plage. Ces deux éléments ainsi que tous ceux qui se trouvent entre seront sélectionnés (si vous remarquez des éléments que vous ne désirez finalement pas retenir dans la sélection multiple, cliquez dessus, touche Ctrl enfoncée, et ils seront désélectionnés).

- ✔ Enfin, pour sélectionner un groupe d'éléments, il reste la solution du lasso : cliquez près d'un élément et, bouton de la souris enfoncé, tirez de façon à englober tous les éléments à sélectionner, puis relâchez le bouton. La sélection globale est faite.

Les zones de listes déroulantes

Les zones de liste sont certes pratiques, mais elles prennent de la place. C'est pourquoi Vista les réduit parfois, à l'instar des menus déroulants. Vous devez alors cliquer au bon endroit pour déployer la liste et la parcourir.

C'est où, le bon endroit ? Il est généralement indiqué par un petit bouton orné d'une flèche pointant vers le bas, semblable à celle qui se trouve à droite dans les boutons de la Figure 3.13 (le pointeur de la souris est prêt à cliquer dessus).

La Figure 3.14 montre la liste déployée, après le clic. Cliquez ensuite sur l'option désirée.

Figure 3.13 : Cliquez sur le petit bouton fléché pour dérouler une liste d'options d'alignemewnt.

🖝 Pour parcourir rapidement une longue liste déroulante, appuyez sur la première lettre de l'élément recherché. Le premier élément correspondant sera immédiatement sélectionné. Utilisez les touches fléchées pour rechercher les mots situés un peu plus haut ou plus bas.

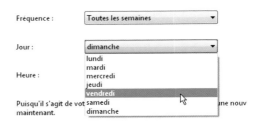

Figure 3.14 : La liste déroulante affiche les options d'alignement.

🖝 Un autre moyen de parcourir rapidement une longue liste déroulante consiste à cliquer dans sa barre de défilement.

🖝 Vous ne pouvez choisir qu'un seul élément dans une liste déroulante.

Les cases à cocher

Il est parfois possible de choisir plusieurs options, dans une boîte de dialogue, en cliquant dans des petites cases. Celles de la Figure 3.15 permettent de configurer les options du jeu FreeCell.

Cliquer dans une case vide sélectionne l'option correspondante. Si la case est déjà cochée, le clic ôte la coche, désélectionnant cette option.

Contrairement aux boutons d'options, vous pouvez cocher autant de cases que vous le désirez.

Figure 3.15 : Cliquez pour cocher ou décocher une case.

Les glissières

Inspirés des potentiomètres linéaires, les glissières de Vista servent à régler des paramètres sans solution de continuité.

Des glissières sont horizontales, d'autres verticales (mais il n'y en a pas en diagonale). Pour actionner une glissière dans Vista, comme celle du volume sonore que montre la Figure 3.16, cliquez sur le curseur et faites-le glisser.

Figure 3.16 : Une glissière.

Déplacer des fenêtres sur le Bureau

Windows Vista n'est pas très doué pour ouvrir les fenêtres. Il les place un peu n'importe où sur le Bureau, où elle se chevauchent et empiètent les unes sur les autres. Cette section explique comment empiler toutes les fenêtres en ordre, en plaçant votre fenêtre préférée en haut de la pile. Ou encore à les étaler comme des mains de poker. En prime, vous pourrez changer leur taille et faire en sorte qu'elles s'ouvrent aux dimensions que vous aurez choisies.

Placer une fenêtre au premier plan

La fenêtre placée au premier plan, sur laquelle se porte l'attention, est appelée "fenêtre active". C'est celle qui est prête à recevoir ce que vous tapez au clavier.

Il existe deux manières de placer une fenêtre au premier plan afin de la rendre active :

 ✔ Si un petit bout de la fenêtre dépasse de la pile des autres fenêtres, il vous suffit de cliquer dessus. Aussitôt, Windows Vista l'active et la place au premier plan.

 ✔ Cliquez, dans la Barre des tâches, sur le bouton de la fenêtre à activer. La Barres des tâches est expliquée en détail au Chapitre 2.

Si vous désirez placer deux fenêtres au premier plan, lisez la section "Disposer deux fenêtres côte à côte", un peu plus loin.

Déplacer une fenêtre de ci de là

Vous voudrez parfois placer une fenêtre ailleurs sur le Bureau, afin de mieux la centrer, pour la rapprocher d'une autre ou pour toute autre raison.

Pour déplacer une fenêtre, tirez-la par sa Barre de titre (si vous n'êtes pas à l'aise avec le glisser-déposer, reportez-vous à l'encadré "Glisser, déposer et se carapater", précédemment dans ce chapitre). Quand vous déposez la fenêtre, cette dernière est non seulement placée où vous le désirez, mais elle est aussi au premier plan.

Ouvrir la fenêtre en plein écran

Une fenêtre peut occuper la totalité de l'écran. Pour cela, double-cliquez sur sa Barre de titre. La fenêtre s'étend alors au maximum sur le Bureau, couvrant toutes les autres fenêtres.

Pour ramener la fenêtre à sa taille initiale, double-cliquez de nouveau dans la Barre de titre.

 ✔ Au lieu de double-cliquer dans la barre de titre, vous pouvez cliquer sur le bouton Agrandir. C'est celui du milieu, parmi les trois qui se trouvent à droite, dans la Barre de titre.

 ✔ Quand une fenêtre est en plein écran, le bouton Agrandir devient le bouton Niveau inférieur. Cliquez dessus et la fenêtre devient plus petite.

Fermer une fenêtre

 Quand vous avez fini de travailler dans une fenêtre, fermez-la en cliquant sur le petit "X" en haut à droite.

Si vous tentez de fermer une fenêtre sans avoir enregistré préalablement votre travail, Windows ne manque jamais de demander s'il doit le faire. Cliquez sur Oui en n'oubliant pas, le cas échéant, de nommer le fichier afin que vous puissiez le retrouver rapidement par la suite.

Alt-Tab et Windows+Tab

Parfois, les fenêtres s'accumulent à tel point sur le Bureau qu'il devient difficile d'en retrouver une. Pour les parcourir, maintenez les touches Alt et Tab appuyées. Une petite barre, au milieu de l'écran, montre les icônes de toutes les fenêtres ouvertes. La touche Alt toujours enfoncée, appuyez plusieurs fois sur Tab jusqu'à ce que vous ayez sélectionné l'icône de la fenêtre recherchée. Relâchez alors les touches et Windows place la fenêtre au premier plan.

Si votre PC est équipé d'une carte graphique suffisamment puissante (les exigences de Vista sont décrites au Chapitre 1), Vista peut afficher une représentation tridimensionnelle des fenêtres : maintenez la touche enfoncée (celle avec le logo Windows) et appuyez sur Tab pour bénéficier du remarquable graphisme que montre la Figure 1.4, au premier chapitre.

Redimensionner une fenêtre

Les fenêtres de Windows ont tendance à s'empiler pêle-mêle. Pour les disposer plus régulièrement, vous pouvez les redimensionner en tirant leur bordure vers l'intérieur ou vers l'extérieur. Voici la manipulation :

1. **Placez le pointeur de la souris sur un coin. Lorsqu'il se transforme en flèche à deux pointes, enfoncez le bouton de la souris et tirez afin de modifier les dimensions de la fenêtre.**

2. **Relâchez le bouton lorsque la taille de la fenêtre vous paraît correcte.**

Dans Windows, une petite fenêtre ne s'appelle pas une lucarne.

Disposer deux fenêtres côte à côte

Voir deux fenêtres à la fois est souvent très utile, surtout lorsque vous désirez copier d'un document pour coller dans un autre. Avec un peu de pratique, vous saurez redimensionner des fenêtres et les juxtaposer parfaitement.

Ou alors, cliquez dans une partie vide de la Barre des tâches (même dans l'horloge) et, dans le menu, choisissez Afficher les fenêtres côte à côte afin de disposer les fenêtres les unes à côté des autres, en colonnes. Choisissez Afficher les fenêtres empilées pour les superposer horizontalement. Si plus de trois fenêtres sont ouvertes, l'option Afficher les fenêtres empilées les dispose en mosaïque.

 Quand plus de deux fenêtres sont ouvertes, minimisez celles qui ne doivent pas être affichées en mosaïque. Utilisez ensuite la commande Afficher les fenêtres côte à côte afin de juxtaposer les deux fenêtres restantes.

Rouvrir une fenêtre à la même taille

Parfois, une fenêtre s'ouvre en carré. Une autre fois, elle emplit tout l'écran. Mais c'est bien rarement qu'elle s'ouvre aux dimensions voulues, à moins de connaître ce petit truc : régler manuellement leur taille. Dans ce cas, Windows mémorise les dimensions et rouvre toujours la fenêtre à la même taille. Voici comment il faut procéder :

1. **Ouvrez une fenêtre.**

   Elle s'ouvre comme d'habitude, c'est-à-dire pas à la taille désirée.

2. **Dimensionnez la fenêtre à la taille désirée en la tirant par un coin. Repositionnez-la éventuellement.**

   Veillez à redimensionner la fenêtre manuellement en tirant l'un des bords ou un coin. Se contenter de cliquer sur le bouton Agrandir ne sert à rien.

3. **Fermez immédiatement la fenêtre.**

   Windows Mémorise la taille et l'emplacement de la fenêtre. Quand vous la rouvrirez, elle s'ouvrira à la taille où vous l'aviez laissée. Notez que cette manipulation ne compte que pour le programme auquel vous l'avez appliquée. Par exemple, un changement appliqué à la fenêtre d'Internet Explorer ne sera mémorisé que pour Internet Explorer, et non pour d'autres programmes.

La plupart des fenêtres obéissent à ces règles, mais celles de quelques programmes dissidents peuvent faire bande à part. Ne manquez pas de vous en plaindre auprès de leur auteur.

Fichiers, dossiers, disquettes, CD...

*O*rdinateur est le programme qui tire l'utilisateur de Windows de son doux rêve où Windows serait convivial, et le fait se jeter sous son oreiller pour échapper au cauchemar. Il avait eu la naïveté de croire que l'informatique ferait disparaître les papiers, chemises et dossiers entassés dans son vieux classeur à tiroirs.

Qu'il clique sur l'icône Ordinateur, dans le menu Démarrer et explore son nouveau PC, et voilà que le classeur réapparaît, bourré de dossiers pleins de sous-dossiers, voire de sous-sous-dossiers. À moins d'adopter cette métaphore bureaucratique, vous risquez de ne pas retrouver rapidement vos données.

Ce chapitre explique par le menu – si l'on peut dire... – comment utiliser le programme d'archivage nommé Ordinateur (dans Windows XP, c'était le Poste de travail). Windows ressuscite certes le vieux classeur, mais au moins, les tiroirs ne coincent plus et les dossiers ne tombent plus derrière.

Parcourir le classeur à tiroirs informatisé

Afin que vos programmes et documents soient rationnellement rangés, Windows a gratifié la métaphore du classeur à tiroir de jolies petites icônes. Vous y accédez au travers du programme Ordinateur présent dans le menu Démarrer. C'est là que se trouvent les zones de stockage de votre ordinateur, où vous pourrez copier, déplacer, renommer ou supprimer des fichiers.

Pour ouvrir vos tiroirs virtuels, appelés "lecteur" ou "disque" en jargon informatique, cliquez sur le menu Démarrer puis sur le mot Ordinateur. Bien que la fenêtre Ordinateur différera sans doute quelque peu de celle de la Figure 4.1, les éléments de base – décrits dans les prochaines sections – sont les mêmes.

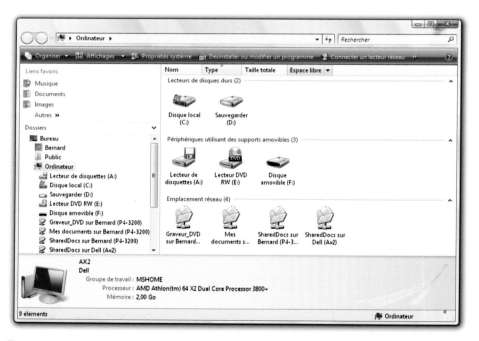

Figure 4.1 : La fenêtre Ordinateur affiche les zones de stockage contenant vos fichiers.

 Windows peut afficher la fenêtre Ordinateur sous diverses formes. Pour obtenir la même présentation que dans la Figure 4.1, cliquez sur la petite flèche à droite du bouton Affichages, dans la barre de menus et, dans la liste, choisissez Mosaïques. Enfin, cliquez dans une partie vide de la fenêtre, puis choisissez Réorganiser les icônes par, puis sélectionnez Types.

Voici les éléments de base de la fenêtre Computer :

✔ **Le volet de navigation :** Situé à gauche de la plupart des fenêtres, l'appréciable volet de navigation contient la liste des dossiers contenant vos biens virtuels les plus précieux, nommés Documents, Images et Musique (ces dossiers sont décrits au Chapitre 3).

✔ **Lecteurs de disques durs :** Visible à la Figure 4.1, cette zone montre le ou les disques durs, c'est-à-dire les mémoires de masse les plus importantes de votre PC. Tout ordinateur en possède au moins un. Vous pouvez aussi y voir éventuellement une clé USB, cette minuscule mémoire amovible aujourd'hui très répandue. Double-cliquer sur l'icône d'un disque dur affiche ses dossiers et ses fichiers, mais vous trouverez rarement des informations utiles ; au lieu d'explorer le disque dur, ouvrez le menu démarrer et lancez des programmes.

Vous avez remarqué le petit logo Windows sur l'icône d'un disque dur ? Il indique que Windows Vista est installé dans ce disque.

✔ **Périphériques utilisant des supports amovibles :** Cette zone montre tous les équipements amovibles connectés à votre ordinateur. Voici les plus courants :

• **Lecteur de disquettes :** En voie d'obsolescence, ces périphériques équipent encore les PC anciens. Comme seuls des fichiers de petite taille peuvent être stockés sur ce matériel vieux de plus de 20 ans, la plupart des utilisateurs leur préfèrent les CD et les DVD.

• **CD et DVD :** Comme le révèle la Figure 4.1, Vista indique si un lecteur ne peut que lire, ou lire et écrire sur des supports. Par exemple, si un graveur de DVD porte la mention DVD-RW, cela signifie qu'il peut à la fois lire (*Read* en anglais) et écrire (*Write*). Un lecteur qui ne peut que graver des CD porte la mention CD-RW.

• **Lecteur de cartes mémoire :** Il possède une ou plusieurs fentes permettant d'introduire des cartes mémoire d'appareil photo numérique, de lecteur MP3 ou autres machins du même genre. L'icône montre une fente vide, même si une carte est présente dans le lecteur.

- **Lecteurs MP3 :** Bien que Vista affiche une jolie icône pour quelques lecteurs MP3, il arbore une icône de carte USB générique ou de disque dur pour le populaire iPod (les lecteurs MP3 sont évoqués au Chapitre 15).

- **Appareils photo :** Dans la fenêtre Ordinateur, un appareil photo numérique apparaît généralement sous la forme d'une icône. Assurez-vous qu'il est allumé et en mode Visionnage plutôt que Prise de vue. Pour récupérer les photos, double-cliquez sur l'icône de l'appareil. Après avoir procédé au transfert (voir Chapitre 16), Vista place les photos dans le dossier Images.

- **Emplacement réseau :** Cette icône, visible seulement sur les PC reliés à un réseau informatique (voir Chapitre 14), représente un dossier relié à un câble de connexion.

Quand vous connectez un caméscope numérique, un téléphone mobile ou tout autre périphérique à votre PC, la fenêtre Ordinateur s'orne d'une nouvelle icône le représentant. Double-cliquez dessus pour voir le contenu du périphérique ; cliquez dessus du bouton droit pour savoir ce que Vista vous permet de faire. Pas d'icône ? Peut-être devez-vous installer un pilote pour votre périphérique, comme nous l'expliquons au Chapitre 12.

Cliquez sur quasiment n'importe quelle icône, dans la fenêtre Ordinateur. Un volet d'informations, en bas, affiche des informations la concernant : taille, date de création, place disponible dans un dossier ou dans un lecteur... Pour obtenir encore plus d'informations, agrandissez le volet d'informations en tirant son coin supérieur vers le haut. Plus vous l'étendez, plus vous aurez d'informations.

Tout sur les dossiers, ou presque

Ce sujet est un peu aride, mais si vous le sautez, vous risquez d'être aussi perdu que vos fichiers.

Un dossier est une zone de stockage sur le disque dur. On peut le comparer à un véritable dossier en carton. Windows Vista divise le ou les disques durs de votre ordinateur en autant de dossiers thématiques que vous le désirez. Par exemple, les morceaux de musique sont stockés dans le dossier Musique, et les photos dans le dossier Images. Vous et vos programmes les retrouvez ainsi facilement.

Tout type de lecteur peut être divisé en dossiers, mais c'est surtout sur le disque dur que cette organisation s'impose, car il contient des milliers de fichiers.

Le programme Ordinateur de Windows permet de visiter divers dossiers et d'examiner les fichiers qui s'y trouvent. Pour découvrir les dossiers que Vista a créés à votre intention, cliquez sur le nom du compte d'utilisateur (voir Chapitre 2), en haut du menu Démarrer. Les dossiers suivants, visibles dans la Figure 4.2, apparaissent :

Figure 4.2 : Vista fournit ces mêmes dossiers à tout le monde, mais sans mélanger ceux des uns avec ceux des autres.

✓ **Votre nom de compte :** Un clic sur votre nom de compte d'utilisateur, en haut du menu Démarrer, ouvre votre dossier d'utilisateur, comme le montre la Figure 4.2. Point d'entrée dans vos archives, ce dossier contient tous les fichiers que vous créez, répartis dans plusieurs importants dossiers.

Dans Windows XP, le dossier Mes documents contenait tout ce qui appartenait à votre compte d'utilisateur, y compris les dossiers Ma musique et Mes images. En revanche, dans Vista, votre dossier Compte d'utilisateur – celui qui apparaît quand vous cliquez sur votre nom, dans le menu Démarrer – contient non seulement tous vos dossiers, y compris Documents, Musique et Images, mais aussi ceux-ci, qui sont nouveaux :

✔ **Contacts :** Vous avez envoyé un courrier électronique avec le programme Mail intégré à Vista (décrit au Chapitre 9) ? Vista place automatiquement le nom de cette personne dans le dossier Contacts, répertorié sur une petite carte de visite qui s'ouvre d'un double-clic. Cliquez du bouton droit sur le nom d'un contact, choisissez Action puis sélectionnez Envoyer un message pour ouvrir un panneau pré-adressé où vous taperez votre texte. Le clic du bouton droit est souvent un moyen plus rapide d'envoyer un courrier que d'ouvrir Mail et risquer d'être submergé par le contenu de la boîte Réception.

✔ **Bureau :** Pour Vista, le Bureau est un dossier. Tout ce que vous y placez se trouve dans un dossier Bureau. Comme le Bureau est plus commode pour pointer et cliquer, vous n'utiliserez probablement pas le dossier lui-même, bien caché dans votre ordinateur.

✔ **Documents :** Pour diverses raisons, je vous invite à placer tout votre travail dans ce dossier. En conservant tous vos fichiers à un seul endroit, vous les retrouverez plus facilement. De plus, vous seul avez accès à ce dossier ; les autres utilisateurs de l'ordinateur ne peuvent pas y farfouiller. En revanche, vous pouvez y créer autant de sous-dossiers que vous le désirez.

✔ **Downloads :** Vous avez téléchargé quelque chose depuis l'Internet ? C'est dans ce dossier – qui aurait mieux fait de s'appeler "Téléchargements" – qu'Internet Explorer engrange ce que vous récoltez sur le Web, ce qui vous permet de les retrouver plus facilement que jamais dans votre disque dur.

✔ **Favoris :** Dans Internet Explorer, vous conservez l'adresse de vos sites préférés dans des favoris, qui sont bien sûr stockés dans le menu Favoris, où elles sont utilisables d'un seul clic. Ces favoris apparaissent aussi dans ce dossier, où un double-clic sur l'icône d'un site Web démarre Internet Explorer et ouvre le site en question.

✔ **Liens :** Ce dossier répertorie tous les emplacements listés dans le Volet de navigation qui se trouve à gauche de la plupart des dossiers. Déposer des icônes à cet endroit les ajoute au Volet de navigation.

✔ **Musique :** C'est là que se retrouvent les morceaux que vous extrayez d'un CD audio avec le Lecteur Windows Media. Ils sont placés dans un sous-dossier portant le nom du CD.

✔ **Images :** Stockez toutes vos images ici, qu'il s'agisse de photos provenant de votre appareil numérique, d'images numérisées avec un scanner ou de graphismes piqués sur un site Web. Décrit au Chapitre 16, le dossier Images affiche une miniature de vos photos, permet de transférer les photos d'un appareil connecté au PC, de créer des diaporamas et de tirer encore plus de plaisir de vos photos.

✔ **bParties enregistrées :** Vous avez enregistré un jeu d'échecs, de FreeCell ou de tout autre jeu livré avec Vista ? C'est là qu'ils nichent, attendant que votre directeur quitte le bureau. Vous y trouverez aussi les jeux d'autres éditeurs.

✔ **Recherches :** Toutes vos recherches apparaissent ici. Vous les trouverez aussi en cliquant sur le mot Rechercher, dans le Volet de navigation. Les recherches sont expliquées au Chapitre 6.

✔ **Vidéos :** Les vidéos transférées d'un caméscope ou téléchargées depuis l'Internet résident dans ce dossier. C'est l'endroit où des programmes vidéo comme Movie Maker (voir Chapitre 16) stockent leurs fichiers.

Souvenez-vous de tous ces dossiers lorsque vous cherchez des fichiers dans Vista.

✔ Vous pouvez ignorer les dossiers et placer tous vos fichiers sur le Bureau de Vista. Mais c'est comme tout entasser sur le siège arrière de la voiture et se demander, un mois après, où peut bien se cacher le petit sachet de mouchoirs en papier. On s'y retrouve mieux avec un peu d'organisation.

✔ Si vous êtes pressé de créer un ou deux dossiers – ce qui est très facile –, reportez-vous à la section "Créer un nouveau dossier", plus loin dans ce chapitre.

✔ Les dossiers d'un ordinateur sont organisés en arborescence dont la racine se trouve au niveau du disque dur, comme le montre la Figure 4.3. Elle se divise en branches qui sont autant de dossiers et de sous-dossiers.

✔ Les dossiers sont parfois appelés "répertoires", réminiscence de l'époque avant Windows où le terme dossier était peu utilisé. C'est surtout dans la littérature technique, notamment la programmation, que vous rencontrerez ce mot.

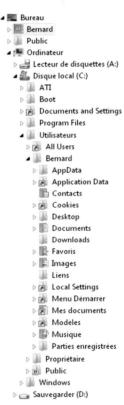

Lorgner dans les lecteurs et les dossiers

Savoir ce que sont les lecteurs et les dossiers, c'est bien pour impressionner les filles ou les garçons, mais c'est surtout utile pour trouver un fichier (reportez-vous à la section précédente pour savoir quel dossier contient quoi). Coiffez votre casque de chantier, empoignez la lourde clé à molette de 500 mm et parcourez les lecteurs et les dossiers de votre ordinateur en vous servant de cette section comme guide.

Figure 4.3 : Les dossiers de Windows sont organisés en arborescence, le dossier principal se divisant en sous-dossiers.

Voir les fichiers d'un lecteur

À l'instar de presque tout dans Windows Vista, les lecteurs de disque sont représentés par des boutons, ou icônes. L'icône Ordinateur affiche aussi des informations sur d'autres zones, comme un lecteur MP3, un appareil photo numérique ou un scanner (ces icônes ont été expliquées à la section "Parcourir le classeur à tiroirs informatisé", précédemment dans ce chapitre.

Ouvrir ces icônes donne généralement accès à leur contenu et permet de gérer les fichiers, comme dans n'importe quel autre dossier de Vista.

Quand vous double-cliquez sur une icône dans Ordinateur, Vista devine ce que vous comptez faire avec et entreprend une action : double-cliquez sur un disque dur, par exemple, et Vista l'ouvre promptement afin de vous montrer ce qui s'y trouve.

En revanche, si vous double-cliquez sur l'icône d'un CD après avoir introduit un CD audio, Vista ne l'ouvre pas toujours pour montrer les pistes. A la place, il démarre généralement le Lecteur Windows Media et commence à jouer le premier morceau. Pour modifier l'action de Vista lorsque vous insérez un CD, un DVD ou une clé USB, cliquez sur son icône et, dans le menu, sélectionnez Exécution automatique. Vista répertorie tout ce que vous pouvez faire et vous demande de choisir l'action à entreprendre.

Le réglage Exécution automatique est particulièrement commode pour les clés USB. Si elle contient quelques morceaux, Vista démarrera le Lecteur Windows Media pour les jouer – effet garanti sur le lieu de travail –, ralentissant l'accès aux autres fichiers.

 ✔ Si vous ne savez pas à quoi sert une icône dans Ordinateur, cliquez dessus du bouton droit et Vista présente un menu de toutes les possibilités. Vous pourrez par exemple choisir Ouvrir pour voir tous les fichiers d'un CD que Vista peut lire avec le Lecteur Windows Media.

 ✔ Si vous cliquez sur l'icône d'un CD, d'un DVD ou d'une disquette alors que le lecteur est vide, Vista vous invite gentiment à insérer un disque avant de continuer.

 ✔ Vous avez remarqué l'icône sous l'en-tête de Emplacement réseau ? C'est une porte dérobée permettant de lorgner, le cas échéant, dans les autres ordinateurs du réseau. Nous y reviendrons au Chapitre 14.

Voir ce que contient un dossier

Les dossiers étant en quelque sorte des chemises à documents, Windows Vista s'en tient à cette représentation.

C'est quoi ces histoires de chemin ?

Un chemin est tout bonnement l'adresse d'un fichier, similaire à une adresse postale. Quand vous envoyez une lettre, elle est acheminée vers le pays, le département, la ville, la rue, le numéro, voire le bâtiment, jusqu'à votre boîte aux lettres nominative. Il en va de même pour un chemin, dans l'ordinateur. Il est acheminé vers le lecteur, dans un dossier, puis un ou plusieurs sous-dossiers et se termine par le nom du fichier.

Prenons le cas du dossier Musique, à la Figure 4.3. Pour que Vista trouve un fichier qui y est stocké, il commence par le disque dur C:, franchit le dossier Utilisateurs, puis le dossier Bernard et va au dossier Musique.

Accrochez-vous au pinceau car la grammaire informatique n'a rien à envier à celle du français. Sur un chemin, le disque dur principal est appelé C : \. La lettre et le signe deux-points forment la première partie du chemin. Tous les dossiers et sous-dossiers qui suivent sont séparés par une barre inversée (\). Le nom du fichier, *La Soupe aux Choux*, par exemple, vient en dernier.

Tout cela peut sembler indigeste ; c'est pourquoi on en remet une louche : la lettre du lecteur arrive en premier, suivie par un deux-points et une barre inversée. Suivent ensuite tous les dossiers conduisant au fichier, séparés par des barres inversées. Le nom du fichier ferme le chemin.

Vista définit automatiquement le chemin approprié lorsque vous cliquez sur un dossier. Heureusement. Mais chaque fois que vous cliquez sur le bouton Parcourir pour atteindre un fichier, vous naviguez parmi des dossiers et parcourez le chemin qui mène à lui.

Pour voir ce que contient un dossier, qu'il soit dans Ordinateur ou sur le Bureau, double-cliquez sur son icône en forme de chemise. Une nouvelle fenêtre surgit, montrant ce qu'il y a dedans. Un autre dossier se trouve dedans ? Double-cliquez sur ce sous-dossier pour découvrir ce qu'il recèle. Cliquez ainsi jusqu'à ce que vous trouviez le fichier désiré ou arriviez dans un cul-de-sac.

Vous êtes au fond du cul-de-sac ? Si vous avez malencontreusement cherché dans le mauvais dossier, revenez en arrière comme vous le feriez sur le Web : cliquez sur la flèche Précédent, en haut à gauche de la fenêtre. Vous reculez ainsi d'un dossier. En continuant à cliquer sur la flèche Précédent, vous finissez par revenir au point de départ.

La Barre d'adresse est un autre moyen d'aller rapidement en divers endroits du PC. Tandis que vous naviguez de dossier en dossier, la Barre d'adresse du dossier – la petite zone de texte en haut de la fenêtre – conserve scrupuleusement une trace de vos pérégrinations. La Figure 4.4

montre la Barre d'adresse lorsque vous parcourez le dossier Musique. Vous avez remarqué les petites flèches entre chaque mot, comme Bernard et Musique ?

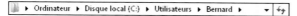

Figure 4.4 : Les petites flèches entre les noms de dossiers permettent d'aller vers d'autres dossiers.

Ces petites flèches sont des raccourcis vers d'autres dossiers et fenêtres. Cliquez sur l'une d'elles : le menu qui apparaît propose des emplacements où aller depuis ce point. Par exemple, cliquez sur la flèche après Ordinateur, comme à la Figure 4.5, pour atteindre rapidement le lecteur de CD.

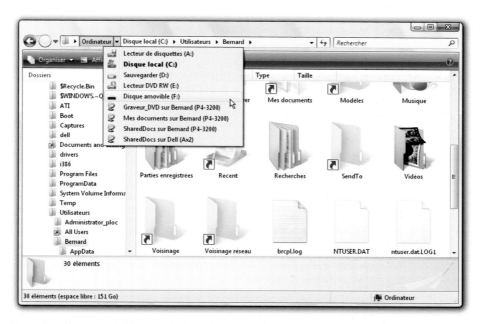

Figure 4.5 : Cliquez sur la flèche après Ordinateur pour aller vers n'importe quel emplacement du dossier Ordinateur.

 Voici quelques astuces pour trouver votre chemin dans et hors des dossiers :

- ✔ Un dossier contient parfois trop de sous-dossiers et de fichiers pour tenir dans la fenêtre. Cliquez dans la barre de défilement pour voir les autres. Cette commande est expliquée au Chapitre 3.

- ✔ Quand vous farfouillez profondément dans vos dossiers, la flèche Pages récentes est un moyen de retourner rapidement dans n'importe quel dossier que vous venez de visiter : cliquez sur la petite flèche pointant vers le bas, à côté de la flèche Suivant en haut à gauche de la fenêtre. Le menu déroulant mémorise tous les dossiers que vous avez parcourus. Cliquez sur le nom de celui où vous désirez retourner.

- ✔ Impossible de retrouver un dossier ou un fichier ? Au lieu d'errer comme une âme en peine dans l'arborescence, utilisez la commande Rechercher, dans le menu Démarrer, décrite au Chapitre 6. Windows sait retrouver vos dossiers et vos fichiers égarés.

- ✔ Face à une interminable liste de fichiers triés alphabétiquement, cliquez n'importe où dans la liste puis tapez rapidement une ou deux lettres du début du nom de fichier. Windows se positionne aussitôt sur le premier nom de fichier commençant par cette ou ces lettres.

Créer un nouveau dossier

Quand vous rangez un document dans un classeur à tiroirs, vous prenez une chemise en carton, vous écrivez un nom dessus puis vous y placez votre paperasserie. Pour stocker de nouvelles données dans Windows Vista – vos échanges de lettres acerbes avec un service de contentieux, par exemple – vous créez un nouveau dossier, pensez à un nom qui lui convient bien, et le remplissez avec les fichiers appropriés.

Pour créer rapidement un nouveau fichier, cliquez sur Organiser parmi les boutons de la barre d'outils du dossier et choisissez Nouveau dossier, dans le menu contextuel. Si la barre n'est pas visible, voici une technique sûre et éprouvée :

1. **Cliquez du bouton droit dans le dossier et choisissez Nouveau.**

   Le tout-puissant menu contextuel apparaît sur le côté.

2. Sélectionnez Dossier.

Choisissez Dossier, comme le montre la Figure 4.6, et un sous-dossier apparaît dans le dossier où vous avez cliqué, prêt à être nommé.

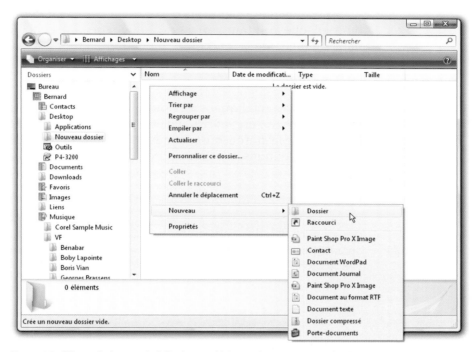

Figure 4.6 : Cliquez du bouton droit là où vous désirez créer un sous-dossier. Dans le menu, choisissez Nouveau, puis Dossier.

3. Tapez le nom du nouveau dossier.

Tout dossier venant d'être créé porte le nom peu attrayant de Nouveau dossier. Dès que vous tapez au clavier, Vista l'efface et le remplace par le nom que vous avez choisi. C'est fait ? Validez le nouveau nom, soit en appuyant sur Entrée, soit en cliquant ailleurs.

Si vous vous êtes fourvoyé et que vous désirez recommencer, cliquez du bouton droit sur le dossier, choisissez Renommer et recommencez.

Certains caractères et symboles sont interdits. L'encadré "Les noms de dossiers et de fichiers admis" donne des détails. Vous n'aurez jamais de problème en vous en tenant aux bons vieux chiffres et lettres.

Le lecteur perspicace aura remarqué, dans la Figure 4.6, que Windows propose bien d'autres options que la création d'un dossier, lorsque vous cliquez sur Nouveau. Cliquez du bouton droit dans un dossier pour créer un raccourci ou tout autre élément courant.

L'observateur décontenancé le sera sans doute plus encore en constatant qu'en cliquant du bouton droit, son menu est différent de celui de la Figure 4.6. Rien d'étonnant à cela : des programmes installés par la suite ajoutent souvent leurs propres raccourcis aux menus contextuels, d'où leur différence d'un PC à un autre.

Les noms de dossiers et de fichiers admis

Windows est plus que pinailleur sur les caractères utilisables ou non pour des noms de fichier ou de dossier. Pas de problème si vous n'utilisez que des lettres et des chiffres. En revanche, les caractères que voici sont interdits :

: / \ * | < > ? "

Si vous tentez de les utiliser, Windows Vista affichera un message d'erreur et vous devrez changer le nom. Voici quelques noms de fichiers inutilisables :

```
1/2 de mon travail

Travail : 2

UN>DEUX

Pas de "rejets" ici
```

Ces noms sont admis :

```
La moitié de mon boulot

Travail = OK

Deux est plus grand qu'un

#@$% de ! et j'en dis pas plus !
```

Renommer un fichier ou un dossier

Un nom de fichier ou de dossier ne convient plus ? Modifiez-le. Pour ce faire, cliquez du bouton droit sur l'icône incriminée puis, dans le menu, choisissez Renommer.

Windows sélectionne l'ancien nom du fichier, qui disparaît aussitôt que vous commencez à taper le nouveau. Appuyez sur Entrée ou cliquez dans le Bureau pour le valider.

Ou alors, vous pouvez cliquer sur le nom du fichier ou du dossier afin de le sélectionner, attendre une seconde puis cliquez de nouveau dans le nom afin de modifier tel ou tel caractère. Sélectionner le nom et appuyer sur la touche F2 est une autre technique de renommage.

- Quand vous renommez un fichier, seul son nom change. Le contenu reste le même, de même que sa taille et son emplacement.

- Pour renommer simultanément un ensemble de fichiers, sélectionnez-les tous, cliquez du bouton droit sur le premier et choisissez Renommer. Tapez ensuite le nouveau nom et appuyez sur Entrée : Vista renomme tous les fichiers en les numérotant : chat, chat(2), chat(3), chat(4) et ainsi de suite.

- Renommer des dossiers peut semer une redoutable pagaille dans Windows Vista, voire le déstabiliser ou le bloquer. Ne renommez jamais des fichiers comme Documents, Images ou Musique.

- Windows n'autorise pas le renommage de fichiers ou de dossiers actuellement utilisés par un programme. Fermer le programme dans lequel le fichier est ouvert résout généralement le problème. Si le problème perdure, le moyen le plus radical consiste à redémarrer l'ordinateur puis réessayer de renommer.

Sélectionner des lots de fichiers ou de dossiers

La sélection d'un fichier, d'un dossier ou de tout autre élément peut sembler particulièrement ennuyeuse, mais c'est le point de passage obligé pour une foule d'autres actions : supprimer, renommer, déplacer, copier et bien d'autres bons plans que nous aborderons d'ici peu.

Pour sélectionner un seul élément, cliquez dessus. Pour sélectionner plusieurs fichiers et dossiers épars, maintenez la touche Ctrl enfoncée tout en cliquant sur les noms ou sur les icônes. Chacun reste en surbrillance.

Pour sélectionner une plage de fichiers ou de dossiers, cliquez sur le premier puis, la touche Majuscule enfoncée, cliquez sur le dernier. Ces deux éléments ainsi que tous ceux qui se trouvent entre sont sélectionnés (en surbrillance, dans le jargon informatique).

Windows Vista permet aussi de sélectionner des fichiers et des dossiers avec le lasso. Cliquez à proximité d'un fichier ou d'un dossier à sélectionner puis, bouton de la souris enfoncé, tirez de manière à englober les fichiers et/ou dossiers à sélectionner. Un rectangle coloré montre l'aire de sélection. Relâchez le bouton de la souris. Le lasso disparaît, mais les fichiers englobés restent sélectionnés.

- Il est possible de glisser et déposer de gros ensembles de fichiers.

- Vous pouvez simultanément couper, copier ou coller ces gros ensembles à n'importe quel autre emplacement, par n'importe laquelle des techniques décrites dans la section "Copier ou déplacer des fichiers et des dossiers", plus loin dans ce chapitre.

- Ces gros ensembles de fichiers et de dossiers peuvent être supprimés d'un seul appui sur la touche Suppr.

- Pour sélectionner simultanément tous les fichiers et sous-dossiers, choisissez Sélectionner tout, dans le menu Édition du dossier. Pas de menu ? Appuyez sur Ctrl+A. Voici une autre manip sympa : pour tout sélectionner sauf quelques éléments, appuyez sur Ctrl+A puis, touche Ctrl enfoncée, cliquez sur les éléments à ne pas prendre en compte.

Supprimer un fichier ou un dossier

Tôt ou tard, vous vous débarrasserez de fichiers ou de dossiers – lettres d'amours défuntes ou photo embarrassante... – qui n'ont plus de raisons d'exister. Pour supprimer un fichier ou un dossier, cliquez sur leur nom du bouton droit et choisissez Supprimer, dans le menu contextuel. Cette manipulation des plus simples fonctionne pour presque n'importe quoi dans Windows : fichiers, dossiers, raccourcis...

Pour supprimer rapidement, cliquez sur l'élément condamné et appuyez sur la touche Suppr. Le glisser et le déposer dans la Corbeille produit le même effet.

L'option Supprimer supprime la totalité d'un dossier, y compris tous les fichiers et sous-dossiers qui s'y trouveraient. Assurez-vous d'avoir bien choisi le dossier à jeter avant d'appuyer sur Suppr.

- Après avoir choisi Supprimer, Windows demande confirmation. Si vous êtes sûr, cliquez sur Oui. Si vous êtes lassé de cette sempiternelle question, cliquez du bouton droit sur la Corbeille, choisissez Propriétés puis décochez la case Afficher la demande de confirmation de la suppression. Windows supprime désormais sans autre forme de procès.

- Assurez-vous plutôt deux fois qu'une de ce que vous faites lorsque vous supprimez une icône arborant une petite roue dentée. Ces fichiers sont généralement des fichiers techniques sensibles, cachés, que vous n'êtes pas censé bidouiller.

- Les icônes avec une petite flèche dans un coin sont des raccourcis, autrement dit des boutons qui se contentent de charger des fichiers. Les supprimer n'élimine donc que leur icône, mais en aucun cas le fichier ou le programme, qui ne sont en rien affectés.

- Maintenant que vous savez supprimer des fichiers, assurez-vous d'avoir lu le Chapitre 2 qui explique différentes manières de les récupérer au besoin. Un conseil en cas d'urgence : ouvrez la Corbeille, cliquez du bouton droit sur le fichier et choisissez Restaurer (c'est ça, la restauration rapide...).

Copier ou déplacer des fichiers et des dossiers

Pour copier ou déplacer des fichiers vers d'autres dossiers du disque dur, il est parfois plus facile d'effectuer un glisser-déposer avec la souris. Par exemple, voici comment déplacer le fichier Voyageur du dossier Maison vers le dossier Maroc.

1. **Positionnez le pointeur de la souris sur le fichier ou le dossier à déplacer.**

   Il s'agit en l'occurrence du fichier Voyageur.

Inutile de lire ça

Vous n'êtes pas le seul à créer des fichiers dans l'ordinateur. Les programmes stockent souvent des informations – la configuration de l'ordinateur, par exemple – dans un fichier de données. Pour éviter qu'un utilisateur les confonde avec des rebuts et les supprime, Windows les cache.

Mais si cela vous intéresse, vous pouvez afficher les dossiers et fichiers cachés en procédant ainsi :

1. **Ouvrez un dossier, cliquez sur le bouton Organiser et choisissez Options des dossiers et de recherche.**

   La boîte de dialogue Options de dossier apparaît.

2. **Choisissez l'onglet Affichage, en haut de la boîte de dialogue, trouvez la ligne Afficher les fichiers et dossiers cachés, dans la section Paramètres avancés, puis cliquez sur le bouton Afficher les fichiers et dossiers cachés.**

3. **Cliquez sur le bouton OK.**

Les fichiers cachés apparaissent maintenant parmi les autres. Veillez à ne pas les supprimer car le programme auquel ils appartiennent aurait un comportement inattendu, au risque d'endommager Windows lui-même. Je vous conseille vivement de désactiver le bouton Afficher les fichiers et les dossiers cachés puis de cliquer sur Appliquer pour revenir aux paramètres habituels.

2. **Le bouton droit de la souris enfoncé, déplacez l'élément jusqu'à ce qu'il se trouve sur le dossier de destination.**

   Comme le révèle la Figure 4.7, le fichier Voyageur est glissé du dossier Maison jusque dans le dossier Maroc (la juxtaposition des dossiers est expliquée au Chapitre 3).

   Le fichier suit le pointeur de la souris, tandis que Vista indique que vous déplacez un fichier (Figure 4.7). Veillez à ce que le bouton droit reste enfoncé pendant toute la manœuvre.

   Faites toujours glisser l'icône avec le bouton droit de la souris. Vista présentera ainsi un menu contextuel proposant des options lorsque vous positionnez l'icône, et vous pouvez choisir de copier, déplacer ou créer un raccourci. Lorsque vous utilisez le bouton gauche, Vista ne sait parfois pas si vous désirez copier ou déplacer.

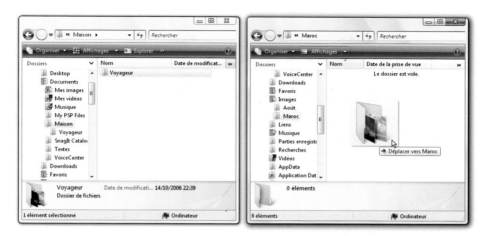

Figure 4.7 : Faites glisser un fichier ou un dossier d'une fenêtre à une autre.

3. Relâchez le bouton de la souris et, dans le menu, choisissez Copier ici, Déplacer ici ou Créer les raccourcis ici.

A vrai dire glisser et déposer un dossier est très facile. Le plus dur est d'afficher à la fois le dossier d'origine et le dossier de destination, notamment quand l'un d'eux est profondément enterré dans l'ordinateur.

Si le glisser-déposer prend trop de temps, Windows propose quelques autres manières de copier ou déplacer des fichiers. Certains des outils qui suivent seront plus ou moins appropriés selon l'arrangement de l'écran :

✏ **Les menus contextuels :** Cliquez du bouton droit sur un fichier ou sur un dossier et choisissez Couper ou Copier. Cliquez ensuite du bouton droit dans le dossier de destination et choisissez Coller. C'est simple, ça fonctionne à tous les coups et il n'est pas nécessaire d'afficher deux fenêtres à l'écran.

✏ **Les commandes de la barre de menus :** Cliquez sur le fichier et appuyez sur Alt pour révéler les menus cachés du dossier. Dans le menu, cliquez sur Édition et choisissez Copier dans un dossier ou Déplacer vers un dossier. Une nouvelle fenêtre apparaît, répertoriant tous les lecteurs de l'ordinateur. Cliquez dans un lecteur et dans ses dossiers pour atteindre le dossier de destination, et Windows se charge d'exécuter la commande Copier ou Déplacer.

Un peu laborieuse, cette technique convient si vous connaissez l'emplacement exact du dossier de destination.

✔ **L'affichage des dossiers dans le Volet de navigation :** Décrit à la section "Raccourcis rapides avec le Volet de navigation", au Chapitre 3, le bouton Dossiers affiche la liste des dossiers dans le Volet de navigation, ce qui permet d'y déposer facilement des fichiers, sans la corvée de devoir ouvrir le dossier de destination.

Obtenir plus d'informations sur les fichiers et les dossiers

Chaque fois que vous créez un fichier ou un dossier, Vista révèle des informations le concernant : la date de création, sa taille, et autres renseignements plus banaux. Parfois, il vous permet même d'ajouter vos propres informations : des paroles ou une critique d'un morceau de musique, ou la miniature de chacune de vos photos.

Vous pouvez parfaitement ignorer toutes ces informations, mais parfois, elles vous permettront de résoudre un problème.

Pour les découvrir, cliquez du bouton droit sur un fichier ou un dossier et, dans le menu, choisissez Propriétés. Par exemple, les propriétés d'un morceau de Tri Yann révèlent une quantité d'informations, comme le montre la Figure 4.8. Voici la signification de chaque onglet :

✔ **Général :** Ce premier onglet (à gauche dans la Figure 4.8) indique le type du fichier, un fichier MP3 du morceau *Si mort à mors* en l'occurrence, sa taille (3,1 Mo), le programme qui l'ouvre (le Lecteur Windows Media) et son emplacement.

Le programme qui ouvre le fichier n'est pas le bon ? Cliquez du bouton droit sur le fichier, choisissez Propriétés et, sous l'onglet Général, cliquez sur le bouton Modifier. Sélectionnez ensuite votre programme préféré dans la liste.

✔ **Sécurité :** Sous cet onglet, vous contrôlez les permissions, c'est-à-dire qui a le droit d'accéder au fichier et ce qu'il peut faire avec, des détails qui ne deviennent une corvée que lorsque Vista empêche l'un de vos amis – ou même vous – d'ouvrir un fichier. Si ce problème s'avère ardu, copiez le dossier dans dossier Public, décrit au Chapitre 14. C'est un espace d'accès libre, où tout le monde peut accéder au fichier.

🗸 **Détails :** Cet onglet révèle des informations supplémentaires concernant un fichier. Si c'est celui d'une photo numérique, cet onglet répertorie les données EXIF (*Exchangeable Image File Format,* format de fichier d'image échangeable) : marque et modèle de l'appareil photo, diaphragme, focale utilisée et autres valeurs que les photographes apprécient. Pour un morceau de musique, cet onglet affiche son identifiant ID3 (*Identify MP3*) : artiste, titre de

Figure 4.8 : Les propriétés d'un fichier indiquent le programme qui l'ouvre automatiquement, la taille du fichier ainsi que d'autres informations.

l'album, année, numéro de la piste, genre, durée et autres informations. (Les en-têtes ID3 sont expliquées au Chapitre 15.)

🗸 **Versions précédentes :** Collectionneur impénitent, Vista conserve toujours les versions précédentes de vos fichiers. Vous avez commis une bourde calamiteuse dans une feuille de calcul ? Pas de panique : allez ici et choisissez la copie de Hier de la feuille de calcul. La fonction Versions précédentes de Vista fonctionne de pair avec la Restauration du système qui a fait ses preuves dans Windows XP. Ces deux bouées de sauvetage sont décrites au Chapitre 17.

Normalement, tous ces détails restent cachés à moins de cliquer du bouton droit sur un fichier et de choisir Propriétés. Mais un dossier peut fournir simultanément des détails de la totalité des fichiers, ce qui est commode pour des recherches rapides. Pour choisir le type de détail – le nombre de mots dans un document Word, par exemple – cliquez du bouton droit sur n'importe quel terme figurant en haut d'une colonne, comme à la Figure 4.9.

Cliquez sur Autres, en bas de la liste, pour découvrir d'autres détails, dont Nombre de mots.

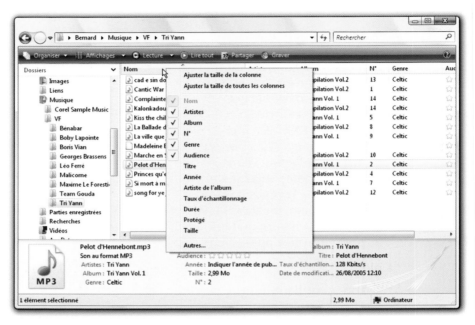

Figure 4.9 : Cliquez du bouton droit sur l'en-tête d'une colonne. Une fenêtre permet de sélectionner les détails des fichiers à faire apparaître dans le dossier.

✔ Pour changer l'affichage des fichiers dans un dossier, cliquez sur la flèche jouxtant le bouton Affichages, dans la barre d'outils. Le menu ainsi déployé propose sept manières de montrer les fichiers : Très grandes icônes, Grandes icônes, Icônes moyennes, Petites icônes, Liste, Détails et Mosaïques. Essayez-les et faites votre choix. Notez que Vista mémorise votre choix pour chaque dossier.

✔ Si vous ne vous souvenez plus de la fonction d'un bouton de la barre d'outils, immobilisez le pointeur de la souris dessus. Vista affiche alors une info-bulle expliquant succinctement à quoi il sert.

✔ Bien que les informations supplémentaires puissent être appréciables, elles occupent de la place au détriment du nombre de fichiers affichés dans la fenêtre. N'afficher que le nom des fichiers est souvent une meilleure option. C'est seulement lorsque vous voudrez en savoir plus sur un fichier ou un dossier que vous essayerez l'astuce qui suit.

✔ Dans un dossier, les fichiers sont habituellement triés alphabéti-quement. Pour les trier différemment, cliquez dans une partie vide du dossier et choisissez Trier par. Un menu déroulant propose de trier par nom, taille, type, etc. Cliquer sur le bouton Autres, en bas du menu, vous étonnera, car 250 autres manières de trier des fichiers sont proposées.

✔ Si vous êtes lassé du menu Trier par, cliquez sur l'en-tête en haut de chaque colonne. Cliquez sur Taille, par exemple, pour placer rapi-dement les fichiers les plus volumineux en haut de la liste. Cliquez sur Date de modification pour trier les fichiers selon la date de modification la plus récente (NdT : cliquer une seconde fois inverse l'ordre de tri).

Graver des CD et des DVD

La plupart des ordinateurs actuels savent graver des CD ou des DVD. Pour savoir si votre lecteur de CD et aussi un graveur de CD, ôtez tout disque se trouvant dans le tiroir, puis ouvrez Ordinateur à partir du menu Démarrer et examinez l'icône de votre lecteur de CD ou de DVD. Elle doit comporter les lettres RW.

DVD/CD-RW

Si le lecteur porte la mention DVD/CD-RW, comme sur l'icône en marge, cela signifie qu'il est capable de lire et de graver des CD, mais seulement de lire – et non graver – des DVD (la lecture des DVD est expliquée au Chapitre 15).

DVD-RW

Si le lecteur porte la mention Lecteur DVD-RW, il peut lire et graver des CD et aussi des DVD.

Vista est la première version de Windows capable de graver des DVD, une tâche que Windows XP était incapable d'exécuter sans l'aide de programmes tiers.

Si votre PC est équipé de deux lecteurs, un de CD et l'autre de DVD, indi-quez à Vista lequel sera utilisé pour la gravure. Pour ce faire, cliquez du bouton droit sur le lecteur, choisissez Propriété puis cliquez sur l'onglet Enregistrement. Choisissez ensuite votre lecteur favori à la partie supé-rieure.

Les attributs d'un fichier

Windows affecte à chaque fichier des sortes commutateurs informatiques appelés "attributs". Il examine leur état avant d'ouvrir un fichier. Pour connaître les attributs d'un fichier, cliquez dessus du bouton droit et choisissez Propriétés. Voici ceux que vous découvrirez :

✔ **Lecture seule :** Lorsque cet attribut est actif, un fichier ne peut être que lu. Il ne peut être ni supprimé ni modifié de quelque manière que ce soit.

✔ **Fichier caché :** Activer cet attribut rend le fichier invisible lors des opérations normales.

Cliquer sur le bouton Avancé donne accès à d'autres commutateurs :

✔ **Le fichier est prêt à être archivé :** Certains logiciels de sauvegarde examinent cet attribut pour savoir si ce fichier a déjà été sauvegardé. Si c'est le cas, l'attribut est inactif.

✔ **Autoriser l'indexation de ce fichier pour la recherche rapide :** Normalement actif, ce paramètre indique à Windows qu'il peut autoriser son service d'indexation à prendre note du fichier et de son contenu.

✔ **Compresser le contenu pour minimiser l'espace disque nécessaire :** Disponible sur la plupart des ordinateurs récents, ce paramètre autorise Windows à comprimer les fichiers afin de gagner de la place. Attention toutefois, car la décompression ralentit parfois le chargement du fichier.

✔ **Crypter le contenu pour sécuriser les données :** Ce commutateur active un moyen beaucoup trop compliqué de protection du fichier par un mot de passe. Ignorez-le.

La boîte de dialogue Propriétés facilite – peut-être trop – la modification de ces attributs. La plupart du temps, vous devez éviter d'y toucher. Je ne les mentionne ici qu'à titre informatif, pour que vous sachiez de quoi il s'agit lorsqu'un spécialiste vous annonce que l'attribut d'un fichier introuvable a sûrement été mis sur "caché".

Acheter des CD et DVD vierges pour la gravure

Il existe deux types de CD : les CD-R (comme *Recordable*, "enregistrable", en anglais) et CD-RW (comme *ReWritable*, "réinscriptible"). Voici la différence :

✔ **CD-R :** La plupart des gens achètent des CD-R car ils sont bon marché et sont parfaits pour stocker de la musique ou des fichiers. Vous pouvez graver les données jusqu'à ce qu'ils soient pleins, mais c'est tout. Il est impossible de modifier le contenu. Ce n'est pas un problème car ceux qui utilisent ce support ne veulent pas que leurs CD risquent d'être effacés. Ils sont aussi utilisés pour les sauvegardes.

↙ **CD-RW :** Les CD réinscriptibles servent notamment à faire des sauvegardes temporaires. Vous pouvez les graver tout comme un CD-R, à la différence près que le CD-RW peut être entièrement effacé – l'effacement partiel est impossible – et réutilisé. Ce type de CD est cependant plus onéreux.

À l'instar des CD, les DVD existent eux aussi en versions enregistrable et réinscriptible. Hormis cela, c'est la pagaille : les fabricants multiplient les formats, semant la confusion parmi les consommateurs. Avant d'acheter des DVD vierges, vérifiez les formats acceptés par votre lecteur : DVD-R, DVD-RW, DVD+R, DVD+RW et/ou DVD-RAM. La plupart des lecteurs récents reconnaissent les quatre premiers formats, ce qui facilite votre choix.

↙ La vitesse de rotation du disque, indiquée par l'opérateur × (comme dans 8×, 40×...) indique la rapidité de la gravure : un CD 40× est gravé cinq plus rapidement qu'un CD 8×. Achetez des CD dont la vitesse maximale est compatible avec celle de votre graveur.

↙ Le format et la vitesse de votre lecteur de CD ou de DVD figurent souvent sur sa façade. Si ce n'est pas le cas, vérifiez la documentation, voire la facture détaillée, de votre ordinateur. Si vous ne trouvez toujours pas d'indice, achetez des disques moyennement rapides. Un graveur lent parvient toujours à graver sur des disques rapides, mais pas avec la célérité d'un graveur plus rapide.

↙ Les CD vierges sont bon marché. Pour un essai, demandez-en un à un ami : si la gravure s'effectue sans problème, achetez-en d'autres du même type. En revanche, les DVD vierges étant plus chers, il vous sera plus difficile d'en obtenir un pour un test.

↙ Bien que Vista gère parfaitement les tâches de gravure de CD simples, il est extraordinairement compliqué lorsqu'il s'agit de copier des CD audio. La plupart des utilisateurs renoncent rapidement et préfèrent s'en remettre à des logiciels de gravure tiers, comme ceux édités par Roxio ou Nero. J'explique au Chapitre 15 comment Vista créé les CD audio.

✔ La copie des CD audio et des DVD est soumise aux lois du droit d'auteur.

Copier des fichiers depuis ou vers un CD ou un DVD

Il fut un temps où CD et DVD étaient à l'image de la simplicité : il suffisait de les introduire dans un lecteur de salon pour les lire. Mais, dès lors que ces disques ont investi les ordinateurs, tout se compliqua. A présent, lorsque vous gravez un CD ou DVD, vous devez indiquer au PC ce que vous copiez et comment vous comptez le lire : sur un lecteur de CD audio ? Sur un lecteur de DVD ? Ou ne s'agit-il que de fichiers informatiques ? Si vous avez mal choisi, le disque ne sera pas lisible.

Voici les règles régissant la création d'un disque :

✔ **Musique :** Reportez-vous au Chapitre 15 pour créer un CD qui sera lu par une chaîne stéréo ou un autoradio. Vous utiliserez le Lecteur Windows Media.

✔ **Films et diaporamas :** Reportez-vous au Chapitre 16 pour créer un DVD contenant des séquences vidéo ou des diaporamas que vous visionnerez avec un lecteur de DVD de salon. Vous utiliserez le nouveau programme DVD Maker.

Mais il en va différemment si vous désirez seulement copier des fichiers informatiques sur un CD ou un DVD, à des fins de sauvegarde ou pour les envoyer à quelqu'un.

Suivez ces étapes pour graver des fichiers sur un CD ou un DVD vierge (si vous ajoutez les données à un disque qui en contient déjà, passez à l'Étape 4).

Remarque : Si vous avez installé un logiciel de gravure tiers dans votre PC, il risque de démarrer automatiquement dès l'insertion du CD, outre-passant toutes les étapes. Vous devrez le désactiver si vous désirer graver avec Vista ou tout autre programme. Cliquez ensuite sur l'icône du lecteur et choisissez Ouvrir la lecture automatique. Vous pourrez ainsi indiquer à Vista comment il doit réagir à l'insertion d'un CD vierge.

1. **Insérez le disque vierge dans le graveur et choisissez Graver les fichiers sur un disque.**

Vista réagit différemment selon que vous avez inséré un CD ou un DVD, comme le montre la Figure 4.10.

Figure 4.10 : L'insertion d'un CD (à gauche) ou d'un DVD (à droite) affiche la boîte de dialogue appropriée. Choisissez Graver un CD pour copier les fichiers sur le disque.

CD : Vista propose deux options :

- **Graver un CD audio :** Cette option demande au Lecteur Windows Media de créer un CD audio lisible par la plupart des lecteurs de CD (nous y reviendrons au Chapitre 15).

- **Graver les fichiers sur un disque :** Choisissez cette option pour copier des fichiers sur un CD.

DVD : Vista offre trois options :

- **Graver un DVD à données :** Choisir cette option demande au Lecteur Windows Media (Chapitre 15) de sélectionner des fichiers de musique dans votre bibliothèque afin de les copier sur un DVD à des fins de sauvegarde. Si votre lecteur de DVD de salon supporte les fichiers MP3 ou WMA, il pourra *peut-être* le lire.

- **Graver les fichiers sur un disque :** Choisissez cette option pour copier des fichiers informatiques sur le DVD.

- **Graver un DVD vidéo :** Cette option démarre le programme DVD Maker. Il sert à créer des films ou des diaporamas, comme l'explique le Chapitre 16.

2. Saisissez un nom pour le disque puis cliquez sur Suivant.

Après avoir inséré le disque et choisi Graver les fichiers sur un disque, à l'Étape 1, Vista affiche la boîte de dialogue Graver un disque et vous demande de trouver un titre pour le disque.

Hélas, Vista limite la longueur des titres des CD et DVD à 16 caractères. Au lieu de taper **Pique-nique familial à Trifouilly-les-Oies en 2006**, vous devrez vous limiter à **Trifouilly 2006**. Ou vous contenter de cliquer sur Suivant et accepter le nom par défaut imposé par Vista : la date d'aujourd'hui.

Les esprits curieux auront remarqué l'option Afficher les options de formatage, dans la boîte de dialogue Graver un disque. Si vous l'activez, vous constaterez que Vista offre deux possibilités de stockage des données sur le disque : Live File System ou Mastered. Tenez-vous-en à la première, Live File System, excepté dans deux circonstances : lorsque vous utilisez un CD ou un DVD, ou lorsque vous vous inquiétez de la compatibilité avec les PC anciens et les ordinateurs Apple. Dans ces cas, optez pour Mastered.

Après avoir entré un nom, Vista se prépare à recevoir les fichiers qu'il devra graver. Pour le moment, la fenêtre du disque est vide.

3. Indiquez à Vista les fichiers qu'il doit graver.

Le disque étant prêt à recevoir des données, il doit indiquer à Vista où il les trouvera. Vous pouvez le faire de diverses manières :

- Cliquez du bouton droit sur l'élément à copier, qu'il s'agisse d'un seul fichier, d'un dossier, ou d'un ensemble de fichiers et de dossiers sélectionnés. Dans le menu contextuel qui apparaît, choisissez Envoyer vers puis sélectionnez le graveur.

- Faites glisser les fichiers et/ou les dossiers et déposez-les sur la fenêtre du graveur, ou sur l'icône du graveur, dans la fenêtre Ordinateur.

- Choisissez le bouton Graver, dans la barre d'outils de n'importe quel dossier du dossier Musique. Tous les dossiers de musique – ou les fichiers audio sélectionnés – seront copiés sur le disque en tant que fichiers informatiques, lisibles par les chaînes stéréo et autoradio capables de lire des fichiers WMA ou MP3.

- Choisissez le bouton Graver, dans la barre d'outils de n'importe quel dossier du dossier Images. Toutes les photos du dossier Images – ou celles que vous avez sélectionnées – seront copiées sur le disque, à des fins de sauvegarde ou pour les diffuser autour de vous.

- Choisissez le bouton Graver, dans la barre d'outils, de n'importe quel dossier du dossier Documents. Les fichiers qui s'y trouvent seront copiés sur le disque.

- Demandez au logiciel que vous utilisez actuellement d'enregistrer le fichier sur le disque compact plutôt que sur le disque dur.

Quelle que soit la technique choisie, Vista examine scrupuleusement les données puis les grave sur le disque.

4. **Fermez la session de gravure en éjectant le disque.**

Quand vous avez fini de copier des fichiers sur un disque, indiquez-le à Vista en fermant la fenêtre Ordinateur : double-cliquez sur le petit "X" dans le coin supérieur droit de la fenêtre.

Appuyez ensuite sur le bouton d'éjection du disque, ou cliquez du bouton droit sur l'icône du lecteur, dans Ordinateur, et choisissez Ejecter. Vista ferme la session en veillant à ce que le disque soit lisible par d'autres PC.

Par la suite, vous pouvez graver d'autres fichiers sur le même disque jusqu'à ce que Windows vous informe qu'il est plein. Vous devrez alors mettre fin à la gravure, comme à l'Étape 4 précédemment, insérer un disque vierge puis tout recommencer à partir de l'Étape 1.

Si vous tentez de copier un ensemble de fichiers plus volumineux que ce que peut héberger le disque, Vista le signalera aussitôt. Réduisez le nombre de fichiers à copier sur un disque en les répartissant sur plusieurs.

La plupart des programmes permettent d'enregistrer directement sur un CD. Choisissez Fichier, puis Enregistrer, et sélectionnez le graveur. Insérez un disque dans le lecteur – de préférence pas trop plein – pour démarrer le processus.

Dupliquer un CD ou un DVD

Windows Vista ne possède pas de commande de duplication de disque compact. Il n'est pas même capable de copier un CD audio, ce qui explique pourquoi beaucoup de gens achètent des logiciels de gravure.

Il est cependant possible de copier tous les fichiers d'un CD ou d'un DVD dans un disque vierge en procédant en deux étapes :

1. **Copiez les fichiers et dossiers du CD ou du DVD dans un dossier de votre PC.**

2. **Copiez le contenu de ce dossier sur un CD ou un DVD vierge.**

Vous obtenez ainsi une copie du CD ou du DVD, commode lorsque vous tenez à conserver deux sauvegardes essentielles.

Ce procédé ne fonctionne pas avec un CD audio ou un film sur DVD (j'ai essayé). Seuls les disques contenant des programmes ou des données informatiques peuvent être dupliqués.

Disquettes et cartes mémoire

Les possesseurs d'appareil photo numérique sont sans doute familiarisés avec les cartes mémoire, ces petites plaquettes en plastique qui remplacent la pellicule. Vista est capable de lire les photos numériques directement sur l'appareil, pour peu qu'il soit connecté au PC. Mais Vista est aussi capable de lire les cartes mémoire, une technique prisée par tous ceux qui n'ont pas envie d'utiliser le câble de connexion.

Mais pour cela, le PC doit être équipé d'un lecteur de cartes mémoire, dans lequel vous insérez la carte bourrée de photos. Pour le PC, c'est un dossier comme un autre.

Les boutiques d'informatique vendent des lecteurs de cartes mémoire externes acceptant les formats les plus répandus : Compact Flash, Secure Digital, Mini-Secure Digital, Memory Stick, et d'autres encore.

Un lecteur de cartes mémoire est d'une agréable convivialité : après avoir inséré la carte, vous pouvez ouvrir son dossier dans le PC et voir les miniatures des photos qui s'y trouvent. Toutes les opérations de glisser-déposer, copier-coller et autre manipulations décrites précédemment dans ce chapitre sont applicables. Vous déplacez et organisez vos photos intuitivement.

✔ Formater une carte mémoire efface irrémédiablement toutes les photos et autres données qui s'y trouvent. Ne formatez jamais une carte mémoire sans avoir préalablement vérifié ce qu'elle contient.

✔ La procédure, maintenant : si Windows se plaint de ce qu'une carte nouvellement insérée n'est pas formatée – un problème qui affecte surtout les cartes ou disquettes endommagées –, cliquez du bouton droit sur son lecteur et choisissez Formater. Parfois, le formatage permet d'utiliser la carte avec un autre appareil que celui pour lequel vous l'aviez achetée : un lecteur MP3 acceptera par exemple celle que l'appareil photo refuse.

✔ Les lecteurs de disquette n'équipent plus que les PC les plus anciens (NdT : ils sont parfois proposés en option et il existe aussi des lecteurs de disquette externes). Ils fonctionnent comme les lecteurs de cartes mémoire : insérez la disquette puis double-cliquez sur son icône, dans Ordinateur, pour accéder aux fichiers.

✔ Appuyez sur la touche F5 chaque fois que vous insérez une nouvelle disquette dans le lecteur, afin que Windows Vista mette la fenêtre à jour. Autrement, elle afficherait toujours les fichiers de la disquette précédente (cette formalité n'est obligatoire que pour les disquettes).

Deuxième partie
Travailler avec les programmes et les fichiers

Dans cette partie...

*V*ous venez de faire connaissance avec Vista et
d'apprendre les bases de son utilisation, notamment cliquer çà et là.

Dans cette partie du livre, vous serez enfin productif.
C'est ici que vous apprendrez à démarrer des
programmes, à ouvrir des fichiers, à créer et enregistrer les vôtres, et imprimer vos œuvres. Vous saurez
aussi tout sur les incontournables commandes
Couper, Copier et Coller.

Et si des fichiers prennent soudainement la clé des
champs – c'est dans leur nature –, le Chapitre 6 vous
expliquera comment lancer une recherche à leurs
trousses et les ramener au bercail.

Programmes et documents

Dans Windows, le programmes – ou logiciels – sont vos outils. Ils vous permettent de calculer, d'écrire et d'abattre des vaisseaux spatiaux. En revanche, les documents sont ce que vous créez à l'aide d'un programme : une feuille de calcul révélant que vous vivez au-dessus de vos moyens, une lettre à l'eau de rose, les scores de vos jeux.

Ce chapitre commence par les bases : ouvrir des programmes, créer des raccourcis, couper et coller des données entre des documents... J'en profiterai pour vous montrer quelques trucs, comme l'ajout d'un signe © (copyright) dans le document, par exemple. Enfin, nous ferons le tour des programmes livrés avec Windows Vista, vous apprendrez à créer une lettre que vous agrémenterez de caractères spéciaux ou de symboles.

Démarrer un programme

Cliquer sur le bouton Démarrer déploie le menu Démarrer, qui est la rampe de lancement de vos programmes. Le menu Démarrer est remarquablement intuitif. Par exemple, si Vista s'aperçoit que vous gravez beaucoup de DVD, le menu Démarrer place l'icône du programme DVD Maker en bonne place dans la liste, comme l'illustre la Figure 5.1.

Votre programme favori n'est pas visible dans le menu Démarrer ? Cliquez sur Tous les programmes, en bas du menu. Il propose une liste exhaustive de tous les programmes installés dans l'ordinateur, dûment répertoriés. Le programme n'est toujours pas visible ? Il se trouve sans aucun doute dans l'un des dossiers de Tous les programmes. Cliquez sur l'un ou l'autre de ces dossiers pour le découvrir (NdT : Ces dossiers portent souvent le nom de l'éditeur du programme).

Après avoir repéré le programme, cliquez sur son nom. Il s'ouvre sur le Bureau, prêt à servir.

Si le programme ne figure pas dans le menu Démarrer, Windows Vista propose plusieurs moyens de l'ouvrir, dont ceux-ci :

Figure 5.1 : Cliquez sur le bouton Démarrer puis sur le programme à ouvrir.

✔ Ouvrez le dossier Documents, dans le menu Démarrer, et double-cliquez sur le fichier sur lequel vous comptez travailler. Le programme approprié démarre et ouvre le fichier en question.

✔ Double-cliquez sur un raccourci du programme. Les raccourcis, souvent placés sur le Bureau, sont des boutons très commodes pour démarrer des programmes ou ouvrir des fichiers. Ils sont décrits en détails à la section "Prendre un raccourci", plus loin dans ce chapitre.

✔ Si l'icône du programme se trouve dans la barre d'outils Lancement rapide – elle jouxte le menu Démarrer –, cliquez dessus et le programme entre en action (la barre d'outils Lancement rapide est décrite au Chapitre 2).

✔ Cliquez du bouton droit sur le Bureau, choisissez Nouveau et sélectionnez le type de document à créer. Windows démarrera le programme approprié.

    ✔ Tapez le nom du programme dans le champ Rechercher, en bas du menu Démarrer, et appuyez sur Entrée.

Il existe encore d'autres moyens de démarrer un programme, mais ceux-ci sont les plus pratiques. Le menu Démarrer est décrit plus en détail au Chapitre 2.

Dans le menu Démarrer, Vista place des raccourci, autrement dit des boutons qui lancent les programmes que vous utilisez le plus fréquemment. Ces raccourcis changent tout le temps afin de montrer toujours les huit programmes les plus utilisés. Vous ne voulez pas que le directeur sache que vous jouez souvent à FreeCell ? Cliquez du bouton droit sur son icône et choisissez Supprimer de cette liste. Le raccourci disparaît, mais la "véritable" icône de FreeCell subsiste à son emplacement normal, dans le dossier Jeux (dans le menu Tous les programmes).

Y a-t-il un Administrateur dans l'ordinateur ?

NdT : Il arrivera que l'ordinateur vous demande de démarrer un programme, pour la première fois, en tant qu'Administrateur. Or, vous avez beau être l'Administrateur de l'ordinateur – son propriétaire et seul utilisateur, par exemple –, rien n'y fait. Chaque fois que vous tentez d'ouvrir le programme depuis le menu Démarrer, l'ordinateur demande obstinément d'ouvrir le programme en tant qu'Administrateur.

Le problème réside sur le fait qu'en ouvrant le programme depuis le menu Démarrer, vous cliquez sur un raccourci, un élément expliqué au Chapitre 5. Or, c'est directement sur le fichier du programme, en aval du dossier Program File, que vous devez cliquer. Trouver l'exécutable du fichier (reconnaissable à son extension .exe) n'est pas toujours facile, car le programme peut être dans un sous-dossier au nom de l'éditeur. Reportez-vous au Chapitre 5 pour savoir comment afficher l'extension des fichiers.

Tout ça peut sembler compliqué au débutant. Mais si ce dernier connaît quelqu'un qui s'y connaît un peu en informatique, il saura le tirer d'affaire.

Ouvrir un document

Windows Vista adore tout ce qui est normalisé. La preuve ? Tous les programmes chargent les documents – souvent appelés "fichiers" – et les ouvrent de la même manière :

    1. Cliquez sur l'option Fichier, dans la barre de menus située en haut de n'importe quel programme.

Pas de barre de menus ? Appuyez sur Alt pour la faire apparaître.

2. **Dans le menu Fichier, choisissez Ouvrir.**

La boîte de dialogue Ouvrir, que montre la Figure 5.2, suscite une impression de déjà-vu, et pour cause : elle ressemble et se comporte comme le dossier Documents décrit au Chapitre 4.

Figure 5.2 : Double-cliquez sur le nom du fichier à ouvrir.

Il y a cependant une grande différence : cette fois, le dossier ne montre que les fichiers que le programme est capable d'ouvrir. Il exclut tous les autres.

3. **Vous avez vu la liste de documents dans la boîte de dialogue Ouvrir, à la Figure 5.2 ? Cliquez sur le document désiré puis cliquez sur le bouton Ouvrir.**

Le programme ouvre le fichier et affiche son contenu.

Cette technique d'ouverture d'un fichier fonctionne avec n'importe quel programme, qu'il soit édité par Microsoft, un autre éditeur ou programmé par le boutonneux féru d'informatique au coin de la rue.

- Pour aller plus vite, double-cliquez sur le nom du fichier désiré. Il est aussitôt ouvert, la boîte de dialogue Ouvrir se fermant toute seule.

- Si le fichier désiré ne figure pas dans la liste, commencez à parcourir le disque dur avec les boutons visibles à gauche, dans la Figure 5.2. Par exemple, cliquez sur le dossier Documents pour voir les fichiers qui y sont stockés. Cliquez sur Récemment modifiés pour voir les fichiers que vous avez utilisés ces derniers jours. Dès que vous avez repéré le fichier désiré, double-cliquez dessus.

- Les gens fourrent souvent leurs papiers, photos et CD dans des boîtes en carton, mais l'ordinateur, lui, stocke ses fichiers dans des petits compartiments dûment étiquetés appelés "dossiers". Double-cliquez sur l'un d'eux pour voir ce qu'il contient, et reportez-vous au Chapitre 4 si la navigation parmi les dossiers vous paraît compliquée.

- Chaque fois que vous ouvrez un fichier et que vous le modifiez, même rien qu'en appuyant sur la barre Espace par mégarde, Windows Vista présume que vous aviez une bonne raison de le faire. C'est pourquoi, si vous tentez de fermer le fichier, Vista vous demande s'il faut enregistrer la modification. Si vos modifications l'ont été à bon escient, cliquez sur Oui. Mais si vous avez semé la pagaille ou ouvert un mauvais fichier, cliquez sur Non ou sur Annuler.

- Tous ces boutons et icônes en haut et à gauche de la boîte de dialogue Ouvrir vous intriguent ? Immobilisez la souris sur l'un d'eux et une info-bulle vous renseignera.

Enregistrer un document

Enregistrer signifie que vous inscrivez votre travail sur la surface magnétique d'un disque dur ou sur tout autre support afin de le conserver. Tant qu'un travail n'est pas enregistré, il réside dans la mémoire vive de l'ordinateur, qui est vidée dès que l'ordinateur est éteint. Vous devez spécifiquement indiquer à l'ordinateur d'enregistrer votre travail en lieu sûr.

Fort heureusement, Microsoft a imposé que la même commande Enregistrer apparaisse dans tous les programmes de Windows Vista, quel qu'en soit le programmeur ou l'éditeur. Cliquez sur Fichier, dans la barre de

Quand les programmeurs se disputent les types de fichiers

Quand il s'agit de formats, c'est-à-dire la manière dont les données sont organisées dans les fichiers, les programmeurs ne se font pas de cadeaux. Pour s'accommoder de cette guerre des formats, bon nombre de programmes sont dotés d'une fonction spéciale permettant d'enregistrer les fichiers en différents types de format.

Examinez l'une des zones de liste en bas à droite de la Figure 5.2. Elle mentionne actuellement le format Text Documents (*.txt), qui est celui utilisé par le Bloc-notes. De ce fait, la boîte de dialogue Ouvrir n'affiche que des fichiers stockés là par le Bloc-notes. Pour voir les fichiers enregistrés en d'autres formats, cliquez sur cette zone de liste et choisissez un autre format. La boîte de dialogue Ouvrir instantanément mise à jour affiche à présent les fichiers propres au nouveau format.

Comment afficher tous les fichiers, indépendamment de leur format ? Choisissez Tous les fichiers, dans la liste déroulante. Certes, tous sont maintenant visibles, mais cela ne signifie pas que le programme sera capable de tous les ouvrir. Parfois, il tombera sur un os...

Par exemple, le Bloc-notes affiche les noms des fichiers d'image quand l'option Tous les fichiers est sélectionnée. Mais si vous tentez d'ouvrir une photo, il l'affichera sous la forme d'une page d'invraisemblables caractères spéciaux (si cette mésaventure vous arrive, abstenez-vous d'enregistrer le fichier car le document serait irrémédiablement inutilisable ; quittez aussitôt le programme sans rien valider).

menus, choisissez Enregistrer et mettez votre travail en lieu sûr dans le dossier Documents afin de le reprendre ultérieurement.

Quand vous enregistrez pour la première fois, Windows Vista demande d'indiquer le nom du fichier. Efforcez-vous d'être descriptif et de n'utiliser que des lettres, des chiffres et des espaces (NdT : tiret, apostrophe, parenthèses et caractères accentués ou à cédille sont toutefois admis). N'essayez pas d'utiliser un des caractères interdits, décrits au Chapitre 4, car Vista refuserait le nom.

✔ Choisissez toujours un nom descriptif pour vos fichiers. Vista octroie 255 caractères, c'est-à-dire plus qu'il n'en faut. Un fichier nommé *Rapport Juin* ou *Prévision des ventes* sera plus facile à retrouver qu'un fichier laconiquement nommé *Lettre*.

✔ Vous pouvez enregistrer un fichier dans n'importe quel dossier, sur un CD voire dans une carte mémoire. Mais c'est en les enregistrant dans le dossier Documents que vous le retrouverez le plus facilement. Ne vous privez néanmoins pas d'enregistrer un deuxième exemplaire sur un CD, comme sauvegarde.

✔ La plupart des programmes peuvent enregistrer des fichiers directement sur un CD : choisissez Enregistrer, dans le menu Fichier, puis sélectionnez le graveur de CD. Insérez un CD dans le lecteur, et c'est parti !

✔ Si vous travaillez sur quelque chose d'important – c'est presque toujours le cas –, utilisez la commande Enregistrer toutes les quelques minutes. Ou mieux, appuyez sur les touches Ctrl+S (touche Ctrl enfoncée, appuyez brièvement sur S). La première fois, le programme demandera d'indiquer le nom et l'emplacement du fichier, mais par la suite, le processus sera quasiment instantané.

Quelle est la différence entre Enregistrer et Enregistrer sous ?

Enregistrer sous quoi ? La table ? Le tapis ? Que nenni, bonnes gens ! La commande Enregistrer permet d'enregistrer un fichier sous un autre nom et/ou à un autre emplacement.

Supposons que le fichier *Ode à Tina* se trouve dans le dossier Documents et que vous désiriez modifier quelques phrases. Vous désirez enregistrer cette modification, mais sans perdre la version originale. Pour conserver les deux versions de cette impérissable littérature, vous choisirez Enregistrer sous, et vous renommerez le fichier *Ode à Tina - Ajouts*.

Lors d'un premier enregistrement, les commandes Enregistrer et Enregistrer sous sont identiques : les deux vous invitent à nommer le fichier et à choisir son emplacement.

Choisir le programme qui ouvre un fichier

Le plus souvent, Windows Vista sait quel programme il doit utiliser pour ouvrir tel ou tel fichier. Double-cliquez sur un fichier, et Vista démarre le programme, charge le fichier et l'ouvre dedans. Mais quand Vista ne s'en sort plus, c'est à vous de jouer.

Les deux prochaines sections expliquent ce qu'il faut faire lorsqu'un fichier n'est pas ouvert par le programme prévu, ou pire, si aucun programme n'est censé l'ouvrir.

Si la notion d'association de fichiers – terme qui évoque l'association de malfaiteurs – vous intrigue, ne manquez pas de lire l'encadré qui aborde cet épineux sujet.

L'association (sans but lucratif) de fichiers

Tous les programmes ajoutent une sorte de code secret – appelé "extension de fichier" – au nom des fichiers qu'ils créent. Cette extension identifie la nature du fichier : quand vous double-cliquez sur un fichier, Windows Vista s'enquiert de son extension pour savoir à quel programme elle est liée. Par exemple, le Bloc-notes ajoute l'extension .txt (abrégé de "texte") à tous les fichiers qu'il crée : l'extension .txt est associée au Bloc-notes.

Normalement, Windows Vista n'affiche pas les extensions, tenant ainsi l'utilisateur lambda à l'écart des subtilités de Windows, officiellement pour plus de sécurité. En effet, si l'extension est modifiée pour une raison ou pour une autre, Windows n'ouvrira plus le fichier comme prévu.

Procédez comme suit si vous tenez absolument à voir ces mystérieuses extensions :

1. **Dans un dossier, cliquez sur le bouton Organiser et, dans le menu déroulant, choisissez Folder and Search Options.**

   La boîte de dialogue Options des dossiers apparaît.

2. **Cliquez sur l'onglet Affichage, puis cliquez dans la case Masquer les extensions des fichiers dont le type est connu.**

   La case est décochée.

3. **Cliquez sur le bouton OK.**

   Les extensions de fichiers sont à présent affichées.

Notez que si deux fichiers de différentes origines ont la même extension, ils seront ouverts par le même programme. Maintenant que vous avez vu les extensions, masquez-les de nouveau en cochant la case Masquer les extensions des fichiers dont le type est connu.

Conclusion ? Ne modifiez jamais l'extension d'un fichier à moins de savoir exactement ce que vous faites. Autrement, Vista se tromperait de programme ou ne saurait plus lequel utiliser.

Mon fichier s'ouvre dans un autre programme !

Double-cliquer sur un fichier lance le programme approprié, générale-ment celui qui a servi à créer le document en question. Mais parfois, le programme qui apparaît n'est pas le bon. C'est fréquent avec les lecteurs de média, qui s'approprient constamment et sans vergogne les associations avec les fichiers audio et vidéo.

Voici comment rétablir le bon programme lorsqu'un fichier s'ouvre dans un autre programme :

1. **Cliquez du bouton droit sur le fichier qui pose problème et, dans le menu contextuel, choisissez Ouvrir avec.**

   Comme le montre la Figure 5.3, Windows propose quelques-uns des programmes que vous aviez précédemment utilisés pour ouvrir ce type de fichier.

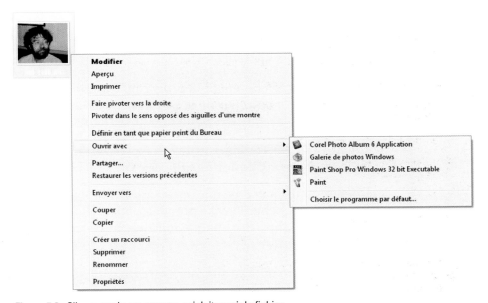

Figure 5.3 : Cliquez sur le programme qui doit ouvrir le fichier.

   L'option Ouvrir avec ne figure pas dans le menu ? Choisissez alors Ouvrir. Vista affiche la fenêtre Ouvrir avec, représentée à la Figure 5.5, un peu plus loin.

2. **Cliquez sur Choisir le programme par défaut et sélectionnez celui qui doit ouvrir le fichier.**

La fenêtre Ouvrir avec, que montre la Figure 5.4, répertorie beaucoup plus de programmes. Si votre programme favori s'y trouve, vous pourriez double-cliquer dessus pour ouvrir immédiatement le fichier. Mais cela n'empêcherait pas le problème de se reproduire. La prochaine étape règle cette difficulté.

Figure 5.4 : Choisissez le programme à utiliser et cochez la case en bas à gauche.

Si votre programme favori n'est nulle part mentionné, vous devrez le chercher vous-même. Cliquez sur le bouton Parcourir et naviguez jusque dans le dossier contenant le programme à utiliser (un conseil : immobilisez le pointeur de la souris sur les dossiers, et Windows listera quelques-uns des fichiers et programmes qui s'y trouvent).

3. **Cochez la case Toujours utiliser ce programme pour ouvrir ce type de fichier. Cliquez ensuite sur OK.**

Cocher cette case crée une association. Par exemple choisir Paint Shop Pro et cocher la case précitée oblige Windows à toujours ouvrir Paint Shop Pro chaque fois que vous double-cliquez sur ce type de fichier.

✔ Parfois, vous voudrez alterner entre deux programmes lorsque vous travaillez sur un même document. Pour ce faire, cliquez du bouton droit sur le document, choisissez Ouvrir avec puis sélectionnez le programme dont vous avez besoin à ce moment-là.

✔ Il est parfois impossible de faire en sorte que votre programme favori ouvre un fichier particulier tout simplement parce que le programme ne sait pas quoi faire. Par exemple, le Lecteur Windows Media lit les vidéos, sauf quand elles sont au format QuickTime, développé par Apple. La seule solution consiste alors à installer QuickTime (www.apple.com/fr/quicktime/) et à l'utiliser pour ouvrir ce type de vidéo.

> ✔ Pas moyen de trouver un programme pour ouvrir ce satané fichier ? Dans ce cas, vous lirez avec intérêt la prochaine section.

Aucun programme n'ouvre mon fichier !

Il est énervant de voir plusieurs programmes s'évincer les uns les autres pour ouvrir un type de fichier, mais c'est encore pire quand aucun programme ne parvient à le faire. Double-cliquer sur le fichier affiche l'ésotérique message d'erreur de la Figure 5.5.

Si vous savez quel programme ouvre ce type de fichier, choisissez la seconde option : Sélectionner le programme dans la liste des programmes installés.

Figure 5.5 : Parfois, Windows est incapable d'ouvrir un fichier.

Cette action fait apparaître la familière fenêtre de la Figure 5.4, permettant de choisir un programme et cliquer sur OK pour ouvrir le fichier.

Mais si vous n'avez pas la moindre idée du programme qui pourrait ouvrir le mystérieux fichier, choisissez l'option Utiliser le service Web pour trouver le programme approprié, puis cliquez sur OK. Windows écume l'Internet à la recherche du programme idoine. Avec un peu de chance, Internet affiche un site Web de Microsoft. Là, Microsoft identifie le fichier, décrit son type de contenu et suggère un site Web d'où vous pourrez télécharger le programme approprié. Cette opération implique le téléchargement et l'installation du programme, après avoir vérifié son innocuité avec un logiciel antivirus, comme nous l'expliquons au Chapitre 10. Après quoi le problème est résolu.

Parfois, Microsoft vous envoie directement vers un site Web, comme celui de la Figure 5.6, d'où vous pourrez télécharger le programme qui ouvre votre fichier.

> ✔ À la Figure 5.6, Microsoft a identifié un fichier vidéo QuickTime, édité par Apple – un concurrent de Microsoft – que le Lecteur Windows Media ne peut pas ouvrir. Pas rancunier, Microsoft vous envoie néanmoins au site Web de QuickTime, où vous pouvez télécharger et installer le lecteur QuickTime pour Windows.

Figure 5.6 : Windows vous aide parfois à trouver le programme qui ouvrira un fichier orphelin.

✔ Quand vous visitez un site Web afin de télécharger un programme suggéré, comme QuickTime ou RealPlayer, deux versions sont parfois proposées : l'une gratuite, l'autre appelée Professionnelle – car ça en jette – mais payante. La version gratuite répond souvent à vos besoins ; donc, commencez par elle.

✔ Si vous ne trouvez aucun programme capable d'ouvrir le fichier, vous êtes bien embêté… Il ne vous reste plus qu'à contacter la personne qui vous l'a remis en lui demandant avec quel programme il faut l'ouvrir. Dans le pire des cas, vous devrez l'acheter (NdT : mais il existe, sur le Web, des visionneuses souvent gratuites pour des milliers de types de fichiers).

Prendre un raccourci

Certains éléments sont profondément enfouis dans votre ordinateur. Si vous en avez assez de parcourir l'arborescence des dossiers à la recherche d'un programme, lecteur, document, voire un site Web, créez un raccourci. C'est une petite icône qui pointe vers l'inavouable objet de votre désir, auquel vous accédez d'un seul clic.

Un raccourci n'étant tout bonnement qu'un bouton indépendant qui démarre quelque chose, vous pouvez déplacer, supprimer ou copier les raccourcis sans que l'original en pâtisse. Ils sont sûrs, commodes et faciles à créer. Il est impossible de les confondre avec des originaux grâce à la petite flèche dans leur coin inférieur gauche, visible ici sur le raccourci du jeu FreeCell.

Voici quelques instructions expliquant comment créer ces irremplaçables raccourcis :

- **Dossiers ou documents :** Cliquez du bouton droit sur le dossier ou le document, choisissez Envoyer vers et sélectionnez l'option Bureau (créer un raccourci). Après son apparition sur le Bureau, faites-le glisser où bon vous semble.

- **Sites Web :** Vous avez remarqué la petite icône qui précède l'adresse du site Web dans la Barre d'adresse d'Internet Explorer ? Faites-la glisser et déposez-la sur le Bureau ou ailleurs (décalez légèrement la fenêtre d'Internet Explorer vers l'extérieur afin d'avoir de la place pour votre manipulation). Vous pouvez aussi placer les sites Web intéressants parmi vos Favoris, comme l'explique le Chapitre 8.

- **N'importe quoi dans le menu Démarrer :** Cliquez du bouton droit sur une icône du menu Démarrer et choisissez Copier. Cliquez ensuite du bouton droit là où le raccourci doit apparaître et choisissez Coller le raccourci.

- **Presque n'importe quoi :** Le bouton droit de la souris enfoncé, faites glisser un objet jusqu'à un autre emplacement. Le bouton relâché, choisissez l'option Créer les raccourcis ici.

- **Panneau de configuration :** Vous avez découvert un paramètre particulièrement intéressant dans le Panneau de configuration, qui est la plaque tournante de Windows Vista ? Tirez l'utile icône jusque sur le Bureau, jusque sur un dossier du Volet de navigation ou n'importe où ailleurs, et l'icône est aussitôt convertie en raccourci.

✔ **Lecteurs de disque :** Ouvrez Ordinateur, dans le menu Démarrer. Cliquez du bouton droit sur le lecteur désiré et choisissez Créer un raccourci. Windows le place sur le Bureau.

Voici quelques astuces supplémentaires :

✔ Pour graver rapidement des CD, placez un raccourci du graveur sur le Bureau. Il suffira ainsi de glisser et déposer les fichiers sur l'icône du raccourci. Insérez un CD vierge, confirmez les paramètres et la gravure commence.

✔ Vous pouvez librement déplacer des raccourcis de ci de là, mais ne déplacez jamais les éléments qu'ils démarrent. Autrement, le raccourci ne les retrouverait plus, obligeant Windows à parcourir le disque dur à leur recherche, souvent en vain.

✔ Vous voulez connaître le programme que démarre un raccourci ? Cliquez dessus du bouton droit et choisissez Open File Location (si l'option est proposée). Le raccourci vous mène promptement vers son seigneur et maître.

L'incontournable guide du Couper, Copier et Coller

Windows Vista a emprunté à l'école maternelle les petits ciseaux à bouts ronds et le pot de colle à papier. Enfin, leur version informatique... Vous pouvez électroniquement couper ou copier, puis coller, quasiment tout ce que vous voulez, et tout cela avec la plus grande facilité.

Les programmes de Windows sont conçus pour travailler ensemble et partager des données, ce qui permet par exemple de placer très facilement le plan d'un quartier, préalablement numérisé avec un scanner, sur le carton d'invitation créé avec WordPad. Vous pouvez déplacer des fichiers en les coupant ou en les copiant, et en les collant ensuite à un autre emplacement. Rien n'est plus simple, dans un traitement de texte, que de couper un paragraphe et le coller ailleurs.

Avec Windows Vista, toutes ces opérations s'effectuent sans peine parmi les fenêtres ouvertes.

Ne considérez par le Copier et le Coller comme des broutilles. Copier le nom et l'adresse d'un contact est moins fastidieux que les taper dans la lettre. Et si quelqu'un vous envoie une adresse Internet à rallonge, il sera plus sûr – et là encore moins fastidieux – de la copier et la coller dans la Barre d'adresse d'Internet Explorer. Il est aussi très facile de copier la plupart des éléments d'une page Web, au grand dam des photographes professionnels.

Le couper-coller facile

 En accord avec le Département "Lâche-moi la grappe avec ces ennuyeux détails", voici, en trois étapes, comment couper, copier et coller :

1. **Sélectionnez l'élément à couper ou à coller : quelques mots, un fichier, une adresse Web ou n'importe quoi d'autre.**

2. **Cliquez du bouton droit dans la sélection et choisissez Couper ou Copier, dans le menu, selon vos besoins.**

   Utilisez Couper lorsque vous désirez déplacer un élément, et Copier lorsque vous voulez le dupliquer en laissant l'original intact.

   Les raccourcis clavier sont : Ctrl+X pour Couper, Ctrl+C pour Copier.

3. **Cliquez du bouton droit sur l'élément de destination et choisissez Coller.**

   Le raccourci clavier de Coller est Ctrl+V.

Les trois prochaines sections détaillent ces actions.

Sélectionner les éléments à couper ou à copier

Avant de trimballer des éléments ailleurs, vous devez indiquer à Windows Vista desquels il s'agit. Le meilleur moyen est de les sélectionner à la souris. Il suffit généralement de cliquer dessus, ce qui met les éléments en surbrillance.

✔ **Sélectionner du texte dans un document, un site Web ou une feuille de calcul :** Placez le pointeur de la souris au début des données à sélectionner puis cliquez et maintenez le bouton enfoncé. Tirez ensuite la souris jusqu'à l'autre bout des données. Cette action surligne – met en surbrillance – tout ce qui se trouvait entre le clic et l'endroit où vous avez libéré le bouton, comme l'illustre la Figure 5.7.

Figure 5.7 : Windows surligne le texte sélectionné – il le met en surbrillance – avec une autre couleur pour mieux le mettre en évidence.

Soyez prudent après avoir sélectionné du texte. Si vous appuyez accidentellement sur une touche, le *b* par exemple, Windows remplace toute la sélection par la lettre *b*. Pour corriger cette bourde, choisissez Annuler, dans le menu Édition ou mieux, appuyez sur Ctrl+Z, qui est le raccourci de cette commande.

✔ **Pour sélectionner un fichier ou un dossier :** Cliquez dessus pour le sélectionner. Procédez comme suit pour sélectionner plusieurs éléments :

• **S'il s'agit d'une plage de fichiers :** Cliquez sur le premier de la série, maintenez la touche Majuscule enfoncée et cliquez sur le dernier. Windows sélectionne le premier élément, le dernier et tous ceux qui se trouvent entre.

• **Si les fichiers sont éparpillés :** Maintenez la touche Ctrl enfoncée tout en cliquant sur les fichiers et les dossiers à sélectionner.

Les éléments étant sélectionnés, la prochaine section explique comment les couper ou les copier.

▱ Après avoir sélectionné quelque chose, ne tardez pas à le couper ou à le copier. Car si vous cliquez distraitement ailleurs, votre sélection disparaît, vous obligeant à la refaire entièrement.

▱ Appuyez sur la touche Suppr pour supprimer un élément sélectionné, qu'il s'agisse d'un fichier, d'un paragraphe, d'une photo, etc.

Sélectionner des lettres, des mots, des paragraphes et plus encore

Quand vous travaillez sur des mots, dans Windows Vista, ces raccourcis vous aideront à sélectionner rapidement des données :

▱ Pour sélectionner une seule lettre ou caractère, cliquez juste avant. Ensuite, la touche Majuscule enfoncée, appuyez sur la touche fléchée Droite. Maintenez-la enfoncée pour sélectionner davantage de texte.

▱ Pour ne sélectionner qu'un mot, double-cliquez dessus. Le mot est surligné. La plupart des traitements de texte permettent de déplacer un ou plusieurs mots sélectionnés par un glisser-déposer.

▱ Pour sélectionner une seule ligne de texte, cliquez dans la marge, à la hauteur de la ligne. Le bouton de la souris enfoncé, tirez vers le haut ou vers le bas pour ajouter d'autres lignes à la sélection. Vous pouvez aussi ajouter des lignes en appuyant, touche Majuscule enfoncée, sur le touches fléchées Haut et Bas.

▱ Pour sélectionner un paragraphe, double-cliquez dans sa marge gauche. Le bouton enfoncé, déplacez la souris vers le haut ou vers le bas pour ajouter d'autres paragraphes à la sélection.

▱ Pour sélectionner la totalité d'un document, appuyez sur les touches Ctrl+A. Ou alors, choisissez Sélectionner tout, dans le menu Édition.

Couper ou coller une sélection

Après avoir sélectionné des données, vous pouvez commencer à les manipuler, notamment les couper ou les copier, voire les supprimer en appuyant sur la touche Suppr.

Après avoir sélectionné un élément, cliquez dessus du bouton droit. Dans le menu contextuel, choisissez Couper ou Copier, selon vos besoins, comme le montre la Figure 5.8. Ensuite, cliquez dans la destination et choisissez Coller.

Figure 5.8 : Pour déplacer une sélection, cliquez dedans du bouton droit et choisissez Couper.

Les options Couper et Coller sont fondamentalement différentes. Laquelle choisir ?

- **Choisissez Couper pour déplacer des données.** Cette commande supprime les données sélectionnées, mais elles ne sont pas perdues. Windows les conserve en effet dans une fenêtre cachée de Windows Vista, le Presse-papiers.

  Vous pouvez couper et coller des fichiers entiers dans différents dossiers. Quand vous coupez un fichier dans un dossier, l'icône du fichier s'assombrit jusqu'à ce que vous l'ayez collé (la faire disparaître serait trop stressant). Vous changez d'avis au cours de la manipulation ? Appuyez sur la touche Échap et l'icône redevient normale.

- **Choisissez Copier pour dupliquer des données.** Lorsque vous utilisez cette commande, rien ne semble se passer à l'écran, car les données originales subsistent. Elles n'en sont pas moins copiées dans le Presse-papiers.

Pour copier l'image du Bureau de Vista dans le Presse-papiers, c'est-à-dire la totalité de l'écran, appuyez sur la touche Impr.écran (le nom peut parfois différer). Vous pourrez ensuite coller l'image où bon vous semble. NdT : pour ne copier que la fenêtre active, appuyez sur Alt+Impr.écran.

Coller les données

Les données coupées ou copiées, qui résident à présent dans le Presse-papiers de Vista, sont prêtes à être collées à presque n'importe quel emplacement.

Coller est une opération simple :

1. **Ouvrez la fenêtre de destination et cliquez là où les données doivent apparaître.**

2. **Cliquez du bouton droit et, dans le menu déroulant, choisissez Coller.**

   Et hop ! Les éléments que vous aviez coupés ou copiés apparaissent.

Ou alors, si vous voulez coller un fichier sur le Bureau, cliquez du bouton droit sur le Bureau et choisissez Coller. L'icône du fichier apparaît là où vous avez cliqué.

- La commande Coller insère une copie des données résidant dans le Presse-papiers. Elles y restent, prêtes à être collées ailleurs autant de fois que vous le désirez.

- La barre d'outils de nombreux programmes contient des boutons Couper, Copier et Coller, comme le montre la Figure 5.9.

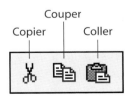

Figure 5.9 : Les boutons Couper, Copier et Coller.

Les programmes livrés avec Vista

Vista, la version la plus sophistiquée de Windows, est livré avec de nombreux programmes comme le Lecteur Windows Media et Mail. Ces "plus" font le bonheur des clients, dont certains ont la naïveté de croire que ces programmes sont gratuits. En fait, vous les avez payés avec Vista.

Les plus importants de ces programmes sont décrits dans d'autres chapitres : le Lecteur Windows Media l'est au Chapitre 15, et Mail est expliqué au Chapitre 9. Dans celui-ci, nous nous attarderons sur quelques-uns des programmes les plus utiles : le traitement de texte WordPad, le programme de gestion du temps opportunément nommé Calendrier, et la Tables des caractères.

Écrire des lettres avec WordPad

WordPad est loin d'être aussi perfectionné que les onéreux traitements de texte professionnels. Il ne peut ni créer des tableaux, ni présenter du texte sur plusieurs colonnes comme celle d'un journal ou d'un bulletin d'information, ni régler l'interlignage. Et bien sûr, il est dépourvu de correcteur orthographique.

En revanche, il est parfait pour des lettres courtes, des rapports simples et autres tâches élémentaires. Vous pouvez choisir la police de caractères. Et, comme tous les utilisateurs de Windows ont WordPad, la plupart des possesseurs d'ordinateur peuvent lire les fichiers.

Pour découvrir WordPad, ouvrez le menu Démarrer, choisissez Tous les programmes, puis Accessoires et cliquez sur WordPad.

Si vous venez de vous débarrasser de votre vieille machine à écrire électrique pour Windows, notez bien ces règles : sur la machine à écrire, vous deviez appuyer sur la touche Retour à la fin de chaque ligne, sinon la frappe se poursuivait hors du papier. Cela ne risque pas d'arriver avec un ordinateur, car il effectue automatiquement le retour à la ligne.

- ✒ Pour changer de police dans WordPad, sélectionnez les mots à modifier, ou la totalité du document en choisissant Sélectionner tout, dans le menu Édition. Choisissez ensuite Format, puis Police. Cliquez sur le nom de la police à utiliser – la rubrique Aperçu montre à quoi elle ressemble – puis sur OK, et WordPad affiche la nouvelle typographie.

- ✒ Insérez rapidement la date et l'heure courantes en choisissant, dans le menu Insertion, l'option Date et heure. Sélectionnez ensuite une des présentations proposées et cliquez sur OK.

Gérer les rendez-vous avec Calendrier

Vista est doté d'un nouveau programme, Calendrier, qui n'existait pas dans Windows XP. Comme le suggère son nom, il s'agit d'un logiciel de gestion du temps qui remplace avantageusement les innombrables Post-it collés contre le réfrigérateur. Ouvrez-le – le programme, pas le réfrigérateur – en choisissant Démarrer, Tous les programmes, puis Calendrier Windows.

Représenté à la Figure 5.10, Calendrier arbore un calendrier par mois dans le volet gauche, les rendez-vous du jour dans le volet du milieu, et les détails du rendez-vous sélectionné dans le volet de droite.

Pour ajouter un rendez-vous, cliquez sur un jour du calendrier puis sur l'heure. Tapez l'objet du rendez-vous et remplissez les détails complémentaires à droite.

L'énorme avantage de Calendrier est la possibilité de communiquer les rendez-vous par courrier électronique ou de les publier sur un site Web où vos correspondants pourront s'y abonner ; le calendrier sera téléchargé et affiché sur leur ordinateur.

L'inconvénient de Calendrier est que vous n'aurez plus aucune excuse d'être en retard.

- Le programme Calendrier permet de partager des calendriers avec des utilisateurs de la messagerie Outlook (Microsoft), d'iCal (Apple) et avec le calendrier en ligne Google Agenda (www.google.com/calendar). Pour une efficacité maximale, le calendrier devrait aussi être accessible depuis votre lieu de travail. Renseignez-vous auprès du responsable informatique.

- Pour partager votre propre calendrier avec d'autres personnes, cliquez sur son nom dans le panneau Calendriers (voir Figure 5.10) puis, dans le menu Partager, choisissez Envoyer par courrier électronique. Le calendrier est envoyé à vos correspondants, où il apparaîtra dans leur programme Calendrier.

- Le programme permet d'affecter différentes couleurs aux calendriers de vos correspondants, ce qui permet de savoir facilement à quelle personne correspond un rendez-vous. Pour supprimer les rendez-vous avec quelqu'un, dans votre calendrier, cliquez sur le nom de son calendrier et appuyez sur Suppr : tous les rendez-vous sont effacés.

Supprimer le rendez-vous sélectionné

Affichage des rendez-vous d'aujourd'hui

Ajouter un rendez-vous

Affichage par semaine ou par mois

Ajouter une tâche

Accès aux autres calendriers

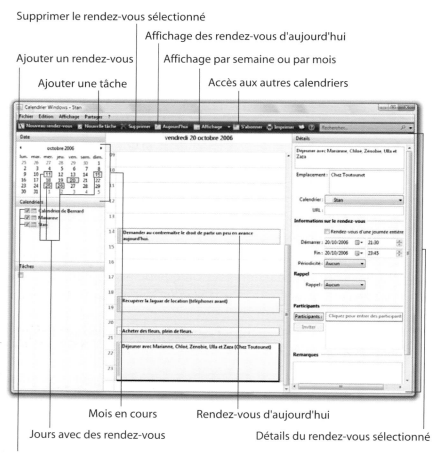

Mois en cours

Rendez-vous d'aujourd'hui

Jours avec des rendez-vous

Détails du rendez-vous sélectionné

Calendriers partagés

Figure 5.10 : Le Calendrier de Vista montre vos rendez-vous, facilitant ainsi votre gestion du temps.

Insérer des symboles avec la Table des caractères

La Table des caractères permet d'insérer des caractères spéciaux ou étrangers dans vos documents, ce qui leur donne un aspect plus soigné. Ce petit programme bien pratique affiche une fenêtre semblable à celle de la Figure 5.11, contenant tous les caractères et symboles disponibles.

Procédez comme suit pour insérer le symbole du copyright (©) dans votre document :

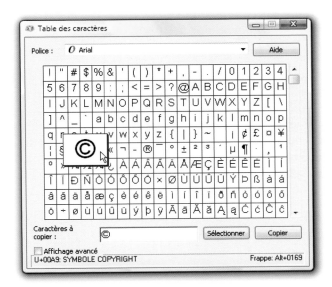

Figure 5.11 : La Table des caractères contient des symboles et des caractères étrangers.

1. **Cliquez sur le menu Démarrer, choisissez Tous les programmes, puis Accessoires, Outils système, et sélectionnez Table des caractères.**

    Assurez-vous que la police courante figure bien dans le champ Police.

    Si la police en cours d'utilisation dans votre document n'est pas affichée, cliquez sur la flèche à droite du champ Police et sélectionnez-la dans la liste.

2. **Parcourez la Table des caractères jusqu'à ce que vous ayez trouvé le symbole recherché. Double-cliquez ensuite dessus.**

    Le symbole apparaît dans le champ Caractères à copier.

3. **Cliquez du bouton droit dans le document, là où le symbole doit apparaître, et choisissez Coller.**

    Le symbole est inséré, avec la même police.

Si vous utilisez fréquemment des termes étrangers, placez un raccourci sur le Bureau pointant vers la Table des caractères, afin d'y accéder rapidement : dans le menu Démarrer, cliquez du bouton droit sur l'icône Table des caractères et choisissez Copier. Cliquez du bouton droit sur le Bureau et choisissez Coller le raccourci : *¡Que conveniencia!*

Vous utilisez souvent les mêmes caractères spéciaux ou étrangers et symboles ? Dans ce cas, mémorisez leurs raccourcis clavier. C'est le chiffre affiché en bas à droite de la Table des caractères. Vous avez vu celui du caractère ©, à la Figure 5.11 ? C'est le raccourci du symbole du copyright. Pour l'insérer à la volée, maintenez la touche Alt enfoncée puis tapez **0169** sur le pavé numérique. Le symbole apparaît après avoir relâché la touche Alt (veillez à ce que la touche Num soit active).

Le Tableau 5.1 répertorie les raccourcis des symboles et caractères les plus usités.

Tableau 5.1 : Les codes de quelques caractères utiles.

Pour insérer ceci :	Tapez cela :
©	Alt+0169
‡	Alt+0174
?	Alt+0153
•	Alt+0149
×	Alt+0215
	Alt+0128
Ç	Alt+0199
Æ	Alt+0198
æ	Alt+0230
œ	Alt+0156

Chapitre 6
Vite perdu, plus vite retrouvé

Dans ce chapitre :

▷ Retrouver des fenêtres et des fichiers égarés.

▷ Retrouver des programmes, des courriers électroniques, des morceaux de musique et des documents.

▷ Trouver d'autres ordinateurs sur un réseau.

▷ Trouver une information sur l'Internet.

▷ Enregistrer les recherches communes.

▷ Affiner les recherches de Vista.

Tôt ou tard, Vista vous laissera dans la perplexité : "Ce fichier était là il y a une seconde. Où a-t-il bien pu se fourrer ?" Si Vista se met à vous faire des cachotteries, ce chapitre vous expliquera où chercher et comment mettre fin à son jeu idiot.

Retrouver les fenêtres égarées sur le Bureau

Windows Vista ressemble plus à un pique-notes qu'à un bureau. Chaque fois que vous ouvrez une nouvelle fenêtre, c'est comme si vous placiez une autre note sur la pique. La fenêtre du dessus est facile à lire, mais atteindre l'une de celles d'en dessous est plus compliqué. Si une petite partie dépasse, il suffit de cliquer dessus pour la mettre au premier plan.

Quand une fenêtre est complètement recouverte par d'autres, recherchez-la dans la Barre des tâches, en bas de l'écran (si elle ne veut pas se montrer, appuyez sur la touche Windows). Cliquez sur le nom de la fenêtre et la voilà qui émerge du tas. La Barre des tâches est décrite au Chapitre 2.

Toujours introuvable ? Essayez la remarquable nouvelle vue en 3D de Vista (voir Figure 6.1), où les fenêtres semblent léviter dans l'espace virtuel. La touche Windows enfoncée, appuyez plusieurs fois sur Tab, ou actionnez la molette de la souris pour placer tour à tour chaque fenêtre au premier plan (NdT : pour faire défiler les fenêtres à rebours, maintenez aussi la touche Majuscule enfoncée). Lorsque la fenêtre désirée apparaît, relâchez la touche Windows.

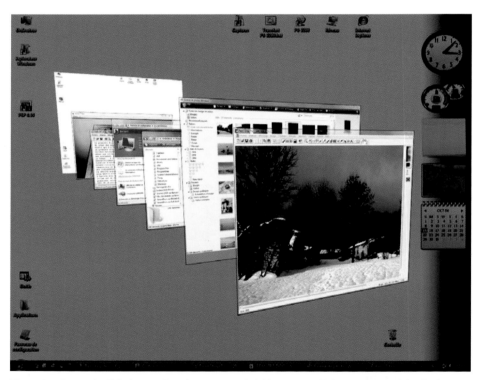

Figure 6.1 : La touche Windows enfoncée, appuyez répétitivement sur Tab pour parcourir les fenêtres. Relâchez la touche Windows pour déposer la fenêtre au premier plan sur le Bureau.

Si votre PC n'est pas capable de gérer l'affichage en 3D de Vista, faute d'une carte graphique suffisamment puissante, maintenez la touche Alt enfoncée et appuyez sur Tab pour bénéficier de l'ancienne technique en deux dimensions, qui fonctionne tout aussi bien, voire mieux. Relâchez la touche Alt pour placer la fenêtre sélectionnée sur le Bureau.

Si vous êtes sûr qu'une fenêtre est ouverte mais qu'elle reste introuvable, répartissez-les toutes sur le Bureau. Pour ce faire, cliquez du bouton droit sur la Barre des tâches et, dans le menu, choisissez Afficher les fenêtres côte à côte. C'est la solution de dernier recours, mais qui peut vous faire retrouver la fenêtre égarée.

Localiser un programme, un courrier électronique, un morceau de musique, un document, etc.

Figure 6.2 : Vista localise les fichiers en plaçant les meilleures occurrences en tête de liste.

Trouver une information sur l'Internet n'excède guère quelques minutes, même si la recherche doit porter sur des milliards de pages dispersées dans des milliers d'ordinateurs de par le monde. En revanche, retrouver un document dans votre PC peut s'avérer beaucoup plus ardu, voire vain.

Pour résoudre ces problèmes de recherche, Vista s'est inspiré des moteurs de recherche comme celui de Google, et il crée un index des principaux fichiers de votre PC. Pour trouver un fichier égaré, ouvrez le menu Démarrer et cliquez dans le champ Rechercher, en bas du panneau.

Tapez les premières lettres d'un mot, d'un nom ou d'une phrase figurant dans le fichier recherché. Dès que vous commencez à taper, le menu Démarrer propose une liste d'occurrences. Chaque lettre tapée affine la recherche. Après en avoir saisi suffisamment, le document perdu se retrouve en haut de la liste, d'où vous pouvez l'ouvrir d'un double-clic.

Par exemple, taper **Boby** dans le champ Rechercher du menu Démarrer affiche tous les morceaux de Boby Lapointe stockés dans le PC (Figure 6.2).

Lorsque vous avez repéré le fichier qui vous intéresse, cliquez sur son nom, dans le menu Démarrer, pour l'ouvrir. Ou alors, cliquez dessus du bouton droit et, dans le menu, choisissez Ouvrir l'emplacement du fichier pour accéder au dossier où le fichier se cachait.

- ✔ Vista indexe tous les fichiers qui se trouvent dans les dossiers Documents, Images, Musique et Vidéos, d'où l'importance de stocker vos fichiers dans ces emplacements. Notez que Vista n'autorise pas la recherche parmi les fichiers des autres comptes d'utilisateurs.

- ✔ L'indexation prend en compte tous les fichiers placés sur le Bureau, les fichiers récemment supprimés qui se morfondent dans la Corbeille, les coordonnées de vos contacts et tous les courriers électroniques. Vista indexe aussi tous les fichiers partagés du dossier Public, auquel d'autres PC du réseau ont accès.

- ✔ Si vous cherchez un mot très courant et que Vista trouve de ce fait une infinité de fichiers, restreignez la recherche en tapant une courte phrase : **Boby Lapointe écouté mardi soir**. Plus vous tapez de lettres, plus vous avez de chances de réduire la recherche à un fichier particulier.

- ✔ Lors d'une recherche de fichier, tapez toujours un mot à partir de la première lettre. Si vous tapez **pointe**, Vista trouvera des occurrences comme pointes, pointer, pointeur, mais pas Lapointe, même si la chaîne de caractères "pointe" fait partie de son nom.

- ✔ Le champ Rechercher ignore les majuscules. Pour lui, **Puce** et **puce** sont le même insecte.

- ✔ Si Vista découvre plus d'occurrences qu'il peut en afficher dans le petit menu Démarrer, cliquez sur Afficher tous les résultats, juste au-dessus du champ Rechercher. Vous accédez ainsi à la fonction Recherche avancée, décrite plus loin dans ce chapitre, à la section "Demander à Vista de mieux chercher".

- ✔ Vous voulez rechercher sur l'Internet plutôt que sur le PC ? Après avoir tapé vos mots, cliquez sur Rechercher sur Internet, juste au-dessus du champ Rechercher. Vista transmet votre requête au moteur de recherche défini dans Internet Explorer (le Chapitre 8 explique comment affecter le moteur de recherche de son choix à Internet Explorer).

Quand la recherche ne donne rien

Un jour ou l'autre, votre fidèle outil de recherche ne trouvera rien. Face à une liste vide, ces conseils vous aideront peut-être à retrouver ce qui lui avait échappé.

- **Vérifiez l'orthographe.** Vista est incapable de deviner qu'en tapant "acceuil", vous pensiez à "accueil". Une faute de frappe compromet toujours une recherche.

- **Recourez à la recherche avancée.** Le champ Rechercher du menu Démarrer est simple et rapide. Mais s'il ne trouve rien, utilisez plutôt la commande Rechercher du menu Démarrer. Elle ouvre une fenêtre truffée d'options assez trapues. Décrites à la section " Demander à Vista de mieux chercher ", la fenêtre Rechercher peut sauver la mise en cas d'urgence.

- **Etendez l'indexation.** Les recherches de Vista s'effectuent normalement dans le dossier de votre compte d'utilisateur, qui contient les dossiers Documents, Images et Musique, ainsi que vos courriers électroniques et les sites Web téléchargés. Mais si vous avez stocké des fichiers ailleurs, sur un disque dur externe par exemple, ou dans une clé USB, Vista ne les trouvera pas, à moins que vous lui demandiez d'y aller voir, comme l'explique la section "Affiner les recherches de Vista", plus loin dans ce chapitre.

- **Reconstruisez l'index.** Des fichiers sont constamment déplacés, entrés ou sortis du PC. L'index de Vista s'efforce de rester à jour mais parfois, il ne sait plus ce qui est quoi. Pour rétablir un index sain, demandez à Vista de reconstruire l'index, une tâche expliquée à la section "Affiner les recherches de Vista". Bien que cette reconstruction s'effectue en tâche de fond, pendant que vous travaillez, il lui faut plusieurs heures pour être menée à bien. Pour plus d'efficacité, démarrez la réindexation le soir, en laissant le PC allumé toute la nuit.

Retrouver un fichier manquant dans un dossier

Le champ Rechercher du menu Démarrer explore minutieusement l'index tout entier. Mais c'est exagéré lorsque vous ne recherchez un fichier égaré que dans un seul dossier. Pour vous aider lorsqu'un fichier est perdu dans un océan d'autres fichiers, Vista a placé un champ Rechercher en haut à droite de chaque dossier. Ce champ n'examine que le dossier courant.

Pour trouver un fichier perdu dans un dossier, cliquez dans le champ Rechercher du dossier et tapez quelques lettres ou mots qui se trouvent dans le fichier. Le filtrage des fichiers commence dès la frappe de la première lettre. La recherche se restreint ensuite jusqu'à ce que ne soient affichés que les quelques dossiers parmi lesquels se trouve, avec un peu de chance, celui que vous recherchez.

Quand une recherche dans un dossier trouve de trop nombreuses occurrences, il reste un autre moyen de la réduire : les en-têtes de colonnes, lorsque l'affichage est en mode Détails, comme à la Figure 6.3. La première colonne, Nom, répertorie les noms de fichiers. Les autres colonnes fournissent des détails plus spécifiques.

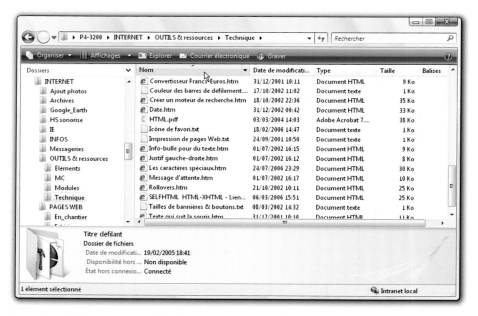

Figure 6.3 : L'affichage en mode Détails permet de trier les fichiers par nom ou par un autre critère, ce qui facilite les recherches.

Vous avez remarqué les en-têtes de colonnes Nom, Date de modification et Type ? Cliquez sur l'un d'eux pour trier les fichiers selon les critères suivants :

 ✔ **Nom :** Vous connaissez les premières lettres du nom du fichier ? Cliquez sur cet en-tête pour trier les fichiers alphabétiquement, puis parcourez la liste. Cliquez de nouveau sur Nom pour inverser l'ordre du tri.

- **Date de modification :** Cliquez sur cet en-tête si vous vous souvenez vaguement de la date à laquelle vous avez modifié le document pour la dernière fois. Les fichiers les plus récents sont ainsi placés en haut de la liste. Cliquer de nouveau sur Date de modification inverse l'ordre, un bon moyen pour retrouver des fichiers anciens.

- **Type :** Cet en-tête trie les fichiers selon leur contenu. Toutes les photos sont regroupées, et aussi tous les documents textuels. Commode pour retrouver les quelques photos perdues parmi une quantité de fichiers de texte.

- **Auteur :** Microsoft Word, Excel et d'autres programmes intègrent votre nom d'utilisateur aux fichiers que vous créez. Cliquez sur cet en-tête pour trier les fichiers par auteur.

- **Balise :** Vista permet souvent d'ajouter des balises à des documents, comme vous le découvrirez plus loin dans ce chapitre. Ajouter une balise "Photos de fromages qui puent" à cette série qui fleure bon le munster coulant permettra de récupérer les photos, soit en tapant l'intitulé de leur balise, soit en triant les fichiers d'un dossier par balises.

Que les fichiers soient affichés sous forme de miniatures, d'icônes ou par leur nom, les en-têtes de colonne offrent toujours un moyen commode de les trier rapidement.

Les dossiers affichent généralement cinq colonnes de détails, mais vous pouvez en ajouter d'autres. En fait, des fichiers peuvent être triés par nombre de mots, durée des morceaux, dimensions des photos, dates de création et beaucoup d'autres critères. Pour en voir la liste, cliquez du bouton droit sur un en-tête et, dans le menu déroulant, choisissez Autres. La boîte de dialogue Choisir les détails apparaît. Cochez les cases des détails à faire apparaître dans les fenêtres des dossiers.

Trier, regrouper et empiler des fichiers

Trier les fichiers par nom, date de modification ou type, comme nous venons de le voir, est suffisant pour beaucoup de gens. Mais à l'intention des pinailleurs, Vista propose aussi deux autres moyens d'organiser les fichiers : en les regroupant et en les empilant. Quelle est la différence ?

Tri approfondi

Lorsqu'un dossier est affiché en mode Détails, comme à la Figure 6.3, le nom des fichiers figure dans une colonne, les colonnes de détails se trouvant à droite. Vous pouvez trier le contenu d'un dossier en cliquant sur l'en-tête de l'une des colonnes : Nom, Date de modification, Auteur, etc. Mais Vista est capable de trier selon bien d'autres critères, comme vous le constatez en cliquant sur la petite flèche pointant vers le bas, à droite de chaque nom de colonne.

Cliquez sur la petite flèche de Date de modification, par exemple, et un calendrier se déploie. Cliquez sur une date et le dossier n'affiche que les fichiers modifiés ce jour-là, filtrant tous les autres. Sous le calendrier, des cases permettent de ne voir que les fichiers créés Aujourd'hui, Hier, La semaine dernière, Plus tôt ce mois, Plus tôt cette année ou encore, Il y a longtemps.

De même, cliquer sur la flèche à côté de Auteur déploie une liste des auteurs de chacun des documents du fichier. Cochez les cases des auteurs dont vous voulez voir les fichiers, et Vista filtre tous les autres.

Cacher ainsi des fichiers n'est pas sans risque, car il est facile d'oublier qu'un filtrage est en cours. Une coche, à côté de l'en-tête d'une colonne, le signale toutefois. Pour désactiver le filtrage et voir tous les fichiers du dossier, cliquez sur la coche et examinez le menu déroulant. Cette action décoche les cases et supprime le filtrage.

L'empilement est comparable aux bacs à courrier des bureaux. Dans l'un, vous déposez les lettres du jour sur une pile, dans un autre s'empilent les lettres de la semaine dernière. Ou encore, l'un contient toutes les factures impayées, un autre des relevés bancaires.

Vista fait à peu près de même quand vous choisissez d'empiler les fichiers par dates de modification, comme à la Figure 6.4. Le travail en cours est placé dans une pile, celui du mois précédent dans une autre. Ou encore, vous pouvez empiler par Type afin de séparer les feuilles de calcul des courriers.

La fonction Regrouper se charge elle aussi de réunir des éléments similaires. Mais, au lieu d'en faire de hautes piles, Vista les répartit à plat, les éléments similaires se trouvant côte à côte. Regrouper des éléments par date de modification, comme à la Figure 6.5, réunit les fichiers par date, avec une étiquette pour chaque groupe : La semaine dernière, Plus tôt ce mois, Plus tôt cette année, etc.

Pour empiler ou grouper vos fichiers, cliquez du bouton droit dans un dossier et, dans le menu contextuel, choisissez, soit l'option Regrouper par, soit l'option Empiler par. Veillez à bien cliquer dans une partie vide, ce qui n'est pas toujours facile quand un dossier est bien rempli. Pour

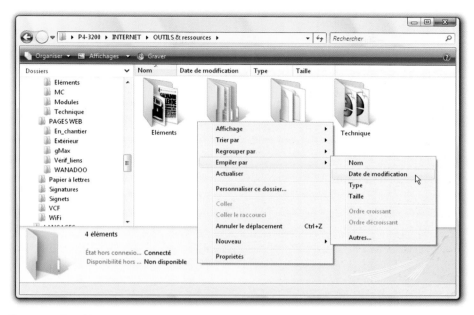

Figure 6.4 : Pour bien classer vos documents, cliquez du bouton droit dans une partie vide d'un dossier et choisissez Empiler par.

dégrouper ou désempiler, procédez de même, mais en choisissant l'option Aucun.

Il est aussi possible de grouper ou d'empiler en appuyant sur la touche Alt, en cliquant sur le menu Affichage et en choisissant Regrouper par, ou Empiler par.

Retrouver des photos égarées

Windows Vista indexe vos courriers du premier au dernier mot, mais il est incapable de faire la différence entre une photo de la tour Eiffel et celle d'un bébé à la plage. Lorsqu'il s'agit d'identifier une photo, tout dépend de vous. Les quatre conseils qui suivent facilitent la tâche :

✔ **Ajoutez des balises à vos photos :** Quand vous connectez votre appareil photo numérique au PC, comme l'explique le Chapitre 16, Vista propose aimablement de transférer les photos. Au cours de la copie, Vista vous demande de leur ajouter une balise. C'est le

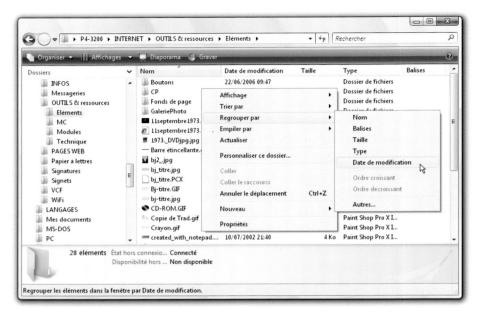

Figure 6.5 : Pour réunir des fichiers similaires, cliquez du bouton droit dans une partie vide d'un dossier et choisissez Regrouper par.

moment d'introduire quelques mots qui les décrivent. Vista indexe les balises, ce qui facilite les recherches ultérieures.

✔ **Stockez les séries de prises de vue dans des dossiers séparés.** Le programme d'importation de photos de Vista, décrit au Chapitre 16, crée automatiquement un nouveau dossier pour chaque série de photos, selon la date courante et la balise choisie. Mais si vous utilisez un autre logiciel pour transférer vos photos, veillez à créer un dossier pour chaque journée ou série, et nommez-le judicieusement : Soirée sushi, Planches de Deauville ou Cueillette de champignons.

✔ **Triez par date.** Vous venez de dénicher un dossier bourré à craquer de photos en tous genres ? Voici une façon rapide de vous y retrouver : cliquez plusieurs fois sur Affichages, dans la barre de menus, jusqu'à ce que les fichiers se transforment en miniatures. Cliquez ensuite du bouton droit dans une partie vide du dossier et choisissez Trier par, et sélectionnez, soit Date de modification, soit Date de la prise de vue. Dans les deux cas, les photos sont classées par ordre chronologique, ce qui met fin à la pagaille ambiante.

✔ **Renommez les photos :** Au lieu de laisser vos photos de vacances aux Seychelles nommées DSCM1045, DSCM1046 et ainsi de suite, donnez-leur un nom plus parlant. Sélectionnez tous les fichiers du dossier en appuyant sur les touches Ctrl+A. Cliquez ensuite du bouton droit dans la première image, choisissez Renommer et tapez **Seychelles**. Windows les renommera Seychelles, Seychelles (2), Seychelles (3) et ainsi de suite.

Appliquer ces quatre règles simples évitera que votre photothèque devienne un fâcheux fouillis de fichiers.

Veillez à sauvegarder vos photos numériques en effectuant des copies – les originaux restant dans l'ordinateur – sur un disque dur externe, des CD, des DVD ou tout autre support, comme l'explique le Chapitre 12. Autrement, si vous ne sauvegardez rien, vos précieuses archives familiales seront à la merci du moindre crash de disque dur.

Trouver d'autres ordinateurs sur un réseau

Un réseau est un groupe d'ordinateurs reliés entre eux, permettant de partager ainsi des fichiers, une imprimante ou la connexion Internet. Beaucoup de gens utilisent un réseau quotidiennement sans même le savoir : lorsque vous relevez vos courriers électroniques, le PC se connecte à un autre ordinateur afin d'y télécharger les messages en attente.

Le plus souvent, vous n'avez pas à vous soucier des autres PC du réseau. Mais, si vous voulez trouver un PC connecté, pour y chercher des fichiers, par exemple, Vista se fera une joie de vous aider.

Pour trouver un PC sur le réseau, choisissez Réseau dans le menu Démarrer. Vista montre tous ceux qui sont reliés à votre propre PC (Figure 6.6). Double-cliquez sur le nom d'un ordinateur et parcourez les fichiers qui s'y trouvent.

Trouver des informations sur l'Internet

Si Vista ne trouve pas une information dans l'ordinateur, demandez-lui d'aller voir sur l'Internet. Bien que vous puissiez utiliser Internet Explorer, vous irez plus vite avec le champ Rechercher, dans le menu

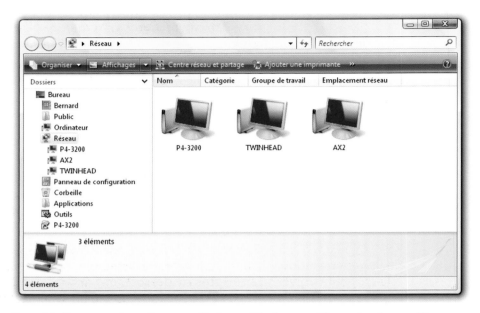

Figure 6.6 : Pour trouver les ordinateurs reliés à votre PC, cliquez sur Réseau, dans le menu Démarrer.

Démarrer. Cliquez dedans, tapez quelques mots, puis cliquez sur Rechercher sur Internet, juste au-dessus du champ.

Vista transmet votre requête au moteur de recherche habituellement utilisé par le champ Rechercher d'Internet Explorer. Nous y reviendrons au Chapitre 8.

Enregistrer les recherches

Si vous lancez fréquemment une même recherche, vous gagnerez du temps en l'enregistrant. Ceci fait, Vista la mémorise et y ajoute automatiquement, au fur et à mesure de leur création, les nouveaux éléments répondant aux critères.

Cliquez sur le nom d'une recherche enregistrée, et elle s'ouvre comme n'importe quel autre dossier, montrant ce qui a été trouvé. A titre d'exemple, cliquez sur le mot Rechercher qui se trouve dans le Volet de navigation de chaque dossier. Vista affiche dedans quelques recherches enregistrées vous permettant de retrouver les fichiers que vous avez récemment modifiés.

Pour enregistrer une recherche, cliquez sur le bouton Enregistrer la recherche, en haut de la fenêtre de recherche. Nommez votre recherche puis cliquez sur Enregistrer.

Une recherche enregistrée n'a plus lieu d'être ? Cliquez du bouton droit sur son nom et choisissez Supprimer. Notez que cette action ne supprime que la recherche, pas les fichiers sur laquelle elle porte.

Demander à Vista de mieux chercher

Le champ Rechercher du menu Démarrer est remarquable pour la plupart des requêtes. Il est simple et plutôt rapide. Alors, en quoi la commande Rechercher, elle aussi dans le menu Démarrer, diffère-t-elle du champ Rechercher ?

Eh bien, la commande Rechercher est plus efficace lorsque le champ Rechercher a trouvé trop de résultats. Par exemple, une recherche sur "glace" peut trouver des recettes de dessert, des articles sur la climatologie, des photos de voyage ou de vacance, et une phénoménale quantité de sites Web, etc.

Pour restreindre ces résultats, cliquer sur la commande Rechercher, dans le menu Démarrer, ouvre le dossier Rechercher. Il arbore un champ Rechercher standard, dans le coin supérieur droit, mais aussi une rangée de boutons en haut : Tous, Courrier électronique, Document, Image et Musique. Chaque bouton agit comme un filtre qui réduit la portée de la recherche.

Tapez la recherche dans le champ Rechercher – **glace**, par exemple – pour voir tous les fichiers où il en est question. Cliquez ensuite sur les boutons pour limiter les résultats. Cliquez sur le bouton Courrier électronique pour ne rechercher ce mot que dans votre messagerie, ou sur Image pour n'obtenir que des photos dont la balise contient le mot "glace".

Recourir à la commande Rechercher n'est justifié que si la quantité de fichiers trouvés est très élevée. Dans ce cas, vous l'apprécierez.

Affiner les recherches de Vista

La fonction Rechercher de Vista cache deux lourds secrets. Le premier est que Vista n'indexe pas la totalité des fichiers du PC. Cette limitation accélère certes les recherches, mais au risque de ne jamais trouver certains documents.

Le deuxième est que Vista se détériore avec l'âge, comme une vulgaire bagnole. Cette section explique comment résoudre ces deux problèmes.

Ajouter des emplacement à l'index de Vista

Vista indexe les fichiers que, selon lui, vous utilisez : tous ceux des dossiers Documents, Images et Musique, vos courriers électroniques, vos contacts, et d'autres encore. Mais beaucoup de gens stockent des fichiers ailleurs, hors d'atteinte de l'index. Peut-être avez-vous connecté un disque dur externe à l'ordinateur, ou stocké des données importantes dans un PC en réseau situé dans une autre pièce.

Suivez ces étapes pour étendre l'indexation à ces emplacements particuliers. Sachez que vous devez disposer d'un compte Administrateur – décrit au Chapitre 13 – pour pouvoir inclure d'autres dossiers dans l'indexation.

1. **Ouvrez le menu Démarrer et choisissez Panneau de configuration.**

   Le Panneau de configuration, truffé d'options et de commutateurs, décrit au Chapitre 11, fait une apparition remarquée.

2. **Ouvrez la fenêtre Options d'indexation.**

   Sur certains PC, vous devrez d'abord cliquer sur Système et maintenance. La fenêtre Options d'indexation s'ouvre, indiquant le nombre de fichiers indexés et les dossiers où ils se trouvent.

3. **Cliquez sur le bouton Modifier.**

   La fenêtre Emplacements indexés apparaît (voir Figure 6.7), vous permettant de choisir les dossiers qui doivent être indexés.

   Remarque : Seuls les Administrateurs peuvent voir ou modifier les emplacements indexés. Si votre compte d'utilisateur est plus limité, vous devrez cliquer sur le bouton Afficher tous les emplacements et entrer le mot de passe d'un compte d'Administrateur pour voir tous les endroits visibles en haut, dans la Figure 6.7.

4. Sélectionnez les zones à indexer puis cliquez sur OK.

Dans Vista, les disques durs externes et les clés USB sont des lecteurs amovibles. Donc, pour obliger Vista à indexer un dossier présent dans le lecteur F, vous devrez cliquer sur la petite flèche pointée vers le bas près du nom du lecteur F, comme dans la Figure 6.7. Les noms des dossiers se trouvent en aval du nom du lecteur.

Après avoir cliqué sur OK, Vista indexe l'emplacement, un processus qui peut durer de quelques minutes à quelques heures selon le nombre de fichiers.

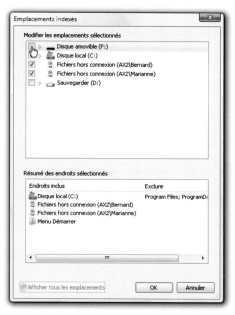

Figure 6.7 : Cliquez dans les cases des zones à ajouter à l'indexation.

Reconstruire l'index

Si la fonction de recherche de Vista ralentit considérablement ou si elle ne parvient pas à trouver des fichiers alors que vous êtes sûr qu'ils sont là, vous devrez demander à Vista de tout réindexer.

Vista reconstruit l'index en tâche de fond pendant que vous travaillez, mais pour ne pas subir le ralentissement de l'ordinateur, il est préférable d'effectuer la reconstruction au cours de la nuit. Ainsi, Vista moulinera pendant votre sommeil, et vous livrera un index tout neuf avec les croissants du petit déjeuner.

Procédez comme suit pour lancer la réindexation :

1. Ouvrez le menu démarrer et cliquez sur Panneau de configuration.

Le Panneau de configuration apparaît.

2. **Cliquez sur l'icône Options d'indexation.**

   Y'a pas ? Cliquez sur Système et maintenance, puis sur Options d'indexation.

3. **Cliquez sur le bouton Avancé puis sur le bouton Reconstruire.**

   Vista vous prévient que cela risque d'être long.

4. **Cliquez sur OK.**

   Vista réindexe tout. L'ancien index ne sera supprimé que quand le nouveau sera prêt.

Chapitre 7

Faire bonne impression

Dans ce chapitre :

▷ Imprimer des fichiers, des enveloppes et des pages Web.
▷ Régler les paramètres d'impression.
▷ Installer des polices.
▷ Résoudre les problèmes d'impression.

Il vous arrivera parfois d'extraire des données de leur univers virtuel afin de les coucher sur un support plus tangible : une feuille de papier.

Ce chapitre est consacré à l'impression (pas celle que vous produisez, mais celle que vous faites, ou inversement). Vous apprendrez comment faire tenir un document sur une feuille sans qu'il soit tronqué. Nous aborderons aussi la mystérieuse et méconnue notion de file d'attente, qui permet d'annuler l'impression de documents envoyés à l'imprimante, avant qu'ils gâchent du papier. Quand vous serez prêt à agrémenter votre travail par de nouvelles polices typographiques, vous découvrirez comment les installer et les visionner.

Imprimer vos œuvres

Windows Vista connaît une bonne demi-douzaine de façons d'envoyer votre travail à l'imprimante. Voici les plus connues :

✔ Choisissez l'option Imprimer, dans le menu Fichier.

✔ Cliquez du bouton droit sur l'icône d'un document et choisissez Imprimer.

✔ Cliquez sur le bouton Imprimer, dans la barre d'outils d'un programme.

✔ Faites glisser l'icône d'un document et déposez-la sur l'icône de l'imprimante.

Si une boîte de dialogue apparaît, cliquez sur OK, et Vista envoie aussitôt la page à l'imprimante. Pour peu que l'imprimante soit allumée et contienne de l'encre et du papier, Windows se charge de tout en tâche de fond, pendant que vous continuez à travailler.

Si la page n'est pas bien imprimée – texte tronqué, caractères grisâtres... –, vous devrez modifier les paramètres d'impression ou changer de qualité de papier, comme l'expliquent les sections qui suivent.

✔ Si une page de l'aide de Windows vous paraît utile, cliquez dessus du bouton droit et choisissez Imprimer. Ou alors, cliquez sur l'icône Imprimer, si vous en voyez une.

✔ Pour accéder rapidement à l'imprimante, cliquez du bouton droit sur son icône et choisissez Créer un raccourci. Cliquez sur Oui pour confirmer et Vista place le raccourci de l'imprimante sur le Bureau. Pour imprimer, il suffit désormais de déposer l'icône du document sur l'icône de l'imprimante. Vous trouverez une icône de l'imprimante en ouvrant le Panneau de configuration, dans le menu Démarrer, et en choisissant Imprimantes, à la rubrique Matériel et audio.

✔ Pour imprimer rapidement un lot de documents, sélectionnez toutes les icônes. Cliquez ensuite du bouton droit dans la sélection et choisissez Imprimer. Vista les envoie tous à l'imprimante, d'où ils émergeront les uns après les autres.

✔ Vous n'avez pas encore installé d'imprimante ? Allez au Chapitre 11 où j'explique comment faire.

Configurer la mise en page

En théorie, Windows affiche toujours votre travail tel qu'il sera imprimé. C'est ce que les Anglo-Saxons appellent WYSIWYG (*What You See Is What You Get,* "ce que vous voyez est ce que vous obtiendrez", poétiquement traduit par "tel écran, tél écrit" (et tel est vision). Si ce que vous imprimez

---

Examiner la page avant de l'imprimer

Pour beaucoup, l'impression relève du mystère : ils cliquent sur Imprimer, et s'interrogent avec une pointe d'anxiété sur ce que la grosse boîte qui ronronne leur sortira. Avec un peu de chance – et du gros sel jeté par-dessus l'épaule gauche –, la page est bien imprimée. Autrement, une feuille aura été gâchée (sans parler du sel).

L'option Aperçu avant impression, qui figure dans le menu Fichier de la plupart des programmes, permet de vérifier la mise en page. Elle affiche le travail en cours en tenant compte des paramètres d'impression, montrant ainsi le document tel qu'il sera imprimé. L'aperçu avant impression est commode pour repérer des problèmes de marge, des tailles de caractères mal choisies et autres défauts typographiques.

L'aperçu avant impression varie d'un programme à un autre, certains étant plus précis que d'autres. Mais tous montrent assez fidèlement ce que sera l'impression.

Si l'aperçu vous convient, cliquez sur le bouton Imprimer, en haut de la boîte de dialogue. Mais si quelque chose ne va pas, cliquez sur le bouton Fermer pour revenir à votre travail et effectuer les corrections qui s'imposent.

---

diffère sensiblement de ce qui était affiché, un petit tour dans la boîte de dialogue Mise en page s'impose (Figure 7.1).

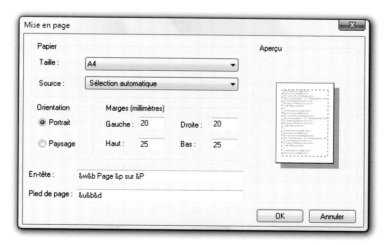

Figure 7.1 : Choisissez l'option Mise en page, dans le menu Fichier d'un programme, pour peaufiner le positionnement de votre travail dans la feuille de papier.

L'option Mise en page, qui figure dans le menu Fichier de la plupart des programmes, sert à peaufiner le positionnement du document dans la page. La boîte de dialogue n'est pas la même d'un programme à un autre, mais le principe général ne change guère. Voici les paramètres les plus courants et à quoi ils servent :

- **Taille :** Indique au programme le format du papier actuellement utilisé. Laissez cette option sur A4 afin d'utiliser les feuilles normalisées, ou choisissez un autre format (A3, A5, Enveloppe...) le cas échéant. Reportez-vous éventuellement à l'encadré "Imprimer des enveloppes sans finir timbré".

- **Source :** Choisissez Sélection automatique ou Bac, à moins que vous possédiez une de ces imprimantes haut de gamme alimentées par plusieurs bacs de feuilles de divers formats. Quelques imprimantes proposent une option Feuille à feuille, où vous devez manuellement introduire chaque feuille.

- **En-tête** et **Pied de page :** Vous tapez un code spécial, dans ces zones, pour indiquer à l'imprimante ce qu'elle doit y placer : numéro de page, date et heure, nom et/ou chemin du fichier... Par exemple, à la Figure 7.1, le code &u&b&d, dans le pied de page, imprime l'adresse Web de la page en bas à gauche ainsi que la date en bas à droite.

Malheureusement, tous les programmes n'utilisent pas les mêmes codes de mise en page. Si un bouton en forme de point d'interrogation se trouve en haut à droite de la boîte de dialogue, cliquez dessus puis dans une zone En-tête ou Pied de page pour en savoir plus. Pas de bouton d'aide ? Appuyez sur la touche F1 et faites une recherche sur **Mise en page** dans le système d'aide.

- **Orientation :** Laissez cette option sur Portrait pour imprimer des pages en hauteur, mais choisissez Paysage si vous préférez imprimer en largeur. Cette option est commode pour les tableaux (notez qu'il n'est pas nécessaire d'introduire le papier de côté, dans une imprimante à large laize).

- **Marges :** Réduisez les marges pour faire tenir plus de texte dans une feuille. Il faut parfois les régler lorsqu'un document a été créé sur un autre ordinateur.

✔ **Imprimante :** Si plusieurs imprimantes ont été installées dans l'ordinateur ou sur le réseau, cliquez sur ce bouton pour sélectionner celle que vous désirez utiliser. Cliquez aussi ici pour modifier ses paramètres, une tâche abordée à la prochaine section.

Après avoir configuré les paramètres utiles, cliquez sur OK pour les mémoriser. Et revoyez une dernière fois l'aperçu avant impression pour vous assurer que tout est correct.

Pour trouver la boîte de dialogue Mise en page dans certains programmes, dont Internet Explorer, cliquez sur la petite flèche près de l'icône de l'imprimante et choisissez Mise en page, dans le menu.

Imprimer des enveloppes sans finir timbré

Bien qu'il soit très facile de cliquer sur l'option Enveloppe, dans la boîte de dialogue Mise en page, imprimer l'adresse au bon endroit est extraordinairement difficile. Sur certains modèles d'imprimantes, les enveloppes doivent être introduites à l'endroit, sur d'autres il faut les présenter à l'envers. Si vous n'avez plus le manuel de l'imprimante, le meilleur moyen de trouver le bon sens – si ces mots en ont encore un – est de faire des essais.

Après avoir trouvé comment introduire les enveloppes, mettez un pense-bête sur l'imprimante (l'utilisateur est oublieux) indiquant le sens à respecter.

Si l'impression d'enveloppes est vraiment un calvaire, essayez les étiquettes. Achetez celles de la marque Avery puis téléchargez un logiciel d'impression gratuit (www.avery.fr/fr1/index.jsp). Compatible avec Microsoft Word – PC et Mac –, il affiche des petits rectangles de la taille des étiquettes dans une page. Tapez les adresses dedans, insérez une feuille d'étiquettes dans l'imprimante, et Word sortira une planche d'autocollants parfaitement présentés. Il n'est même plus nécessaire de les humecter sur la truffe du chien.

Ou alors, faites vous faire un tampon en caoutchouc à vos nom et adresse. C'est plus rapide que l'imprimante et les autocollants.

Régler les paramètres d'impression

Quand vous choisissez Imprimer, dans le menu Fichier d'un programme, Windows vous offre une dernière chance de peaufiner la page. La boîte de dialogue de la Figure 7.2 permet de diriger l'impression vers n'importe quelle imprimante installée dans l'ordinateur ou sur le réseau. Pendant que vous y êtes, il est encore possible de régler les paramètres d'impression, choisir la qualité du papier et sélectionner les pages à imprimer.

Vous trouverez très certainement ces paramètres dans la boîte de dialogue :

✔ **Sélectionnez une imprimante :** Ignorez cette option si vous n'avez qu'une seule imprimante, car Windows la sélectionne automatiquement. Mais si l'ordinateur accède à plusieurs imprimantes, c'est ici que vous en choisirez une.

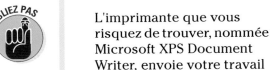

L'imprimante que vous risquez de trouver, nommée Microsoft XPS Document Writer, envoie votre travail

Figure 7.2 : La boîte de dialogue Imprimer permet de choisir l'imprimante et de la paramétrer.

dans un fichier au format particulier, généralement pour être utilisé par un imprimeur ou tout autre professionnel de la PAO (Publication Assistée par Ordinateur). Vous n'utiliserez probablement jamais cette imprimante virtuelle.

✔ **Étendue de pages :** Sélectionnez Tout pour imprimer la totalité du document. Pour n'imprimer qu'une partie des pages, sélectionnez l'option Pages et indiquez celle qu'il faut imprimer. Par exemple, si vous tapez **1-4, 6**, vous imprimez les quatre premières pages d'un document ainsi que la sixième, mais ni la cinquième ni les autres. Si vous avez sélectionné un paragraphe, choisissez Sélection pour n'imprimer que lui. C'est un excellent moyen pour n'imprimer que les parties intéressantes d'une page Web, et non la totalité (qui peut être fort longue).

✔ **Nombre de copies :** Le plus souvent, les gens n'impriment qu'un exemplaire. Mais s'il vous en faut davantage, c'est ici que vous l'indiquerez. L'option Copies assemblées n'est utilisable que si l'imprimante dispose de cette fonctionnalité, ce qui est rare ; vous devrez trier les feuilles vous-même.

✔ **Préférences :** Cliquez sur ce bouton pour accéder à la boîte de dialogue de la Figure 7.3, où vous choisissez les options spécifiques à votre modèle d'imprimante. Elle permet notamment de sélectionner différents grammages de papier, de choisir entre l'impression en couleur ou en niveaux de gris, de régler la qualité de l'impression et procéder à des corrections de dernière minute de la mise en page.

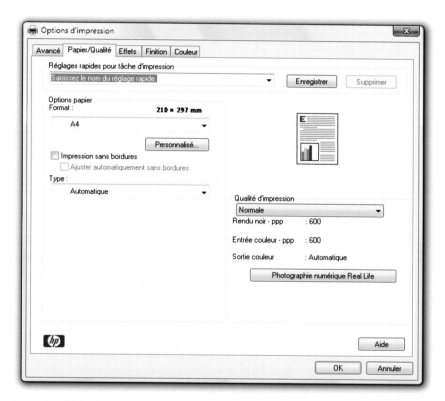

Figure 7.3 : Réglez les paramètres spécifiques à votre imprimante, notamment le type de papier et la qualité d'impression.

Annuler une impression

Vous venez de réaliser qu'il ne fallait surtout pas envoyer le document de 26 pages vers l'imprimante ? Dans la panique, vous êtes tenté de l'éteindre tout de suite. Ce serait une erreur car après le rallumage, la plupart des imprimantes reprennent automatiquement l'impression.

Pour éliminer le document de la mémoire de l'imprimante, double-cliquez sur son icône, qui se trouve généralement dans la Zone de notification de la Barre des tâches. Vous affichez ainsi la file d'attente visible dans la Figure 7.4. Cliquez du bouton droit sur le document incriminé et choisissez Annuler. Quand vous rallumerez l'imprimante, elle ne continuera plus de sortir ce satané document.

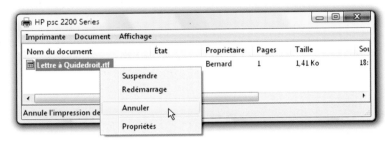

Figure 7.4 : Ôtez un document de la file d'attente pour annuler son impression.

✏ Si vous ne trouvez pas l'icône de l'imprimante, ouvrez le menu Démarrer, aller dans le Panneau de configuration et choisissez l'icône Imprimantes.

✏ La file d'attente – appelée aussi "spouleur" – répertorie tous les documents qui attendent patiemment leur tour pour être imprimés. Vous pouvez modifier l'ordre par des glisser-déposer. En revanche, et en toute logique, rien ne peut être placé avant le document en cours d'impression.

✏ Si l'imprimante s'arrête en cours d'impression faute de papier, ajoutez-en. Vous devrez appuyer sur un bouton de l'imprimante pour reprendre l'impression. Ou alors, ouvrez la file d'attente, cliquez du bouton droit sur le document et choisissez Redémarrer.

✏ Vous pouvez envoyer des documents vers une imprimante même quand vous travaillez au bistrot du coin avec votre ordinateur portable. Quand vous le connectez à l'imprimante du bureau, la file d'attente s'en aperçoit et envoie vos fichiers. Attention : une fois qu'ils ont été placés dans la file d'attente, les documents sont mis en forme pour l'imprimante en question. Si par la suite vous connectez le portable à un autre modèle d'imprimante, l'impression ne sera peut-être pas correcte.

Imprimer une page Web

Très tentante de prime abord, l'impression des pages Web est rarement satisfaisante, notamment à cause de la marge droite qui tronque souvent la fin des lignes. La phénoménale longueur de certaines pages, ou les caractères si petits qu'ils sont à peine lisibles, font aussi partie des inconvénients.

Pire, la débauche de couleurs des publicités peut pomper les cartouches d'encre en un rien de temps. Quatre solutions sont cependant envisageables pour imprimer correctement des pages Web. Les voici par ordre d'efficacité décroissante :

- **Utilisez l'option Imprimer intégrée à la page Web.** Quelques sites Web proposent une discrète option Imprimer cette page, ou Version texte, ou Optimisé pour l'impression, etc. Elle élimine tout le superflu des pages Web et refait la mise en page en fonction des feuilles de papier. C'est le moyen le plus sûr d'imprimer une page Web.

- **Dans le navigateur Web, choisissez Fichier puis Imprimer.** Au bout de 15 ans, certains concepteurs de pages Web ont enfin compris que des visiteurs impriment leurs pages. Ils se sont donc débrouillés pour qu'elles se remettent d'elles-mêmes en forme lors de l'impression.

- **Copier la partie qui vous intéresse et la coller dans WordPad.** Sélectionnez le texte désiré, copiez-le et collez-le dans WordPad ou n'importe quel traitement de texte. Profitez-en pour supprimer les éléments indésirables ou superflus. Réglez les marges et imprimez tout ou une partie seulement. Le Chapitre 5 explique comment copier et coller.

- **Copier la totalité de la page Web et la coller dans un traitement de texte.** C'est beaucoup de travail, mais cela fonctionne. Choisissez Sélectionner tout, dans le menu Édition d'Internet Explorer. Choisissez ensuite Copier – qui est dans le même menu – ou appuyez sur Ctrl+C. Ouvrez ensuite Microsoft Word ou un autre traitement de texte haut de gamme, et collez-y le document. En coupant les éléments indésirables et en remettant les paragraphes en forme, vous obtiendrez un document parfaitement imprimable.

Ces conseils vous aideront eux aussi à coucher une page Web sur papier :

 ↝ Le seul moyen d'imprimer sans problème une page Web est la présence, si le concepteur y a pensé, d'une option d'impression. Si une page vous intéresse mais qu'elle n'a pas d'option d'impression, envoyez-la à vous-même par courrier électronique. L'impression de ce message sera peut-être plus réussie.

 ↝ Pour n'imprimer que quelques paragraphes d'une page Web, sélectionnez-les avec la souris (la sélection est expliquée au Chapitre 5). Dans Internet Explorer, choisissez Fichier, puis Imprimer. La boîte de dialogue de la Figure 7.2 s'ouvre. A la rubrique Étendue de pages, cliquez sur Sélection.

 ↝ Si dans une page Web, un tableau ou une photo dépasse du bord droit, essayez de l'imprimer en mode Paysage plutôt que Portrait.

Imprimer le Carnet d'adresses

Bien que la sauvegarde des courriers électroniques soit essentielle, sauvegarder la liste des contacts ne l'est pas moins. Vous pouvez aussi imprimer les coordonnées des personnes que vous rencontrerez ce jour. Voici comment imprimer le contenu d'un carnet d'adresses :

1. **Ouvrez le dossier Contacts et sélectionnez ceux que vous désirez imprimer.**

   Cliquez sur votre nom d'utilisateur (pas sur l'icône), en haut du menu Démarrer, puis ouvrez le dossier Contacts. Appuyez sur Ctrl+A pour sélectionner la totalité des contacts ou alors, touche Ctrl enfoncée, ne cliquez que sur ceux à imprimer.

2. **Cliquez sur le bouton Imprimer du dossier, sélectionnez éventuellement l'imprimante et choisissez votre style d'impression.**

   La rubrique Style d'impression propose trois présentations pour votre liste de contacts :

   ↝ **Memo :** Toutes informations concernant le contact sont imprimées.

   ↝ **Carte de visite :** Imprime une carte de visite standard de chaque personne (nom, téléphone, adresse, société et adresse électronique).

   ↝ **Liste téléphonique :** Imprime, pour chaque contact, son nom et ses numéros de téléphones (fixe domicile, fixe bureau, mobile et télécopie).

3. **Cliquez sur Imprimer.**

Windows Mail imprime une liste bien présentée, selon vos spécifications. Si vous n'avez jamais imprimé vos contacts auparavant, faites un essai avec les trois présentations. Ce ne sera pas du papier gâché en vain.

Installer de nouvelles polices

La police change l'apparence des caractères, suggérant le ton général d'un écrit. Windows Vista est livré avec près de 300 polices, assez faciles à voir.

Pour voir toutes les polices installées, ouvrez le Panneau de configuration à partir du menu Démarrer, cliquez sur Affichage classique puis sur l'icône Polices. Windows Vista répertorie toutes les polices par le nom de la police (NdT : qui diffère du nom du fichier de la police). Double-cliquez sur l'icône de l'une d'elles, du Palatino Linotype, à la Figure 7.5, pour la voir. Cliquer sur le bouton imprimer permet d'obtenir une version sur papier.

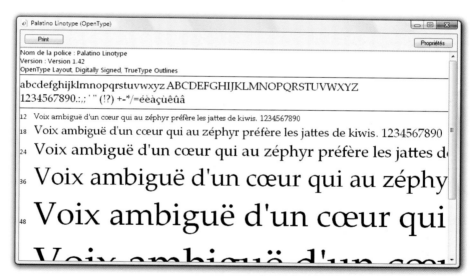

Figure 7.5 : Double-cliquez sur un fichier de police pour afficher la typographie.

Si les polices livrées avec Vista ne vous satisfont pas, vous pouvez en télécharger ou en acheter d'autres et les installer dans l'ordinateur. La plupart des polices vendues sont livrées avec un programme d'installation qui vous épargne de laborieuses manipulations. Mais voici comment procéder si une police n'est pas accompagnée d'un installeur :

1. Placez la nouvelle police dans le dossier Documents.

Bon nombre de polices sont livrées dans un dossier compressé, reconnaissable à sa fermeture Éclair. Si c'est le cas de la vôtre, cliquez sur l'icône du bouton droit, choisissez Extraire tout et laissez l'ordinateur placer son contenu dans le dossier Documents.

Si vous prévoyez d'installer de nombreuses polices, créez un dossier Polices dans le dossier Documents, et faites-y transiter les fichiers que vous extrayez.

2. **Cliquez du bouton droit dans une police extraite ou téléchargée et choisissez Installer.**

L'icône d'une police téléchargée ressemble à l'une de celles visibles dans la marge. Quand vous choisissez Installer, Vista ajoute la police dans la zone Polices du Panneau de configuration, où elle est accessible à tous les programmes.

Pour supprimer des polices indésirables, cliquez sur leur nom, dans le Panneau de configuration, et choisissez Supprimer.

Ne supprimez jamais une police livrée avec Windows Vista. Ne supprimez que celles que vous avez installées. La suppression de certaines polices utilisées par l'interface de Windows viderait les menus de leur texte, ce qui rendrait Windows encore plus difficile à utiliser.

Si vous êtes tenté de télécharger des polices depuis l'Internet, sachez que Windows Vista gère les polices de type TrueType, OpenType et PostScript. Mais si vous vous sentez l'âme d'un typographe, achetez un logiciel de gestion de polices. Enfin, soumettez tous les fichiers téléchargés à un antivirus.

Résoudre les problèmes d'impression

Si un document refuse d'être imprimé, assurez-vous que l'imprimante est allumée, son cordon branché à la prise, et qu'elle est connectée à l'ordinateur.

Si c'est le cas, branchez-la à différentes prises électriques en l'allumant et en vérifiant si le témoin d'allumage est éclairé. Si ce n'est pas le cas, l'alimentation de l'imprimante est sans doute morte.

Il est souvent moins cher de racheter une imprimante que de la faire réparer. Si vous tenez à la vôtre, faites établir un devis de réparation avant de vous en débarrasser.

Vérifiez ces points si le témoin d'allumage réagit :

▱ Assurez-vous qu'un papier n'a pas bourré le mécanisme d'entraînement. Une traction régulière vient généralement à bout d'un bourrage. Certaines imprimantes ont une trappe prévue à cette fin. Sinon, ouvrir et fermer le couvercle décoince parfois le papier.

▱ Y a-t-il encore de l'encre dans la cartouche, ou du toner dans l'imprimante Laser ? Essayez d'imprimer une page de test : ouvrez le menu Démarrer et, dans le Panneau de configuration, choisissez Imprimantes. Cliquez du bouton droit sur l'icône, choisissez Propriétés et cliquez sur le bouton Imprimer une page de test. Vous saurez si l'ordinateur et l'imprimante parviennent à communiquer.

▱ Procédez à la mise à jour du pilote de l'imprimante, un petit programme qui facilite la communication entre Vista et les périphériques. Allez sur le site Web du fabricant, téléchargez le pilote le plus récent pour votre modèle d'imprimante, puis installez-le en double-cliquant dessus.

Voici pour finir deux conseils qui contribueront à protéger votre imprimante et ses cartouches :

▱ Éteignez l'imprimante quand vous ne l'utilisez pas. Autrement, la chaleur qu'elle dégage risque de dessécher l'encre de la cartouche, réduisant sa durée de vie.

▱ Ne débranchez jamais une imprimante par sa prise pour l'éteindre. Utilisez toujours le bouton marche/arrêt. L'imprimante peut ainsi ramener la ou les cartouches à leur position de repos, évitant qu'elles sèchent ou se bouchent.

Choisir le bon papier

Si vous vous êtes arrêté un jour au rayon des papiers pour imprimantes, vous avez sans doute été étonné de la variété du choix. Parfois, l'usage du papier est clairement indiqué mais souvent, les caractéristiques sont sibyllines. Voici quelques indications :

- **Le grammage :** Il indique le poids d'une feuille de un mètre carré. Celui d'un papier de bonne tenue doit être d'au moins 80 grammes. Un papier trop épais (au-delà de 120 ou 130 grammes) risque non seulement de bourrer dans l'imprimante, mais il coûte aussi plus cher en frais postaux.

- **Le papier pour imprimante à jet d'encre :** Le dessus est traité pour que l'encre ne diffuse pas et produise un lettrage bien net. Veillez à l'insérer de manière que le côté traité soit encré, et non le dessous, ce qui réduirait la qualité de l'impression.

- **Le papier pour photocopie :** Il est traité pour accrocher les pigments de toner et résister à la température élevée de ces équipements. La technologie des photocopieuses et des imprimantes à laser étant la même, le papier pour photocopies convient aussi aux imprimantes laser.

- **Le papier pour photos :** D'un grammage élevé et ayant reçu une couche de résine – ce qui justifie son prix relativement élevé –, le papier photo est réservé aux tirages. Quand vous l'insérez dans l'imprimante, veillez à ce que l'impression se fasse du côté brillant. Certains papiers sont équipés d'un petit carton qui facilite le cheminement parmi les rouleaux d'entraînement.

- **Etiquettes :** Il en existe à toutes les tailles. Attention au risque de décollement lorsque la feuille se contorsionne à l'intérieur de l'imprimante. Vérifiez, dans le manuel, si les planches d'étiquettes sont acceptées ou non.

- **Transparents :** Ce sont des feuilles en plastique spéciales, à séchage rapide, résistant à la fois aux contraintes mécaniques de l'imprimante et à la chaleur des rétroprojecteurs.

Avant tout achat, assurez-vous que le papier – surtout les papiers spéciaux – soit spécifiquement conçu pour votre type d'imprimante.

Troisième partie
Se connecter à l'Internet

Dans cette partie...

l fut un temps où l'Internet était aussi feutré et bien fréquenté qu'une bibliothèque. Vous y trouviez des informations sur quasiment n'importe quel sujet, des journaux et des magazines du monde entier, de la musique ou des cartes postales.

Aujourd'hui, cette calme bibliothèque est envahie par des hordes de représentants de commerce qui vous collent sans arrêt de la pub sous le nez. Certains ferment même la page que vous lisiez. Pickpockets et arnaqueurs traînent dans les allées.

Cette partie du livre permet de ramener le calme et la quiétude sur l'Internet. Vous apprendrez à empêcher l'apparition des fenêtres de publicité intempestives, à neutraliser ceux qui tentent de remplacer votre page de démarrage par la leur, et intercepter les espiogiciels.

Enfin, vous découvrirez comment utiliser la toute nouvelle protection de compte d'utilisateur de Vista, le pare-feu, le centre de sécurité, le gestionnaire de cookies et autres outils qui vous aideront à sécuriser l'Internet.

Surfer sur le Web

Certaines personnes s'imaginent qu'elles peuvent se passer d'une connexion Internet, mais ce n'est pas l'avis de Windows Vista. Dès l'installation, il essaye de se connecter. Et dès que la liaison est établie, il se connecte à un site pour régler avec précision l'horloge de l'ordinateur. Mais il se connecte au site de Microsoft pour vérifier si la version installée n'est pas une copie pirate.

Ce chapitre explique comment se connecter à l'Internet, visiter des sites Web et découvrir toutes les bonnes choses que le "réseau des réseaux" peut vous apporter. Ceux que les mauvaises choses inquiètent peuvent se reporter au Chapitre 10, où il est question de la sécurité informatique. L'Internet est très mal fréquenté. Ce chapitre explique comment éviter les virus, les espiogiciels, les logiciels qui tentent de remplacer la page de démarrage de votre navigateur, et autres vermines du Web.

Lorsque votre ordinateur aura revêtu l'armure, pris le bouclier et empoigné la lance, toutes choses indispensables pour s'aventurer dans le cyberespace, surfer sur l'Internet sera une partie de plaisir.

Qu'est l'Internet ?

Aujourd'hui, l'Internet est devenu presque aussi banal que le téléphone. Y accéder n'étonne plus personne et presque tout le monde a une idée de ce que l'on peut y découvrir :

- **Des livres :** L'Internet regorge de sites culturels et universitaires où vous trouverez des livres en version intégrale, des dictionnaires de langues ou techniques, des encyclopédies, etc. Si vous êtes un rat de bibliothèque, une visite du site Gallica (`http://gallica.bnf.fr/`), géré par la Bibliothèque nationale de France, s'impose.

- **Des boutiques :** En quelques années, l'Internet est devenu une gigantesque galerie marchande à l'échelle de la planète. Vous pouvez y acheter de tout, avec quelques avantages appréciables, comme écouter quelques minutes des CD que vous voulez acheter (sur `www.amazon.fr`, `www.alapage.com` et, pour le classique, `abeillemusique.com`).

- **La communication :** Le courrier électronique a rapidement supplanté le courrier postal. Malheureusement, des ripoux cupides affligeants de bêtise ont investi ce secteur, inondant la planète de courriers non sollicités. Windows Mail, la messagerie de Vista, est décrite au Chapitre 9. Même le téléphone ne lui a pas échappé : la téléphonie par Internet, souvent gratuite, compte des millions d'adeptes.

- **Un passe-temps :** Dans le temps, on feuilletait des magazines. A présent, on zappe d'un site à un autre, parmi les milliards de pages à portée d'un clic. Ou alors, il est possible de s'abonner à un quotidien en ligne et télécharger des exemplaires identiques à ceux de la version papier.

- **Un divertissement :** L'Internet permet non seulement de connaître les films qui sortent en salle, mais aussi de télécharger leur bande-annonce, de connaître leur distribution, de lire des critiques ainsi que des racontars sur les vedettes. Vous trouverez aussi des jeux en ligne ou des résultats sportifs. Et avec une connexion à très haut débit, vous pouvez même recevoir la télévision.

Bref, l'Internet est un mât de Cocagne où il y en a pour tout le monde :

- A l'instar du téléspectateur qui zappe de chaîne en chaîne, le surfeur sur le Web passe de page en page, engrangeant ce qui lui plaît.

- L'Internet facilite les formalités administratives. Les revenus peuvent désormais être déclarés en ligne (`www.impots.gouv.fr/`). De nombreuses municipalités, parfois de modestes villages, ont un site Web destiné autant aux habitants qu'aux touristes.

- Les universitaires aiment beaucoup l'Internet, qui leur permet de communiquer, d'échanger et diffuser leur savoir. Si le faisceau cribro-vasculaire ou libéro-ligneux qui regroupe le phloème primaire et le xylème primaire séparés par le cambium, couche de cellules non différenciées ou embryonnaires, vous met en transes, rendez-vous sur `www.botanic.org` pour approfondir le sujet.

- Presque toutes les sociétés informatiques présentent leurs produits sur l'Internet. Les visiteurs peuvent échanger des messages avec des techniciens et avec d'autres utilisateurs, et télécharger des mises à jour ou des pilotes qui corrigent un problème.

Le FAI, fournisseur d'accès à l'Internet

Quatre éléments sont indispensables pour se connecter à l'Internet : un ordinateur, un navigateur Web, un modem et... un fournisseur d'accès Internet, ou FAI.

Vous avez l'ordinateur et Vista est livré avec un navigateur Web nommé Internet Explorer. La plupart des PC comportent un modem téléphonique intégré. Il ne reste plus qu'à trouver le fournisseur d'accès Internet. C'est en connectant votre ordinateur au sien que vous franchissez les portes du cyberespace.

Mais quel fournisseur choisir ? L'offre est vaste et changeante, les publicités alléchantes mais elles ne tiennent pas toujours leurs promesses. Paradoxalement, c'est en allant sur le Web que la recherche d'un FAI est fructueuse. En attendant d'avoir obtenu votre connexion, n'hésitez pas à aller dans un cybercafé ou demander à un ami de vous laisser vous connecter de chez lui.

Pour vous renseigner sur les principales offres, commencez par visiter le site www.lesproviders.com/ ; son dossier "Choisir un fournisseur d'accès" est extrêmement précis et surtout à jour, ce qui est important pour les coûts, sans cesse changeants. Vous voulez aussi avoir une idée des performances d'une connexion (débit, régularité...) ? Allez sur le site www.grenouille.com ; sa rubrique "La météo du net" teste la qualité des connexions en temps réel ou avec quelques heures de décalage de près d'une centaine de fournisseurs d'accès.

- Il existe plusieurs manières de se connecter à l'Internet. La plus lente s'effectue avec un modem téléphonique, parfois appelé modem RTC, car il communique au travers du bon vieux réseau téléphonique commuté. Les connexions à haut débit, comme le câble ou l'ADSL (*Asymetrical Digital Subscriber Line,* ligne d'abonné numérique asymétrique), sont beaucoup plus rapides. Il existe aussi le très haut débit, qui permet en plus d'obtenir la télévision par Internet. Mais il faut habiter à proximité du centre d'où partent ces lignes pour bénéficier d'un débit presque maximal. Ce dernier baisse très vite avec la distance.

- Si vous êtes tenté par le haut débit, qui est la meilleure solution, tant pour le prix que pour le confort du surf sur le Web, encore faut-il savoir si votre ligne téléphonique ou celle du câble est prévue pour le recevoir. Allez sur le site Élibilité ADSL (www.eligibilite-adsl.com/), tapez le numéro de téléphone de la ligne à tester, et vous apprendrez quantité de détails techniques, notamment le débit maximal auquel vous pourrez prétendre, les types de connexion possible (ADSL, ADSL2, ADSL+TV...) et aussi, si un dégroupage total, vous affranchissant complètement de l'abonnement téléphonique à France Télécom, peut être envisagé, et par qui.

- Étudiez les services offerts, comme l'hébergement de pages Web si vous envisagez de créer votre site perso. Dans ce cas, vérifiez l'espace offert, qui ne saurait être inférieur à 100 méga-octets, et aussi l'espace offert pour stocker votre courrier. Des services supplémentaires, comme des antivirus ou la protection parentale sont souvent proposés.

NdT : Internet ou Web ? Les deux termes sont souvent indistinctement utilisés, y compris dans ce livre. Qu'en est-il vraiment ? Créé à la fin des années 1960 pour l'armée américaine, qui tenait à ne plus concentrer des données vitales en un seul lieu mais les répartir sur tout le territoire, l'Internet est l'infrastructure du réseau Informatique. Peu utilisé par l'armée, il fut peu à peu cédé aux universitaires qui y faisaient des données exclusivement textuelles. Le Web, contraction de *World Wide Web*, "la toile mondiale", est un sous-ensemble de l'Internet. C'est sa partie grand public développée au début des années 1990 à l'initiative de Tim Berners-Lee, un chercheur du CERN (Conseil Européen pour la Recherche Nucléaire) qui est aussi, entre autres, l'auteur du langage de programmation HTML (*HyperText Markup Language,* langage de balisage hypertexte) largement utilisé sur le Web.

Configurer Internet Explorer la première fois

Windows Vista cherche constamment à établir une connexion Internet. Dès qu'il en trouve une, que ce soit à travers un réseau filaire ou un point d'accès Wifi, Vista informe le logiciel Internet Explorer et la connexion est établie. Mais s'il ne parvient pas à détecter l'Internet, ce qui est fréquent avec un modem téléphonique, c'est à vous de jouer.

Pour vous guider à travers les affres de la configuration d'une connexion Internet, Vista vous soumet un questionnaire. Après avoir obtenu les réponses, il établit la connexion avec votre fournisseur d'accès.

Réseau filaire ou sans fil ? Vista devrait détecter automatiquement le réseau relié à l'Internet et partager la connexion avec tous les autres ordinateurs. Autrement, reportez-vous au Chapitre 14 pour le dépannage.

Pour transférer vos paramètres de compte Internet d'un ordinateur à un autre, utilisez le programme de transfert rapide de Vista décrit au Chapitre 19. Il recopie les paramètres Internet d'un PC dans un autre PC, vous évitant les complications d'un paramétrage manuel.

Voici ce qu'il vous faut pour commencer :

✔ **Vos nom d'utilisateur, mot de passe et numéro de téléphone d'accès.** Si vous n'avez pas encore de fournisseur d'accès Internet, le programme peut vous en trouver un (prenez des notes mais ne vous fiez pas trop aux propositions, car il vous est impossible de faire jouer la concurrence).

🖛 **Un modem.** La plupart des ordinateurs possèdent un modem souvent intégré à la carte-mère. Pour vérifier si le vôtre en possède un, recherchez une prise de téléphone à l'arrière du PC (NdT : ne la confondez pas avec la prise de réseau, un peu plus grande). Branchez ensuite la prise de téléphone du PC à celle du mur.

Chaque fois que la connexion Internet vous fait des misères, relisez les lignes qui suivent en appliquant les étapes. L'assistant de Vista parcourra les différents paramètres, vous permettant de les modifier. Voici comment mettre l'assistant au travail :

1. **Cliquez sur le bouton Démarrer et choisissez Connexion.**

   Le bouton Connecter affiche les quelques manières par lesquelles votre PC peut se connecter. Mais si Vista ne trouve rien, cette liste est vide.

   Dans la foulée, Vista se plaint qu'il ne peut trouver de réseau sans fil à portée du PC. Ignorez ces lamentations et passez à l'Étape 2.

   Si Vista a trouvé un réseau sans fil, vous avez de la chance : il suffit de double-cliquer sur le nom du signal pour établir la connexion. Les réseaux sans fil sont expliqués au Chapitre 14.

2. **Choisissez Configurer une connexion ou un réseau.**

   Après le clic, Vista affiche tout ou partie de ces options, selon le modèle de PC et sa configuration :

   • **Se connecter à l'Internet :** Vista s'efforce de nouveau de détecter un signal. Les abonnés au haut débit doivent choisir cette option afin que Vista découvre et configure automatiquement la connexion Internet.

   • **Configurer un routeur ou un point d'accès sans fil :** Optez pour ce bouton si vous désirez créer un réseau sans fil domestique, une tâche couverte au Chapitre 14.

   • **Se connecter manuellement à un réseau sans fil :** Si le réseau sans fil exige un nom et un mot de passe, c'est là que vous les entrerez. Vous utiliserez surtout cette option pour les réseaux sans fil payants, dans les hôtels, aéroports et autres lieux.

- **Configurer un réseau sans fil Ad Hoc (d'ordinateur à ordinateur) :** Très rarement utilisée, cette option permet de relier directement plusieurs PC pour échanger des fichiers et autres données.

- **Configurer une connexion par modem à accès à distance :** Cette option permet d'indiquer à Vista comment gérer la connexion par modem téléphonique.

- **Connexion à un poste de travail :** Cette option vous permet de vous connecter en toute sécurité à votre lieu de travail, si le réseau d'entreprise supporte ce type de connexion très sophistiqué. Vous devrez sans doute vous faire aider par le responsable informatique de la société.

- **Se connecter à un réseau personnel Bluetooth :** Si votre PC est équipé de Bluetooth – une liaison radio à faible portée qui remplace les câbles –, cliquez ici pour configurer la connexion. C'est là que vous établissez une connexion avec un téléphone mobile, par exemple.

3. **Choisissez Configurer une connexion par modem à accès à distance.**

   Comme vous n'avez choisi ni la connexion sans fil ni la connexion à haut débit, le modem téléphonique est la seule solution. Vista pose quelques questions (Figure 8.1) indispensables pour établir la liaison avec le fournisseur d'accès Internet.

4. **Entrez les informations de connexion au FAI.**

   Vous inscrivez ici trois renseignements importants : le numéro de téléphone, votre nom d'utilisateur et le mot de passe, tous détaillés dans les lignes qui suivent :

   - **Numéro de téléphone d'accès à distance :** Tapez ici le numéro de téléphone qui vous a été communiqué par votre FAI.

   - **Nom d'utilisateur :** Ce n'est pas forcément le vôtre, mais souvent un code aléatoire, fait de chiffres et de lettres, défini par votre FAI lorsqu'il a créé votre compte. Il comporte parfois la première partie de votre adresse électronique.

Figure 8.1 : Entrez le numéro de téléphone du FAI, votre nom d'utilisateur et votre mot de passe.

- **Mot de passe :** Pour être sûr de l'avoir tapé correctement, cochez la case Afficher les caractères. La saisie terminée, décochez-la afin de préserver la confidentialité du mot de passe.

  N'oubliez pas de cocher la case Mémoriser ce mot de passe. Vous n'aurez ainsi plus à le taper chaque fois que vous vous connecterez à l'Internet. En revanche, ne cochez pas cette case si vous ne voulez pas que quelqu'un puisse utiliser votre connexion.

- **Nom de la connexion :** C'est le nom que Vista attribue à cette connexion. Choisissez-en un autre, plus descriptif, afin de mieux le reconnaître parmi plusieurs connexions.

- **Autoriser d'autres personnes à utiliser cette connexion :** Cochez cette option pour permettre à tous les autres comptes d'utilisateurs de cet ordinateur de se connecter avec cette connexion.

Cliquer sur les mots Je n'ai pas de fournisseur de services Internet affiche une fenêtre vous invitant à utiliser le CD-ROM d'un fournisseur.

Cliquez sur les mots Règle de numérotation, sous le numéro de téléphone. Vous pouvez ici entrer des détails comme le pays, l'indicatif régional et le numéro à composer pour obtenir l'extérieur, s'il y a un standard téléphonique. Les utilisateurs d'ordinateurs portables itinérants doivent vérifier les règles de numérotation chaque fois qu'ils changent d'endroit.

5. **Cliquez sur le bouton Connecter.**

   Avec un peu de chance, le PC se connecte à l'Internet, mais sans que rien ne vienne le signaler. Chargez Internet Explorer, depuis le menu Démarrer, et voyez s'il accède à des sites Web.

   Si Internet Explorer ne parvient pas à aller sur le Web, passez à l'Étape 6.

6. **Cliquez sur le bouton Démarrer et choisissez Connecter.**

   La connexion téléphonique que vous venez de créer apparaît (Figure 8.2).

Figure 8.2 : Cliquez sur la connexion que vous venez de configurer puis sur le bouton Connexion.

7. Cliquez sur la connexion nouvellement créée puis sur le bouton Connexion.

Vista affiche la boîte de dialogue de la Figure 8.3. C'est là que vous taperez le mot de passe, s'il n'a pas été mémorisé à l'Étape 4. C'est là aussi que vous pouvez temporairement modifier un paramètre, comme le numéro de téléphone.

8. Cliquez sur Numéroter pour relier l'ordinateur à celui du FAI et aller sur l'Internet.

Vista compose le numéro du FAI et vous signale que la connexion est établie.

Figure 8.3 : Modifiez éventuellement le numéro de téléphone puis cliquez sur Numéroter.

Le moment est ensuite venu de charger Internet Explorer à partir du menu Démarrer, et de commencer à surfer sur le Web. Par la suite, il vous suffira de charger Internet Explorer pour surfer ; la connexion s'établira automatiquement.

Comme Microsoft n'oublie jamais de se mettre en avant, votre première incursion sur le Web s'effectue sur un de ses sites. Vous voulez effectuer un rapide test ? Entrez l'adresse de mon site, www.andyrathbone.com, et voyez ce qui se passe.

En cas de problème, appelez le support technique de votre fournisseur d'accès Internet. Un technicien vous aidera à configurer la connexion (mais ce coup de main est généralement onéreux).

Internet Explorer ne raccroche pas automatiquement lorsque vous avez fini de surfer. Pour que le PC interrompe la connexion dès que vous fermez Internet Explorer, choisissez Options Internet, dans le menu Outils, et cliquez sur l'onglet Connexions. Cliquez sur le bouton Paramètres, puis sur Avancé. Enfin, cochez la case Se déconnecter lorsque la connexion n'est plus nécessaire. Cliquez ensuite sur OK.

Je veux voir la pub !

Les premières versions d'Internet Explorer ne disposaient d'aucun moyen pour empêcher l'apparition soudaine de fenêtres de publicité, appelées "pop-ups" dans le jargon des internautes. La version 7 d'Internet Explorer est désormais équipée d'un bloqueur de pop-up qui stoppe 90% d'entre elles. Pour vous assurer qu'il est actif, choisissez, dans le menu Outils, l'option Bloqueur de fenêtres intempestives, et assurez-vous que l'option Désactiver le bloqueur de fenêtres publicitaires intempestives ne soit pas cochée.

Mais si vous désirez voir les fenêtres pop-ups de certains sites, ce même menu vous permet de choisir les Paramètres du bloqueur de fenêtres publicitaires intempestives.

Lorsqu'un site tente d'envoyer une fenêtre pop-up ou un message, Internet Explorer affiche un bandeau en haut de la fenêtre, signalant qu'une fenêtre intempestive a été bloquée, et invitant à cliquer dans le bandeau pour accéder aux options supplémentaires. Vous avez alors le choix entre trois actions : autoriser temporairement l'apparition des pop-ups, toujours autoriser les pop-ups de ce site, ou modifier les paramètres du bloqueur.

Enfin, pour empêcher l'agaçant son chaque fois que le bloqueur intercepte une fenêtre, choisissez Bloqueur de fenêtres intempestives, dans le menu Outils d'Internet Explorer, choisissez Paramètres du bloqueur de fenêtres publicitaires intempestives puis décochez la case Jouer un son lorsqu'une fenêtre publicitaire intempestive et bloquée.

Naviguer parmi les sites Internet avec Internet Explorer

Internet Explorer est ce que l'on appelle un "navigateur", autrement dit le logiciel qui vous permet de surfer sur le Web et d'aller de l'un à l'autre des millions de sites dispersés dans le monde. Il est livré avec Vista. D'autres internautes préfèrent d'autres navigateurs, comme Mozilla Firefox, téléchargeable gratuitement depuis le site `http://frenchmozilla.source-forge.net/`.

Bref, vous n'êtes pas marié avec Internet Explorer. Rien ne vous empêche d'essayer d'autres navigateurs, car tous remplissent à peu près la même fonction : vous faire naviguer d'un site à un autre.

De site en site, de page en page

Tous les navigateurs sont fondamentalement pareils. Chaque page est localisée par son adresse Web, exactement comme votre domicile. Internet Explorer permet de naviguer entre les pages de trois manières :

🖝 En cliquant sur un bouton ou un texte souligné appelés "lien", qui pointe vers une autre page ou un autre site et vous y mène aussitôt.

🖝 En tapant une adresse Web parfois simple, souvent horriblement compliquée, dans la Barre d'adresse du navigateur, et en appuyant ensuite sur Entrée.

🖝 En cliquant sur les boutons de navigation de la barre d'outils du navigateur, en haut de son interface.

Cliquer sur des liens

 C'est le moyen de navigation le plus facile. Recherchez les liens – un mot souligné, un bouton ou une image – et cliquez dessus. Observez comment le pointeur de la souris se transforme en main dès qu'il survole un lien. Cliquez pour atteindre une nouvelle page ou site.

Figure 8.4 : Quand le pointeur de la souris se transforme en main, cela signifie qu'il survole un lien. Cliquez pour aller à la page ou au site vers lequel il pointe.

Les concepteurs de sites Web sont très créatifs, à tel point que si le pointeur ne se transformait pas en main, il serait souvent difficile de savoir où cliquer. Les liens peuvent en effet avoir n'importe quelle apparence : un mot souligné ou non, une illustration qui évoque le contenu de la page de destination...

Taper une adresse Web

La deuxième technique est la plus difficile. Si quelqu'un vous a griffonné une adresse Web sur un morceau de papier, vous devrez la taper dans le navigateur. C'est facile tant que l'adresse est simple. Mais certaines sont longues et compliquées, et la moindre faute de frappe empêche d'accéder au site.

NdT : Quand un site se termine par com, et uniquement dans ce cas comme dans www.efirst.com, contentez-vous de taper le nom – efirst en l'occurrence –, et le navigateur ajoute automatiquement le préfixe http:/ /www et l'extension .com.

Utiliser la barre d'outils d'Internet Explorer

Enfin, vous pouvez surfer sur l'Internet en cliquant sur les divers boutons de la barre d'outils d'Internet Explorer, en haut de son interface. Leur fonction est expliquée dans le Tableau 8.1.

Tableau 8.1 : Les boutons de navigation d'Internet Explorer.

Bouton	Nom	Utilisation
	Précédent	Sert à retourner à la page précédente. En cliquant plusieurs fois dessus, vous finissez par revenir au point de départ de la navigation.
	Suivant	Après avoir cliqué sur le bouton Précédent, celui-ci permet de revenir dans l'autre sens.
	Centre des favoris	Révèle la liste des liens pointant vers vos sites favoris.
	Ajouter aux favoris	Cliquez sur ce bouton pour ajouter la page que vous visitez actuellement à la liste de vos favoris.
	Accueil	Si vous vous êtes perdu dans le cyberespace, cliquez sur le bouton Accueil pour revenir en territoire connu.

Tableau 8.1 : Les boutons de navigation d'Internet Explorer. (*suite*)		
	Flux RSS	Lorsqu'il est illuminé, ce bouton orange indique que le site offre des flux RSS, un moyen rapide de prendre connaissance des gros titres d'un site sans devoir le visiter.
	Imprimer	Démarre l'impression du site que vous visitez. Cliquez d'abord sur la petite flèche à droite pour accéder aux options et obtenir ainsi un aperçu avant impression.
Page	Page	Donne accès aux options propres à la page en cours : modification de la taille des caractères, enregistrement dans un fichier...
Outils	Outils	Cliquer sur le bouton ouvre un menu rempli de paramètres. Vous pourrez notamment configurer le bloqueur de fenêtres intempestives et le filtre anti-hameçonnage.

Immobilisez le pointeur de la souris sur un bouton pour voir une info-bulle indiquant son usage.

Ouvrir Internet Explorer sur votre site favori

Votre navigateur Web affiche automatiquement un site Web après la connexion. Ce site, appelé page de démarrage, peut être changé par un autre en procédant ainsi :

1. **Visitez votre site Web favori.**

   Choisissez celui qui vous plaît. Personnellement, j'ouvre mon navigateur sur Google Actualités (`http://news.google.fr/`) afin de connaître les grands titres de la presse. Mais vous pouvez aussi choisir le portail de votre fournisseur d'accès Internet.

2. **Cliquez sur la petite flèche à droite de l'icône Accueil et choisissez Ajouter ou modifier une page de démarrage.**

   Très sécuritairement, Internet Explorer demande si vous voulez vraiment utiliser cette page comme page d'accueil.

3. **Cliquez sur Utiliser cette page comme seule page de démarrage, puis sur Oui.**

Après avoir cliqué sur Oui, comme à la Figure 8.5, Internet Explorer démarrera toujours sur la page que vous lui avez indiquée.

Cliquer sur Non conserve la page de démarrage actuelle, celle du site de Microsoft en l'occurrence.

Figure 8.5 : Sélectionnez l'option Utiliser cette page comme seule page de démarrage, et Internet Explorer l'ouvrira systématiquement en premier.

Après le chargement de la page de démarrage, vous pouvez baguenauder librement sur l'Internet, faire des recherches sur Google (`www.google.fr`) ou avec d'autres moteurs de recherche, en cliquant sur divers liens.

✔ La page d'accueil d'un site Web est l'équivalent de la page de couverture d'un magazine.

✔ Si votre page de démarrage a été remplacée par un autre site, et qu'il est impossible de la rétablir avec la manipulation précédente, c'est doute l'effet d'une action extérieure malfaisante. Reportez-vous à la section consacrée aux espiogiciels, au Chapitre 10.

✔ Internet Explorer permet de définir plusieurs pages comme pages de démarrage. Il les charge toutes et les place dans des onglets, vous permettant ainsi de les consulter à votre guise. Pour ajouter des pages de démarrage à votre collection, choisissez l'option Ajouter cette page Web aux onglets de la page de démarrage, à l'Étape 3 de la manipulation précédente (voir Figure 8.5).

Revisiter vos pages favorites

Lors de vos visites, vous voudrez absolument mémoriser l'accès à une page sur laquelle vous avez flashé. Pour pouvoir y retourner rapidement, ajoutez-la à la liste des favoris d'Internet Explorer en procédant ainsi :

1. **Cliquez sur l'icône Ajouter aux favoris, dans la barre d'outils d'Internet Explorer.**

   Un petit menu se déploie.

2. Dans le menu déroulant, cliquez sur Ajouter aux favoris, puis sur le bouton Ajouter.

La boîte de dialogue qui apparaît propose de nommer la page Web par son titre, mais vous pouvez le remplacer par un texte plus explicite et plus concis, mieux adapté à l'étroit menu des favoris. Cliquez ensuite sur le bouton Ajouter pour ajouter la page dans la liste Favoris.

Pour retourner à la page qui vous a tant plu, cliquez sur le bouton Favoris, dans Internet Explorer. Choisissez-la ensuite dans le menu déroulant.

Les gens organisés préfèrent regrouper leurs favoris. Pour ce faire, cliquez du bouton droit sur le bouton Favoris et choisissez Organisation des Favoris. Vous pourrez ainsi créer des dossiers thématiques.

Les favoris n'apparaissent pas dans le menu déroulant lorsque vous cliquez sur le bouton Favoris ? Cliquez sur le mot Favoris, dans la barre de menus. Peut-être regardiez-vous dans l'historique – décrit dans l'encadré – ou consultiez-vous les flux RSS décrits plus loin dans ce chapitre.

Internet Explorer sait où vous étiez

Internet Explorer conserve la trace de tous les sites Web que vous visitez. Bien que sa liste Historique soit très commode, elle peut aussi être un outil de flicage.

Pour voir ce qu'Internet Explorer a mémorisé, cliquez sur le bouton Favoris puis sur l'icône Historique, dans le menu déroulant. Les adresses de tous les sites que vous avez visités ces vingt derniers jours s'y trouvent. En cliquant sur la petite flèche à droite du mot Historique, vous pouvez trier les pages par date, alphabétiquement, par fréquence de visites ou dans l'ordre où vous les avez visitées.

Pour ôter une page de l'historique, cliquez dessus du bouton droit et choisissez Supprimer. Pour supprimer toute la liste, quittez la zone Favoris puis, dans la barre de menus, choisissez Outils puis, à la rubrique Historique de navigation, cliquez sur le bouton Supprimer. Une boîte de dialogue permet ensuite de supprimer l'historique ainsi que d'autres éléments.

Pour désactiver l'historique, cliquez sur le bouton Paramètres, au lieu de Supprimer. A la rubrique Historique, mettez à zéro le compteur de l'option Jours pendant lesquelles ces pages sont conservées.

Trouver sur l'Internet

De même qu'il est quasiment impossible de retrouver un livre dans une bibliothèque sans la fiche qui indique sa cote, il est impossible de retrouver quoi que soit sur le Web sans un bon index. Fort heureusement, Internet Explorer permet d'accéder à ces index – qui font partie des moteurs de recherche – grâce au champ de recherche Live Search, en haut à droite.

Tapez quelques mots dans le champ Live Search – **orchidées Seychelles**, par exemple – et appuyez sur Entrée. Internet Explorer lance aussitôt la recherche sur Windows Live, le moteur de recherche de Microsoft. Vous pouvez le remplacer par Google (www.google.fr) ou n'importe quel autre moteur de recherche de votre choix.

A vrai dire, vous pouvez ajouter plusieurs moteurs de recherche. Vous effectuerez la plupart des recherches avec Google, mais vous enverrez les requêtes de livres ou de CD sur Amazon. Voici comment personnaliser le champ Rechercher :

1. **Cliquez sur le bouton fléché à droite du champ Live Search.**

   Un menu déroulant apparaît.

2. **Choisissez Rechercher encore des moteurs de recherche.**

   Internet Explorer parcourt le site Web de Microsoft et affiche une liste de nombreux moteurs de recherche connus.

3. **Cliquez sur des moteurs de recherche et, dans la fenêtre qui apparaît, cliquez sur Ajouter aux moteurs de recherche.**

   Internet Explorer vous demandera de confirmer l'ajout.

   Pour que vos recherches s'effectuent toujours avec un même moteur, Google par exemple, activez l'option En faire le moteur de recherche par défaut.

4. **Ajoutez éventuellement d'autres moteurs de recherche.**

   Ils apparaîtront tous dans le menu déroulant visible à la Figure 8.6.

   Vous pouvez à tout moment changer de moteur de recherche par défaut en modifiant la recherche par défaut, en bas du menu à la Figure 8.6. Une fenêtre apparaît, présentant tous vos moteurs de

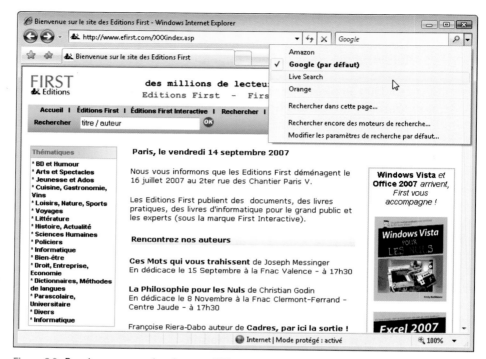

Figure 8.6 : Pour lancer une recherche avec différents moteurs de recherche, cliquez sur la flèche à droite du champ Live Search et choisissez-en un dans la liste.

recherche. Cliquez sur celui que vous préférez, et c'est à lui qu'Internet Explorer confiera vos recherches.

Quand une page est en langue étrangère (essentiellement anglais ou allemand), Google affiche une option Traduire cette page.

Parfois, Google propose une page qui n'existe plus, et ne peut donc plus être visitée. Dans ce cas, cliquez sur le lien En cache, sous l'adresse. Vous accédez aux archives de Google, où sont engrangées toutes les pages qu'il a indexées.

Cliquez sur le bouton J'ai de la chance, et Google ouvre le site qui lui paraît le plus conforme à votre recherche. Cette commande fonctionne surtout bien pour des recherches très générales.

La page Web exige un plug-in !

L'Internet avait détourné des gens de la télévision, et voilà que par un juste retour des choses la télé investit l'Internet. Pour cela, les programmeurs ont mis au point des techniques élaborées qui ont pour non Java (NdT : du nom d'une célèbre marque de café états-unienne), Flash, RealPlayer, QuickTime et autres gâteries qui ajoutent animations et vidéos à des pages Web.

Les programmeurs ont aussi concocté des petits programmes complémentaires qui se greffent au programme principal et lui ajoutent des fonctionnalités nouvelles. Officiellement appelés "modules externes" ou "modules complémentaires", ils sont plus connus sous le nom de *plug-in*. Lorsqu'une page Web a besoin d'un de ces modules, elle affiche la boîte de dialogue de la Figure 8.7 et attend patiemment que vous l'installiez.

Figure 8.7 : Un site demande l'installation d'un logiciel.

Si l'ordinateur exige un plug-in, ou la dernière version de celui-ci, n'acceptez que si vous avez entièrement confiance dans le site. Bien qu'il soit généralement difficile de faire la différence entre un bon programme et un programme malfaisant, vous apprendrez au Chapitre 10 comment évaluer le degré de confiance que vous pouvez leur accorder. Les plug-ins suivants sont à la fois gratuits et sûrs :

- **QuickTime** (www.apple.com/fr/quicktime/) : Ce logiciel est capable de lire plusieurs formats vidéo que le Lecteur Windows Media ne reconnaît pas, notamment ceux de la plupart des bandes-annonce de film et les vidéos produites par certains modèles d'appareils photos numériques.

- **RealPlayer** (http://france.real.com/) : Bien que je trouve ce logiciel très intrusif, c'est le seul capable d'accéder à certaines ressources audiovisuelles, sur l'Internet. Veillez à télécharger la version gratuite, moins bien mise en évidence sur le site que la version payante.

> ✔ **Flash/Shockwave** (www.macromedia.fr) : Ce programme est indispensable pour visionner les animations très élaborées qui ornent certaines pages publicitaires, et aussi pour voir certains dessins animés.

> ✔ **Acrobat Reader** (www.adobe.fr) : Autre programme gratuit très répandu, Acrobat Reader est indispensable pour lire certains documents au format PDF (*Portable Document Format,* format de document portable). Il présente le document exactement comme s'il était imprimé sur du papier. Parfois, il est possible d'en copier une partie, voire de l'ouvrir dans un traitement de texte).

Méfiez-vous des sites qui tentent subrepticement d'installer un autre programme lorsque vous téléchargez un plug-in. Par exemple, Macromedia Flash essaye de vous fourguer un exemplaire de la barre d'outils de Yahoo! en même temps que le plug-in. Examinez attentivement les boîtes de dialogue et cochez tous les éléments dont vous n'avez pas besoin, que vous ne désirez pas ou auxquels vous ne faites pas confiance, avant de cliquer sur le bouton Télécharger ou Installer. Si c'est trop tard, vous trouverez à la section "Ça ne marche pas !", plus loin dans ce chapitre, quelques conseils pour supprimer les programmes complémentaires indésirables.

Enregistrer les informations provenant de l'Internet

L'Internet est comme une bibliothèque à domicile, sans les queues pour demander les livres. Et comme on trouve toujours des photocopieuses dans une bibliothèque, Internet Explorer propose plusieurs façons d'enregistrer les informations que vous récoltez, à des fins privées uniquement (l'Internet est soumis à la législation du droit d'auteur).

Les sections qui suivent expliquent comment copier dans l'ordinateur les informations provenant de l'Internet, qu'il s'agisse d'une page entière, d'une photo, d'un son, d'une vidéo ou d'un programme.

L'impression des pages Web est expliquée au Chapitre 7.

Enregistrer une page Web

Vous voulez conserver cette longue page qui fait l'historique de Flight Simulator depuis 1979 ? Il faut absolument conserver cet itinéraire vers Pétaouchnock ? Quand vous trouvez une information utile, sur le Web, vous ne résistez pas à l'envie de la sauvegarder dans l'ordinateur, de peur qu'un jour elle disparaisse du Web.

Quand vous enregistrez une page Web, vous l'enregistrez telle qu'elle existe actuellement. Pour voir ses éventuelles mises à jour, vous devrez aller sur son site, sur le Web.

Enregistrer la page que vous regardez est un jeu d'enfant :

1. **Cliquez sur le bouton Page, dans Internet Explorer, et choisissez Enregistrer sous.**

   Internet Explorer place le nom de la page Web dans la boîte de dialogue Enregistrer la page Web, comme le montre la Figure 8.8, et sélectionne aussi le champ Codage.

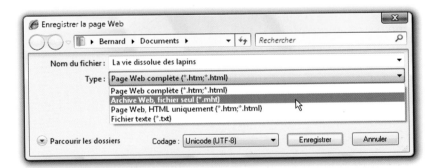

Figure 8.8 : Internet Explorer peut enregistrer une page Web dans quatre formats de fichier.

2. **Déroulez la liste Parcourir les dossiers et choisissez le dossier dans lequel vous désirez enregistrer la page.**

   Internet Explorer enregistre normalement les pages Web dans le dossier Downloads, accessible en cliquant sur votre nom d'utilisateur, en haut à droite du panneau Démarrer. Pour enregistrer la page dans un autre dossier, sous Documents par exemple, cliquez sur Parcourir les dossiers.

3. **Sélectionnez un format de fichier dans la zone de liste Type.**

Vous avez le choix entre quatre formats :

- **Page Web complète (*.htm; *.html) :** Rapide, commode mais un brin désordonnée, cette option demande à Internet Explorer de diviser la page en deux parties : le fichier de la page, et un sous-dossier contenant ses images et graphismes.

- **Archives Web, fichier seul (*.mht) :** Un peu plus ordonnée, cette option enregistre une copie exacte de la page Web. Tous les éléments sont stockés dans un unique fichier au nom de la page Web. Malheureusement, seul Internet Explorer est capable d'ouvrir ce type de fichier, excluant tous ceux qui utilisent un autre navigateur Web.

- **Page Web, HTML uniquement (*.htm; *.html) :** Cette option enregistre le texte et la mise en page, mais sans les images. Elle est commode pour éliminer les illustrations et publicités super-flues des tableaux, graphiques et autres blocs de texte mis en forme.

- **Fichier texte (*.txt) :** Cette option ne récupère que le texte et le place dans un fichier du Bloc-notes de Windows, sans aucune mise en forme. Elle est commode pour ne récupérer que du texte brut ou des listes simples.

  4. Cliquez sur le bouton Enregistrer.

Pour revoir une page Web enregistrée, ouvrez le dossier Téléchargement puis double-cliquez sur l'un des fichiers de page. Internet Explorer démarre et l'affiche.

Enregistrer du texte

Pour n'enregistrer qu'un peu de texte, sélectionnez-le, cliquez dessus du bouton droit et choisissez Copier. Ouvrez votre traitement de texte, collez-le dans un nouveau document puis enregistrez-le dans votre dossier Documents.

Pour enregistrer la totalité du texte d'une page Web, il est préférable d'enregistrer l'intégralité de la page comme nous l'avons vu à la section précédente.

Enregistrer une image

Pour enregistrer une image qui se trouve dans une page Web, cliquez dessus du bouton droit et, dans le long menu qui apparaît (voir Figure 8.9), choisissez Enregistrer la photo sous.

La fenêtre Enregistrer l'image apparaît, vous permettant de renommer le fichier ou conserver son nom d'origine. Cliquez sur Enregistrer, et le graphisme que vous venez de dérober honteusement est stocké dans le dossier Images.

Le menu de la Figure 8.9 contient d'autres options fort commodes, notamment pour imprimer directement l'image ou l'envoyer par courrier électronique, voire en faire l'image d'arrière-plan de votre ordinateur.

Figure 8.9 : Cliquez du bouton droit sur l'image convoitée et choisissez Enregistrer la photo sous, dans le menu contextuel.

Une image provenant du Web peut aussi servir de photo pour votre compte d'utilisateur : cliquez dessus du bouton droit, enregistrez-la dans le dossier Images puis, dans le Panneau de configuration (voir Chapitre 11) faites de cette image la nouvelle photo illustrant votre compte d'utilisateur.

Enregistrer un son ou une vidéo que vous venez de jouer

La plupart des sites plus ou moins commerciaux ne permettent pas d'enregistrer les sons ou les vidéos que vous venez de jouer. D'autres en revanche l'autorisent. Choisissez Enregistrer le média sous, dans le menu Fichier du lecteur de média (appuyez sur Alt pour afficher la barre de menus). Si cette option est en grisé ou si le lecteur de média n'enregistre pas le format, cela signifie que vous n'êtes pas autorisé à enregistrer ce que vous venez d'écouter ou de regarder.

Ceci compte pour tous les médias, notamment la radio sur Internet, mais pas forcément sur d'autres lecteurs ou visionneuses comme RealPlayer ou QuickTime.

Télécharger un programme ou un fichier

Parfois, il suffit de cliquer sur un bouton intitulé "Cliquez ici pour télécharger" pour que le téléchargement s'effectue. Il vous est alors demandé d'indiquer le dossier où vous voulez stocker le fichier, généralement Documents ou Downloads. La durée du téléchargement peut être de quelques secondes si vous bénéficiez d'une ligne à haut débit (ADSL ou câble) à plusieurs minutes, voire des heures, avec un modem téléphonique.

Mais parfois, un téléchargement peut exiger quelques manipulations supplémentaires :

1. **Cliquez du bouton droit sur le lien pointant vers le fichier désiré et choisissez Enregistrer la cible sous.**

   Par exemple, pour télécharger la nouvelle *Mutations* (dont l'auteur n'est autre que le traducteur de ces lignes) cliquez du bouton droit sur son lien, qui est en fait une image, puis, dans le menu contextuel, choisissez Enregistrer la cible sous.

   Quand vous téléchargez un programme, Windows demande si vous désirer l'ouvrir, l'exécuter à partir de son emplacement courant ou l'enregistrer. Choisissez Enregistrer.

2. **Naviguez jusqu'à votre dossier Téléchargement puis cliquez sur le bouton Enregistrer.**

Vista propose spontanément d'enregistrer le fichier dans le dossier Downloads, vous évitant ainsi de devoir naviguer jusqu'à lui. Mais si vous préférez le mettre dans un autre dossier, comme à la Figure 8.10, où le fichier sera stocké dans Documents, sélectionnez-le puis cliquez sur Enregistrer.

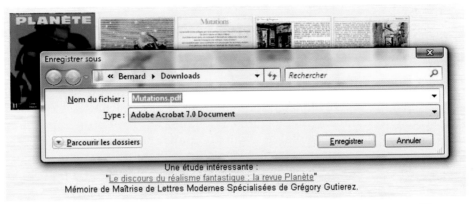

Figure 8.10 : Remarquez la transparence du cadre de la fenêtre, un effet de Vista réservé aux PC équipés d'une bonne carte graphique.

Windows Vista commence à copier le fichier depuis le site Web où il réside et le place dans votre disque dur. Il vous signale ensuite la fin du téléchargement. Vous pourrez ensuite vérifier que le fichier est bel et bien présent dans le dossier.

✏ Avant d'exécuter un programme téléchargé, un écran de veille, un thème pour Windows ou tout autre élément, soumettez-le à votre logiciel antivirus. Comme Vista n'en possède pas, vous devrez en acheter un.

✏ Beaucoup de programmes téléchargés se trouvent dans un fichier préalablement compressé afin de réduire la durée du téléchargement. Un tel fichier est souvent appelé "fichier Zip" ; double-cliquez dessus pour l'ouvrir et décompresser les fichiers qui s'y trouvent.

Ça ne marche pas !

Ne paniquez pas si quelque chose ne fonctionne pas. L'Internet est certes entré dans les mœurs, mais c'est encore une usine à gaz assez mystérieuse dont les subtilités ne s'apprennent pas du jour au lendemain. Cette section aborde quelques problèmes courants et propose quelques solutions.

La personne possédant les privilèges d'Administrateur – généralement le propriétaire de l'ordinateur – est la seule autorisée à effectuer les interventions évoquées dans cette section.

Voici quelques conseils que je vous recommande d'essayer avant de passer aux sections qui suivent :

- Si un site Web pose des problèmes, commencez par vider la corbeille à papier d'Internet explorer. Choisissez Options Internet, dans le menu Outils, et cliquez sur le bouton Supprimer. Dans la boîte de dialogue qui apparaît, cliquez sur le premier bouton Supprimer les fichiers, tout en haut du panneau. Les fichiers Internet temporaires sont ainsi supprimés (l'opération dure quelques secondes). Cliquez sur le bouton fermer, revenez au site problématique et réessayez.

- Si les paramètres de connexion paraissent faussés, essayez de reconfigurer la connexion Internet. Reportez-vous à la section "Configurer Internet Explorer pour la première fois", au début de ce chapitre ; les étapes vous guideront à travers le paramétrage, vous permettant de rectifier ce qui vous semble douteux.

- Si vous ne parvenez pas du tout à vous connecter à l'Internet, il vaut mieux appeler le support technique de votre fournisseur d'accès Internet.

- Si une page ne s'affiche pas correctement, voyez si Internet Explorer affiche un bandeau de mise en garde en haut de la page. Cliquez dessus et indiquez à Internet Explorer qu'il ne doit pas bloquer des éléments.

Supprimer les plug-ins indésirables

Quelques sites Web installent des programmes dans Internet Explorer, censés faciliter la navigation ou les interactions avec des sites. Tous ne se comportent pas correctement. Pour vous aider à vous défaire de ces sangsues, Internet Explorer tient à jour une liste des modules complémentaires, ou plug-ins.

Pour voir ce qui est venu se greffer à votre exemplaire d'Internet Explorer, cliquez sur Outils, dans la barre de menu, puis choisissez Gérer les modules complémentaires. Sélectionnez ensuite Activer ou désactiver les modules complémentaires (abstenez-vous de cliquer sur l'option Rechercher encore des modules complémentaires, qui vous amène dans la boutique de Microsoft).

La fenêtre Gérer les modules complémentaires apparaît (Figure 8.11). Elle répertorie tous les modules actuellement chargés, ceux qui s'exécutent sans votre permission et ceux qui ont été utilisés dans le passé.

La plupart des modules complémentaires présents dans la liste sont acceptables, et ceux de Microsoft sont généralement inoffensifs. Mais si vous en repérez un que vous ne connaissez pas, ou que vous soupçonnez de causer des problèmes, vérifiez ce qu'en disent les internautes sur les forums techniques en faisant une recherche avec Google (`www.google.fr`). Si plusieurs intervenants estiment que le module est mauvais, choisissez l'option Désactiver.

Si la désactivation d'un module empêche un élément de fonctionner correctement, revenez au gestionnaire de modules complémentaires, cliquez sur le nom du module en question et choisissez Activer.

La gestion des modules complémentaires est relativement empirique, mais c'est le seul moyen de neutraliser des modules pourris installés par des sites sans scrupules.

Je ne vois pas tout !

Des internautes – qui ont une bonne vue – peuvent s'offrir des écrans de grande taille affichant beaucoup de données. D'autres ont des moniteurs plus petits, trop étroits pour que tout apparaisse en même temps. Un site Web peut-il s'accommoder de configurations aussi différentes ? Sa mise en page peut-elle varier selon l'écran ? Non.

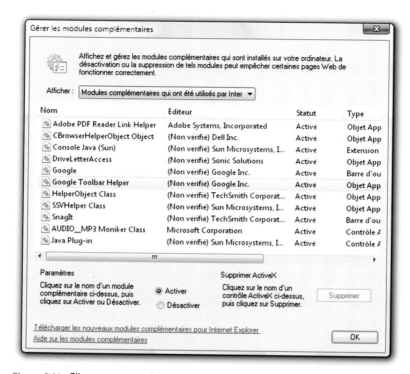

Figure 8.11 : Cliquez sur un module complémentaire douteux et, à la rubrique Paramètres, choisissez l'option Désactiver.

Certains concepteurs se basent sur la taille moyenne d'un écran, quitte à afficher de vastes marges vides de part et d'autre des moniteurs de grande taille. Ou encore, ils laissent le soin aux internautes de redimensionner leur navigateur au mieux. Ou alors, la page déborde carrément de l'écran.

Le meilleur moyen de s'en sortir est de faire des essais en fonction de la résolution de l'écran, c'est-à-dire le nombre de pixels en abscisse et en ordonnée (ou en lignes et colonnes, si vous préférez). Nous en reparlerons au Chapitre 11. En attendant, voici ce que vous pouvez faire :

1. **Cliquez du bouton droit dans une partie vide du Bureau et choisissez Personnaliser.**

2. **Cliquez sur l'icône Paramètres d'affichage.**

3. **Actionnez le curseur Résolution afin de régler la définition de votre écran.**

   Actionner le curseur vers la droite permet d'afficher plus de données à l'écran. Si vous l'actionnez vers la gauche, le contenu de l'écran est agrandi, mais une partie se trouvera hors de l'écran.

Bien qu'une résolution de 800 × 600 pixels convienne aux écrans relativement petits, beaucoup de sites sont désormais conçus pour un affichage en 1024 × 768 pixels.

Internet Explorer s'étale sur tout l'écran !

Internet Explorer s'ouvre normalement dans une fenêtre qui n'occupe qu'une partie de l'écran. Mais il lui arrive d'en occuper la totalité, en repoussant en plus les menus et la Barre des tâches. Le mode "plein écran" est parfait pour visionner des films, mais la parcimonie des menus empêche de démarrer un autre programme.

Appuyez sur la touche F11 pour quitter le mode Plein écran, Cette touche est une bascule qui active ou désactive ce mode.

 Appuyer sur la touche Windows affiche le menu Démarrer et la Barre des tâches, commode pour lancer rapidement un programme et revenir à Internet Explorer.

Envoyer et recevoir du courrier électronique

i Internet Explorer fait de l'Internet un magazine multimédia, Windows Mail le transforme en service postal où vous ne serez jamais à court de timbres. Windows Mail permet d'envoyer des courriers et des fichiers à n'importe qui, dans le monde, possédant une adresse de messagerie Internet.

En parfait secrétaire particulier, Windows Mail trie automatiquement le courrier entrant et le classe dans les dossiers appropriés, sait jongler avec plusieurs comptes de messagerie, et s'occupe aussi de la sécurité du courrier.

Si vous avez utilisé Outlook Express, la messagerie livrée avec Windows XP, vous ne serez pas dépaysé par Windows Mail. Les deux programmes se ressemblent et leurs menus sont presque les mêmes. Windows Mail est capable d'importer tous les comptes, contacts et courriers d'Outlook Express. Si vous avez procédé à la mise à jour de Windows XP vers Windows Vista, Mail aura automatiquement procédé à la migration des données.

Utiliser Windows Mail

L'écran de Windows Mail, que montre la Figure 9.1, est divisé en deux volets : à gauche, le volet des dossiers, où votre courrier est judicieusement classé. À droite, le volet de la messagerie, où vous lisez le courrier.

Figure 9.1 : Les dossiers sont affichés à gauche, les courriers à droite. Une fenêtre d'aperçu, en bas à droite, permet de lire le courrier sélectionné sans l'ouvrir.

Les dossiers de Mail peuvent être considérés comme des bacs à courrier. Cliquez dessus pour voir ce qu'ils contiennent et vous aurez une plaisante surprise. En effet, contrairement à votre vrai bureau dont le désordre épouvante la femme de ménage, celui de Windows Mail est parfaitement en ordre, réparti et trié dans les dossiers suivants :

- **Boîte de réception :** Quand vous vous connectez à l'Internet, Windows Mail relève tout le courrier en attente et le place dans le dossier Boîte de réception. Si la connexion est à haut débit, Mail relève le courrier toutes les 30 minutes, ou chaque fois que vous cliquez sur le bouton Envoyer/Recevoir, dans la barre d'outils.

Réduisez l'intervalle entre deux relèves du courrier en choisissant Options, dans le menu Outils, et en cliquant sur l'onglet Général. Modifiez ensuite Vérifier l'arrivée de nouveaux messages toutes les *n* minutes.

- **Boîte d'envoi :** Quand vous envoyez un message ou que vous y répondez, Windows Mail tente aussitôt de se connecter à l'Internet afin de l'envoyer. Si vous êtes déjà connecté, l'envoi est immédiat.

- **Éléments envoyés :** Tous les courriers que vous envoyez sont conservés ici (pour en supprimer un qui vous embarrasserait, cliquez dessus du bouton droit et choisissez Supprimer).

- **Éléments supprimés :** Ce dossier est la corbeille de Mail. Il permet de récupérer des courriers supprimés par erreur. Pour en supprimer un définitivement, cliquez dessus du bouton droit et, dans le menu contextuel, choisissez Supprimer.

Pour éviter que du courrier supprimé encombre le dossier Éléments supprimés, choisissez Outils, dans la barre de menus, puis Options. Cliquez sur l'onglet Avancé puis sur le bouton Maintenance. Cochez ensuite la case Vider les messages du dossier Éléments supprimés en quittant.

- **Brouillons :** Si vous désirez terminer plus tard le courrier que vous êtes en train d'écrire, choisissez Fichier, puis Enregistrer. La lettre restera dans le dossier Brouillon, prête à être rouverte pour la terminer.

- **Courrier indésirable :** Windows Mail analyse le contenu des courriers et met ici tout ce qu'il considère comme du courrier non sollicité.

Pour voir le contenu d'un dossier, cliquez sur son nom. Le courrier apparaît à droite. Cliquez sur l'un d'eux, et son contenu apparaît dessous, dans le volet de visualisation.

Vous voulez transférer tout votre courrier de l'ancien ordinateur vers le nouveau ? Reportez-vous au Chapitre 19 pour savoir comment faire.

De quoi ai-je besoin pour recevoir et envoyer du courrier électronique ?

Pour échanger du courrier électronique, il vous faut :

- **Un compte de messagerie :** La prochaine section explique comment configurer un compte de messagerie sur Windows Mail. La plupart des fournisseurs d'accès Internet (FAI) vous fournissent votre adresse de messagerie.

- **L'adresse de votre correspondant :** Vous devez la leur demander. Une adresse est composée du nom d'utilisateur – qui ressemble généralement au véritable nom de la personne –, suivi du signe @ (ou "arobase", prononcé "at") et du nom du FAI. Une adresse électronique d'un correspondant abonné à Orange (ex-Wanadoo), dont le nom est Jean Machintruc, sera `jean.machintruc@wanadoo.fr`, `jmachintruc@wanadoo.fr`, `jm007@wanadoo.fr` ou autre variante.

- **Un message :** C'est l'équivalent de la feuille de papier. Après avoir tapé l'adresse du destinataire et le message, cliquez sur le bouton Envoyer. Il est ensuite acheminé à bon port.

Vous trouverez l'adresse électronique des gens sur leur carte de visite, sur leur site Web, voire en répondant à un courrier. Car, chaque fois que vous répondez à un message, Windows Mail ajoute le destinataire à la liste de vos contacts.

Si vous avez fait une erreur en tapant une adresse, le message vous est renvoyé avec un texte en anglais – *Undelivered mail returned to sender*, courrier non distribué retourné à l'expéditeur – et un message en pièce jointe. Vérifiez scrupuleusement l'adresse (attention aux accents, point-virgule, espace et autres caractères non admis) puis réessayez. Si le message est de nouveau renvoyé, vérifiez si la personne n'a pas changé d'adresse de messagerie, en lui téléphonant par exemple.

Configurer votre compte de messagerie

Trois éléments, tous fournis par votre FAI, sont indispensables pour envoyer ou recevoir du courrier : votre nom d'utilisateur, votre mot de passe et une connexion à l'Internet. Vous les avez déjà si vous avez configuré votre connexion Internet comme l'explique le Chapitre 8.

Beaucoup de gens définissent plusieurs adresses. Que vous créiez la première ou la quarantième adresse, voici comment procéder :

1. **Configurez votre compte Internet et ouvrez Windows Mail.**

   Vous devez commencer par configurer votre compte Internet en premier, comme décrit au Chapitre 8. Autrement, votre courrier ne pourrait pas accéder à l'Internet.

Pour démarrer Windows Mail pour la première fois, ouvrez le menu Démarrer et cliquez sur l'icône Courrier. Si vous ne la voyez pas, choisissez Tous les programmes puis cliquez sur Windows Mail. Le logiciel de messagerie apparaît, prêt à être configuré pour envoyer et recevoir du courrier, comme le montre la Figure 9.2.

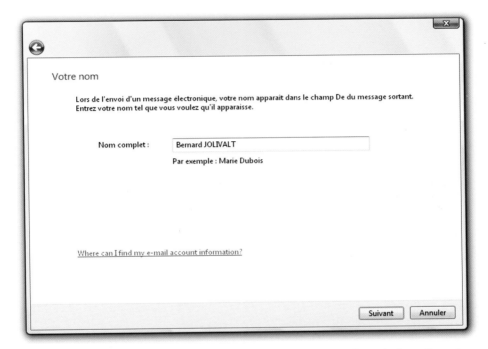

Figure 9.2 : Quand il est démarré pour la première fois, Windows Mail vous demande de configurer le compte de messagerie.

Si l'écran de la Figure 9.2 n'apparaît pas spontanément, ouvrez Windows Mail et, dans le menu Outils, choisissez Comptes. Cliquez sur le bouton Ajouter, choisissez Compte de messagerie puis cliquez sur Suivant pour accéder à la fenêtre de la Figure 9.2.

2. **Tapez votre nom habituel et cliquez sur Suivant.**

   Dans le courrier que recevront vos correspondants, votre nom apparaîtra dans le champ De tel que vous l'avez tapé à la Figure 9.2.

3. **Tapez votre adresse de messagerie puis cliquez sur Suivant.**

L'adresse de messagerie est votre nom suivi du signe @ et du domaine de votre FAI. Par exemple, si votre nom d'utilisateur est *jean.machintruc* votre service de messagerie *wanadoo.fr,* vous tapez **jean.machintruc@wanadoo.fr**.

4. **Choisissez le type de serveur et les noms des serveurs de courrier entrant et sortant, puis cliquez sur Suivant.**

Là, vous devez connaître le type de compte de messagerie utilisé par le service. Ce sont des termes techniques aussi obscurs, pour le profane, que POP3, SMTP ou IMAP. Votre fournisseur d'accès Internet vous a sans doute fourni ces renseignements cruciaux par un courrier postal. Si vous les avez perdus, appelez le service technique de votre FAI et demandez-leur les noms POP3 et IMAP à utiliser. Le Tableau 9.1 montre ceux de quelques services de messagerie.

Tableau 9.1 : Les paramètres de courrier de quelques FAI.

Service	*Type*	*Serveur de courrier entrant*	*Serveur de courrier sortant*
Gmail, de Google (voir l'encadré à propos des comptes Gmail, un peu plus loin)	POP3	pop.gmail.com	smtp.gmail.com
America Online (voir l'encadré à propos des comptes AOL, un peu plus loin)	IMAP	imap.fr.aol.com	smtp.fr.aol.com
Yahoo! (seuls les comptes payants peuvent recevoir du courrier avec Windows Mail)	POP3	pop.mail.yahoo.fr	smtp.mail.yahoo.fr
Free	POP3	popfree.fr	smtp.free.fr
Orange	POP3	pop.wanadoo.fr	smtp.wanadoo.fr

NdT : Vous trouverez les paramètres de compte de tous les FAI opérant en France sur le site commentcamarche.net, à l'adresse `http://www.commentcamarche.net/faq/sujet-893-messagerie-adresses-serveurs-pop-et-smtp-des-fai`.

Les messageries Gmail de Google, AOL et Yahoo! exigent tous que vous cochiez la case Le serveur sortant requiert une authentification.

5. Tapez le nom de l'utilisateur de la messagerie et un mot de passe, puis cliquez sur Suivant.

Le nom de l'utilisateur est la partie du nom qui précède le signe @. Tapez ensuite le mot de passe fourni par votre FAI. Cochez la case Mémoriser le mot de passe afin de ne pas avoir à le taper chaque fois que vous ouvrez Mail.

Ne cochez la case Le serveur sortant requiert une authentification que si votre FAI le demande expressément.

6. Cliquez sur Terminer.

C'est fait. Windows Mail relève aussitôt le courrier en attente et vous permet d'en envoyer.

🖛 Des paramètres qui ne fonctionnent pas ou semblent erronés sont faciles à modifier. Dans le menu Outils, choisissez Comptes puis double-cliquez sur le nom du compte à corriger.

🖛 Si votre FAI permet d'ouvrir plusieurs comptes, n'hésitez pas à créer une deuxième adresse "jetable" que vous utiliserez pour vos transactions commerciales. Si cette adresse devient la cible répétée de courriers non sollicités ou indésirables, il vous suffira de la supprimer et d'en créer une nouvelle.

🖛 Veillez à ce que votre adresse préférée soit votre adresse *par défaut,* qui sera l'adresse de retour pour tous les courriers que vous enverrez. Pour définir l'adresse par défaut, choisissez Comptes, dans le menu Outils, cliquez sur votre adresse de prédilection, puis sur le bouton Par défaut.

🖛 Mémorisez ces paramètres afin de ne plus avoir à vous les coltiner : choisissez Outils, puis Comptes et cliquez sur le nom de votre compte. Cliquez ensuite sur Exporter afin d'enregistrer les informations du compte au format IAF (*Internet Account File,* fichier de compte Internet), reconnu par la plupart des logiciels de messagerie. Pour importer ces paramètres, faites comme précédemment mais choisissez Importer.

Compléter la création d'un compte AOL dans Mail

Quand vous définissez un compte AOL dans Windows Mail, effectuer les Étapes 1 à 6 n'est pas suffisant pour qu'il fonctionne. Vous devrez compléter la procédure comme suit :

1. Dans la barre de menus de Mail, choisissez Outils puis Comptes afin d'accéder à votre ou vos comptes.

2. Sélectionnez le compte AOL que vous avez créé, choisissez Propriétés puis cliquez sur l'onglet Serveurs.

3. Cochez la case Le serveur sortant requiert une authentification puis cliquez sur le bouton Appliquer.

4. Cliquez sur l'onglet Avancé.

5. Dans le champ Courrier sortant (SMTP), tapez le chiffre 587 puis cliquez sur Appliquer.

6. Cliquez sur l'onglet IMAP puis décochez la case Stocker les dossiers spéciaux sur le serveur IMAP.

7. Cliquez sur Appliquer, OK puis Fermer.

Si un message vous demande de télécharger des dossiers depuis le serveur de messagerie, cliquez sur Oui.

Écrire et envoyer du courrier électronique

Prêt à envoyer votre premier courrier électronique ? Après avoir configuré votre compte d'utilisateur, procédez comme suit pour écrire une lettre puis l'envoyer à travers le cyberespace jusqu'à son destinataire :

1. Ouvrez Windows Mail puis, dans le menu, cliquez sur le bouton Créer un message.

Si le bouton Créer un message n'est pas visible, cliquez sur le menu Fichier, choisissez Nouveau, puis Message.

Une fenêtre Nouveau message apparaît, semblable à celle de la Figure 9.3.

Si vous avez configuré plus d'un compte, Windows Mail adresse automatiquement le courrier au compte par défaut, généralement le premier que vous avez créé. Pour envoyer le courrier à un autre compte, cliquez sur le bouton fléché à droite du bouton De (NdT :

Compléter la création d'un compte Gmail dans Mail

Après avoir défini un compte Gmail, une petite manipulation est indispensable pour qu'il fonctionne sous Windows Mail :

1. **Dans la barre de menus de Mail, choisissez Outils puis Comptes afin d'accéder à votre ou vos comptes.**

2. **Sélectionnez le compte Gmail que vous avez créé, choisissez Propriétés puis cliquez sur l'onglet Serveurs.**

3. **Cochez la case Le serveur sortant requiert une authentification puis cliquez sur le bouton Appliquer.**

4. **Cliquez sur l'onglet Avancé.**

5. **Sous la ligne Courrier sortant SMTP, cochez la case Ce serveur nécessite une connexion sécurisée (SSL).**

   Le numéro du port du courrier entrant devient 995.

6. **Tapez 465 dans le champ Courrier sortant (SMTP).**

7. **Cliquez sur Appliquer, OK puis Fermer.**

---

il n'est affiché que si plusieurs comptes ont été créés) puis choisissez un autre nom de compte.

Pour envoyer rapidement un courrier électronique à un correspondant figurant dans le dossier Contacts, cliquez du bouton droit sur son nom, choisissez Action puis Envoyer un message. Windows Mail ouvre une fenêtre de message déjà adressée à ce correspondant, vous évitant ainsi une étape.

2. **Tapez l'adresse de votre correspondant dans le champ À.**

Tapez l'adresse électronique du correspondant dans le champ. Ou alors, cliquez sur le bouton À voisin. Une fenêtre apparaît, contenant tous vos contacts. Cliquez sur le nom de l'un d'eux, puis sur le bouton À, et enfin sur OK.

Vous voulez envoyer ou faire suivre un même message à plusieurs correspondants ? Préservez leur vie privée en cliquant sur le bouton Cci (Copie carbone invisible) au lieu de À. Tous recevront

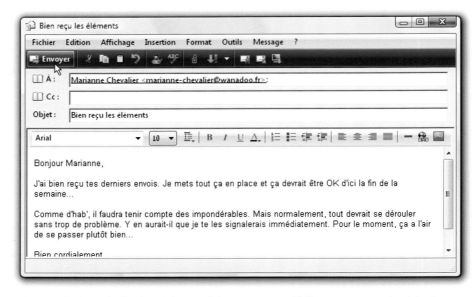

Figure 9.3 : Après avoir cliqué sur le bouton Créer un message, Mail ouvre une sorte de mini traitement de texte.

le message, mais les adresses des uns et des autres seront cachées, préservant ainsi leur confidentialité. Si le bouton Cci n'est pas visible, choisissez Affichage, dans le menu, puis Tous les en-têtes.

Pour permettre à chacun de voir les adresses des autres, sélectionnez leurs noms puis cliquez sur le bouton Cc (Copie carbone). Sachez cependant que cette pratique n'est pas toujours appréciée.

3. Remplissez le champ Objet.

Bien que facultative, cette information permet au destinataire de savoir de quoi il est question, et aussi d'identifier et trier plus facilement son courrier.

4. Tapez le message dans la grande zone de texte, en bas de la fenêtre.

Tapez sans vous soucier de la longueur de votre littérature. Vous n'atteindrez sans doute jamais la limite maximale, qui est de plusieurs centaines, voire milliers de pages.

5. **Pour joindre un fichier à votre message, faites-le glisser et déposez-le dans la zone de texte. Ou alors, cliquez sur l'icône en forme de trombone, naviguez jusqu'au fichier puis double-cliquez sur son nom afin de le joindre.**

La plupart des fournisseurs d'accès Internet limitent la taille des pièces jointes à 5 méga-octets (Mo), ce qui est suffisant pour bon nombre de fichiers MP3 ou de photos. Vous découvrirez au Chapitre 16 comment envoyer quasiment n'importe quelle photo.

6. **Cliquez sur le bouton Envoyer, en haut à gauche.**

Et hop ! Windows Mail démarre le modem, si nécessaire, envoie le message à travers l'Internet jusqu'à la boîte aux lettres de votre correspondant. Selon la vitesse de la connexion Internet et la charge du réseau, le courrier parvient n'importe où dans le monde dans un délai de 15 secondes à quelques jours, la moyenne étant de quelques minutes.

Pas de bouton Envoyer ? Cliquez sur Fichier, dans le menu, et choisissez Envoyer le message (ou appuyez sur Alt+S).

Si la barre de boutons visible à la Figure 9.3 n'apparaît pas dans votre exemplaire de Windows Mail, cliquez du bouton droit dans une partie vide du menu – un peu à droite du menu "?" est parfait – et cochez la case Barre d'outils.

✓ Si les boutons sont trop petits, agrandissez-les : cliquez du bouton droit dans la barre d'outils et choisissez Personnaliser. Dans le menu Options d'icône, choisissez Grandes icônes. Leur taille double. Cliquez ensuite sur Fermer.

✓ Pas très doué en ortografe ? Dans ce cas, avant d'envoyer le message, cliquez sur le bouton Orthographe, ou choisissez cette option dans le menu Outils. Ou encore, appuyez sur la touche F7. Ou en dernier recours, prenez un bon dictionnaire dans votre bibliothèque (mais appuyez sur F7, c'est plus rapide).

Lire le courrier électronique reçu

Si Windows Mail est ouvert pendant que vous êtes connecté à l'Internet, il vous informe de l'arrivée de tout courrier par un signal sonore. Une petite enveloppe apparaît brièvement en bas à droite de l'écran, près de l'horloge.

Pour vérifier l'arrivée du courrier lorsque Windows Mail n'est pas ouvert, chargez-le à partir du menu Démarrer. Cliquez ensuite sur le bouton Envoyer/Recevoir (ou cliquez sur Outils, dans le menu, et choisissez Envoyer et recevoir puis l'option Envoyer et recevoir tout). Mail se connecte à l'Internet, envoie tous vos messages qui étaient en attente puis relève les messages et les place dans la Boîte de réception.

Procédez comme suit pour lire les lettres de la Boîte de réception et, soit y répondre, soit les classer dans un dossier.

1. **Ouvrez Windows Mail et consultez la Boîte de réception.**

   Cette étape peut être effectuée de différentes façons, selon la configuration de Mail. Si un panneau annonce que la Boîte de réception contient des messages non lus, cliquez sur les mots Messages non lus afin d'en prendre connaissance. Ou alors, cliquez sur le dossier Boîte de réception, à gauche de Mail.

   Dans les deux cas, Windows affiche les messages présents dans la Boîte de réception (Figure 9.4). Chaque courrier est listé chronologiquement, les plus récents en haut.

   Vous préférez que les nouveaux messages se trouvent en bas de la liste, ce qui est plus rationnel ? Pour ce faire, cliquez sur l'en-tête Reçu, et Mail trie aussitôt le courrier dans l'autre sens. Sachez que le courrier peut être trié de la même manière en cliquant sur les en-têtes De et Objet.

2. **Cliquez sur l'objet de n'importe quel message pour le lire.**

   Le contenu de message est affiché dans la partie inférieure de Mail : le volet de visualisation (Figure 9.5). Pour ouvrir réellement le message et le voir dans sa propre fenêtre, double-cliquez sur son objet.

3. **À partir de là, Mail propose plusieurs options, toutes décrites dans la liste suivante :**

   • **Ne rien faire :** Le message reste dans le dossier Boîte de réception.

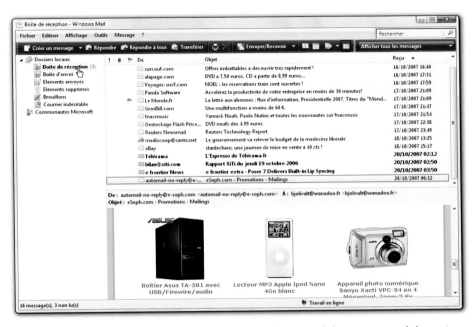

Figure 9.4 : Cliquez sur le dossier Boîte de réception, à gauche, pour voir les messages qui viennent d'arriver.

- Répondre au message : Cliquez sur le bouton Répondre, dans la barre d'outils – ou choisissez le menu Message, puis Répondre à l'expéditeur – et une nouvelle fenêtre apparaît, prête à recevoir votre réponse. Elle est préadressée, ce qui est très commode. Le message original se trouve en bas, à titre de rappel pour votre correspondant.

- Classer le message : Cliquez du bouton droit sur le message et choisissez, soit Déplacer vers dossier, soit Copier dans un dossier. Sélectionnez le dossier désiré puis cliquez sur OK. Ou mieux, faites glisser le message jusque sur un dossier, dans le volet de gauche, et déposez-le. Le volet n'est pas visible ? Cliquez sur le bouton Liste des dossiers, représenté dans la marge (NdT : certains boutons sont cachés si Mail n'est pas affiché à une taille suffisamment large).

- Imprimer le message : Cliquez sur le bouton Imprimer, dans la barre d'outils, pour obtenir une sortie sur papier du message.

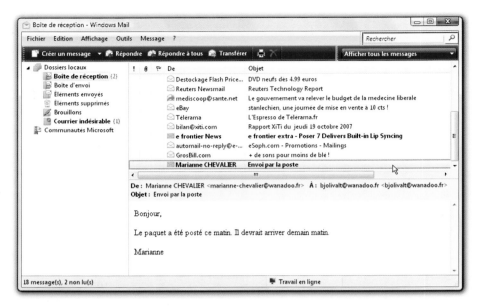

Figure 9.5 : Cliquez sur l'objet d'un message pour le lire.

- Supprimer le message : Cliquez sur le bouton Supprimer ou déposez le message dans le dossier Éléments supprimés. Tous les messages supprimés restent dans ce dossier, jusqu'à ce que vous cliquiez sur ce dernier du bouton droit et choisissiez Vider le dossier Éléments supprimés. Pour un nettoyage automatique, choisissez Outils, puis Options ; cliquez sur l'onglet Avancé, puis sur le bouton Maintenance et cochez la case Vider les messages du dossier Éléments supprimés en quittant.

Ces conseils vous aideront à mieux exploiter Windows Mail :

✔ Windows Mail peut parfois surprendre lorsque vous vous apprêtez à déposer un message dans un dossier : la petite icône en forme d'enveloppe se transforme en cercle noir barré. Cela signifie que le message ne peut pas être placé dans ce dossier. Essayez ailleurs.

✔ Pour organiser les messages entrants, cliquez du bouton droit sur la Boîte de réception et choisissez Nouveau dossier. Nommez-le. Créez autant de dossiers que vous en avez besoin pour classer votre courrier.

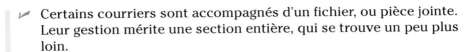
✔ Certains courriers sont accompagnés d'un fichier, ou pièce jointe. Leur gestion mérite une section entière, qui se trouve un peu plus loin.

✔ Si vous recevez du courrier d'une banque, de eBay, PayPal ou autre site Web financier, regardez-y à deux fois avant de cliquer sur un lien. Une nouvelle activité crapuleuse appelée "hameçonnage" consiste à envoyer massivement des courriers qui incitent le destinataire à divulguer son nom, son mot de passe, voire le code de sa carte bancaire. Armés de ces informations, les truands se dépêchent de vider votre compte bancaire. Windows Mail affiche un message d'alerte lorsqu'il repère des courriers douteux. Nous reviendrons sur l'hameçonnage au Chapitre 10.

✔ Lorsqu'une icône avec un "X" rouge apparaît à la place d'une image ou d'une photo, dans un courrier, cela signifie que Windows Mail l'a bloquée. Pour voir les images, cliquez sur le bandeau en haut du message. Pour empêcher Mail de les bloquer, choisissez Outils puis Options, cliquez sur l'onglet Sécurité puis décochez la case Bloquer les images et les autres contenus externes dans les messages HTML.

Envoyer et recevoir des pièces jointes

À l'instar d'une photo que vous avez glissée dans une enveloppe pour montrer au destinataire à quoi ressemble votre nouvelle voiture, une pièce jointe est un fichier ajouté au message.

Windows Mail permet d'envoyer des fichiers de plusieurs manières. Commencez par écrire le message comme nous l'avons expliqué précédemment dans ce chapitre. Mais, avant de cliquer sur le bouton Envoyer, glissez et déposez le fichier sur le texte du message. Windows Mail en fait aussitôt une pièce jointe qui apparaît sous la ligne Objet, comme le montre la Figure 9.6.

Vous pouvez aussi cliquer du bouton droit sur un fichier et, dans le menu contextuel, choisir Envoyer vers, Destinataire. Windows Mail ouvre un nouveau message auquel le fichier est déjà joint ; il ne vous reste plus qu'à choisir le destinataire.

Vous renoncez à envoyer une pièce jointe ? Cliquez dessus du bouton droit et choisissez Supprimer.

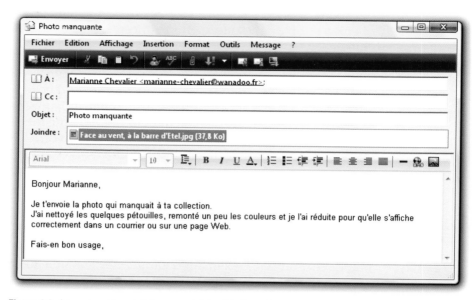

Figure 9.6 : La ou les pièces jointes sont visibles à la ligne Joindre.

N'importe quel fichier peut être joint. La seule limite est la taille imposée par votre FAI, généralement 5 Mo. Pour vérifier la taille d'une pièce jointe, cliquez dessus du bouton droit et choisissez Propriétés. La taille est mentionnée sous l'onglet Général.

Comme les fichiers des photos numériques dépassent souvent la limite des 5 Mo, notamment lorsque vous en joignez plusieurs à un message, Windows Mail permet de les compresser, un procédé décrit au Chapitre 16. Les images ne sont pas du tout dégradées mais sont transférées plus rapidement.

Le courrier électronique permet d'envoyer très facilement des fichiers dans le monde entier. À tel point que les programmeurs de virus n'ont pas laissé passer cette aubaine, créant des virus autoréplicants qui se propagent en envoyant des copies d'eux-mêmes à tous les contacts d'un carnet d'adresses.

Ce qui m'amène à cette mise en garde :

> Si quelqu'un que vous connaissez vous envoie inopinément une pièce jointe, ne l'ouvrez surtout pas. Envoyez-lui un courrier lui demandant confirmation de son envoi. Il peut avoir été fait à son insu (et pas de son plein gré) par un virus ou un robot. Pour plus de

sécurité, tirez la pièce jointe jusque sur le Bureau et soumettez-la à votre antivirus. Ne l'ouvrez jamais directement depuis le courrier lui-même.

✓ Pour vous empêcher d'ouvrir un fichier infecté, Windows Mail refuse d'ouvrir la grande majorité des fichiers joints. Si Mail ne vous autorise pas à ouvrir un fichier provenant d'un correspondant sûr – un fichier que vous attendiez –, désactivez la protection : choisissez Outils, puis Options, cliquez sur l'onglet Sécurité puis décochez la case Ne pas autoriser l'ouverture ou l'enregistrement de pièces jointes susceptibles de contenir un virus.

Rechercher un courrier égaré

Quand la messagerie est bien remplie, un courrier important dont vous avez évidemment immédiatement besoin peut être difficile à retrouver. Vista propose trois moyens pour le récupérer.

Si vous savez dans quel dossier il se cache, cliquez sur le nom de ce dossier. Cliquez ensuite dans le champ Rechercher, en haut à droite de Mail. Tapez le nom de l'expéditeur, voire quelques mots du message, et appuyez sur Entrée.

Vous ne savez pas dans quel dossier il peut être ? Essayez avec le champ Rechercher du menu Démarrer. Comme nous l'avons vu au Chapitre 6, tous les mots de vos courriers sont instantanément indexés. Le champ Rechercher du menu Démarrer aura tôt fait de dénicher celui que vous cherchez.

Si les champs Rechercher échouent, essayez la fonction de recherche intégrée à Mail. Elle effectue une recherche méticuleuse de tous les dossiers lorsque vous procédez comme suit :

1. **Dans le menu Édition, choisissez Rechercher puis Message.**

2. **Dans la boîte de dialogue Rechercher un message (voir Figure 9.7), indiquez les éléments à rechercher.**

   Les options sont :

   • **Regarder dans :** Normalement, une recherche ne porte que sur la Boîte de réception. Pour rechercher dans la totalité des fichiers, cliquez sur Parcourir, choisissez Dossiers locaux,

Figure 9.7 : Une recherche des messages de Jean Machintruc contenant tout ou partie du mot "tél".

cliquez sur OK puis cochez la case Inclure les sous-dossiers. Pour ne limiter la recherche qu'à un seul dossier, cliquez sur Parcourir et sélectionnez-le.

- **De :** Vous recherchez un courrier d'une personne en particulier ? Tapez son nom pour voir tous les messages qu'elle vous a envoyés.

- **À :** Tapez le nom d'une personne pour ne voir que les messages que vous lui avez envoyés.

- **Objet :** Tapez un mot qui apparaît dans la ligne Objet des messages pour les filtrer.

- **Reçu avant le** et **Reçu après le :** Ces deux champs permettent de limiter la recherche à une période de temps.

- **Le message comporte une ou plusieurs pièces jointes :** Cochez cette case pour récupérer tous les messages comportant au moins une pièce jointe.

- **Message avec indicateur :** Récupère les messages que vous avez marqués d'un drapeau afin de les signaler à votre attention. Cette option figure dans le menu Message (NdT : il est encore plus simple de cliquer dans la petite colonne marquée d'un drapeau).

Généralement, un seul critère permet de retrouver un message. Essayez en ne tapant que quelques lettres de l'adresse de messagerie ou un seul mot figurant dans le message. Si les résultats sont trop nombreux, ajoutez d'autres termes à la recherche afin de réduire le nombre de concordances.

3. **Après avoir rempli les champs, cliquez sur le bouton Rechercher.**

   Vista farfouille frénétiquement dans les dossiers, listant tous les messages correspondant à votre recherche.

Gérer les contacts

À l'instar d'un bureau où l'on trouve un répertoire ou un présentoir de cartes de visites, Windows Mail est équipé d'un carnet d'adresses contenant les coordonnées de vos correspondants. L'ancien programme Carnet d'adresses de Windows XP a été abandonné au profit du dossier Contacts visible dans la Figure 9.8.

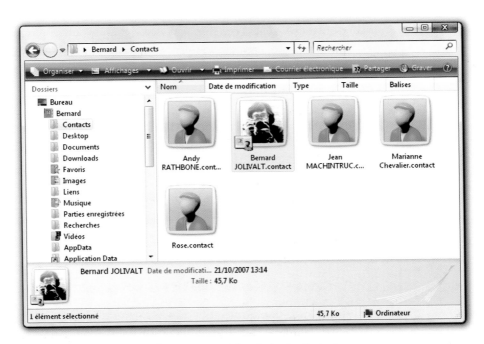

Figure 9.8 : Tous vos correspondants se trouvent dans le dossier Contacts.

Pour voir le dossier Contacts, ouvrez le menu Démarrer, cliquez sur votre nom d'utilisateur en haut à droite, et ouvrez le dossier Contacts. Ou, depuis Windows Mail, cliquez sur le bouton Contacts, dans la barre d'outils.

La liste des contacts peut être allongée de diverses manières :

- **En laissant Windows Mail s'en charger :** Quand vous répondez à un courrier électronique, Mail place immédiatement le nom et l'adresse de messagerie du destinataire dans le dossier Contacts. Si cette option vous paraît excessive, choisissez Options, dans le menu Outils, cliquez sur l'onglet Envois et décochez la case Toujours placer les destinataires de mes messages dans la liste des Contacts.

- **Importer un ancien carnet d'adresses :** Pour récupérer le carnet d'adresse d'un autre ordinateur, ouvrez le dossier Contacts et, dans la barre d'outils, choisissez Importer. Cette manipulation implique que vous avez d'ores et déjà utilisé la commande Exporter de l'ancien carnet d'adresses pour créer un fichier au format CSV (*Comma Separated Values,* valeurs séparées par des virgules), LDIF (*Lightweight Data Interchange Format,* format ultra-léger d'échange de données), vCard (carte de visite virtuelle) ou, à partir d'Outlook Express, WAB (*Windows Address Book,* carnet d'adresses Windows).

- **Ajouter manuellement les contacts :** Dans Windows Mail, choisissez Fichier, Nouveau, puis Contact. Entrez au moins le nom et l'adresse de messagerie de la personne, ou créez une fiche exhaustive, digne des Renseignements Généraux, en remplissant la totalité des champs. Cliquez ensuite sur OK.

Voici quelques conseils utiles :

- Pour envoyer rapidement un message à un correspondant figurant parmi vos contacts, cliquez du bouton droit sur son nom, choisissez Action puis Envoyer un message. Vista affiche un nouveau message commodément pré-adressé, dans lequel vous taperez votre courrier avant de cliquer sur Envoyer.

- L'impression des contacts sous la forme d'un carnet d'adresses très pratique est expliquée au Chapitre 7.

✏ Pour sauvegarder la totalité de votre dossier Contacts, copiez-le sur un CD. Pour n'enregistrer que quelques contacts, sélectionnez-les puis, dans la barre d'outils, choisissez Exporter. Vous avez le choix entre les formats CSV ou vCard (dans un dossier contenant des fichiers .vcf).

✏ Vous pouvez aussi copier vos adresses dans la liste Contacts de votre iPod. Après avoir l'avoir connecté au PC, exportez les adresses au format vCard, comme décrit au paragraphe précédent. Lorsque Vista vous demandera de sélectionner le dossier pour l'exportation des fichiers VCF, choisissez le dossier Contacts de l'iPod.

Windows Mail sûr mais commode

Windows Mail prend spontanément des mesures de sécurité. Pour savoir lesquelles, et désactiver éventuellement celles qui vous gênent, choisissez Options, dans le menu Outils, et cliquez sur l'onglet Sécurité. Examinez ensuite ces trois rubriques en les modifiant au besoin :

Protection antivirus : Ces options vous protègent certes des virus, mais en filtrant presque tous les fichiers joints. Voici un récapitulatif :

✏ **Zone de sécurité Internet Explorer :** Ne touchez à rien ici. Mais si vous avez délibérément défini des zones de sécurité restreintes dans Internet Explorer, comme nous l'expliquons au Chapitre 10, c'est ici que vous trouverez plus d'informations.

✏ **M'avertir lorsque d'autres applications essayent de m'envoyer des courriers électroniques de ma part :** Laissez cette option active car c'est un moyen efficace et sans danger d'empêcher les vers et les virus de se propager.

✏ **Ne pas autoriser l'ouverture ou l'enregistrement de pièces jointes susceptibles de contenir un virus :** Comme, par les temps courrent, quasiment n'importe quel fichier peut héberger un virus, ce paramètre vous empêche effectivement d'ouvrir la plupart des pièces jointes. Décochez cette option pour pouvoir accéder de nouveau à vos fichiers joints.

Télécharger les images : Windows Mail ne télécharge aucune des images incorporées aux courriers que vous recevez. Vous ne pouvez les voir qu'en cliquant sur le bandeau qui surmonte le message. Décochez cette option pour mettre fin à cet inconvénient.

Courrier sécurisé : Les options de cette rubrique sont trop compliquées pour le commun des mortels. Ignorez-les.

Limiter les courriers indésirables

Il est malheureusement impossible d'échapper totalement aux courriers non sollicités, ou spams (NdT : initiales de *spiced potatoes and meat,* "patates épicées et viande", un célèbre sketch des Monty Python). Incroyable mais vrai, il existe encore des gens suffisamment bêtes et naïfs pour acheter auprès des spammeurs, ce qui rend l'activité de ces derniers suffisamment lucrative pour qu'ils persistent.

Fort heureusement Vista fait preuve d'un peu plus discernement pour reconnaître les spams. Lorsqu'il détecte un courrier douteux, il affiche le message de la Figure 9.9 et dépose le courrier en question dans le dossier Courrier indésirable.

Figure 9.9 : Windows Mail détourne automatiquement les spams vers le dossier Courrier indésirable.

Si vous avez repéré dans le dossier Courrier indésirable des messages qui ne sont pas des spams, sélectionnez-les en cliquant dessus puis cliquez sur le bouton Courrier légitime, dans la barre d'outils. Windows Mail le renvoie immédiatement dans le dossier Boîte de réception.

Bien qu'il ne soit pas possible d'endiguer complètement les spams, il est possible d'en réduire la quantité grâce à ces quelques règles :

- Ne communiquez votre adresse de messagerie qu'à vos proches, amis, collègues de travail et sociétés très connues. Ne la donnez pas à des inconnus et ne la postez pas sur des sites Web.

- Créez une deuxième adresse, dite "jetable", que vous utiliserez pour les transactions commerciales, le remplissage de formulaires ou de la correspondance qui ne sera pas suivie. Lorsque cette adresse sera la cible d'innombrables spams, supprimez-la comme expliqué à la section "Configurer votre compte de messagerie", dans ce chapitre, et créez-en une nouvelle.

✓ Ne postez jamais votre véritable adresse de messagerie dans un forum, groupe de discussion ou *chat,* ou toute autre zone de conversations publiques. Et surtout, ne répondez jamais à un spammeur, même en cliquant sur un lien de désabonnement. Cette action prouve en effet qu'il y a quelqu'un à cette adresse, ce qui l'ajoutera à la liste très convoitée des adresses actives, ce qui entraînera encore plus de spams.

✓ Voyez si votre FAI propose un filtrage antispam. Ce filtrage est si efficace que beaucoup de spammeurs tentent de le leurrer en utilisant des mots qui n'ont aucun sens. Si la ligne objet contient des mots qui n'existent dans aucun dictionnaire, c'est sans aucun doute du spam.

✓ Windows Mail propose quelques règles de filtrage simples des spams, dans son menu Outils, mais cela fait belle lurette que les spammeurs savent comment les contourner. Ces règles ne servent plus à rien pour le filtrage, mais sont commodes pour trier automatiquement le courrier entrant vers tel ou tel dossier.

L'informatique sûre

Comme la conduite automobile, l'utilisation de Windows est relative-ment sûre tant que vous restez sur la route, respectez la signalisation et ne conduisez pas avec les pieds en sortant la tête par le toit ouvrant.

Mais dans le monde de Windows et de l'Internet, il est diffi-cile de savoir si on est toujours sur la route, de repérer la signalisation, voire de distinguer les pieds du volant et du toit ouvrant. Des éléments qui paraissent totale-ment innocents – le courrier électronique d'un ami, un site Web – peut être un nid à virus qui mettent l'ordinateur sens dessus dessous et finissent par le planter.

Ce chapitre vous aide à reconnaître les dangers de la route dans le cyberespace et propose des mesures qui vous en protégeront.

Ces agaçants messages de permissions

En dépit de sa vingtaine d'années d'existence, Windows est toujours aussi naïf. Par exemple, lorsque vous démarrez un programme afin de modifier la configuration du PC, Vista est incapable de savoir si c'est vous qui le lancez, ou un virus déterminé à semer la pagaille dans votre ordinateur.

La solution ? Quand Vista détecte une tentative d'exécuter une action risquée pour Windows ou pour l'ordinateur, il affiche un message demandant votre permission avant de continuer.

S'il apparaît alors que vous n'avez rien fait de spécial, c'est sans doute parce qu'une malfaisante cochonceté tente de s'immiscer dans le PC. Cliquez sur Annuler afin de refuser la permission. Mais si c'est vous qui avez enclenché une action spécifique, ce qui a alerté Vista, cliquez sur Continuer. Vista abaisse sa grosse trique noueuse et vous laisse entrer.

Ou alors, si votre compte n'est pas du type Administrateur, demandez à quelqu'un qui détient un compte d'administrateur d'ouvrir sa session afin que vous puissiez continuer.

Eh oui, Vista est aussi rébarbatif qu'un vigile intransigeant, mais il lance ainsi un nouveau défi aux programmeurs de virus.

En langage technique, le panneau demandant la permission est un contrôle du compte d'utilisateur.

Le Centre de sécurité veille

Accordez-vous une minute pour vérifier la sécurité de votre PC grâce au Centre de sécurité de Vista. Il ressemble plutôt à un vaste panneau comportant des commutateurs qu'à un poste de garde. Il veille sur les quatre principaux systèmes de protection de Vista, vous indiquant s'ils sont activés ou non.

Le Centre de sécurité que montre la Figure 10.1 indique si vous avez activé le pare-feu de Windows, la fonction de mise à jour automatique, la protection contre les programmes malveillants et autres paramètres de sécurité, comme ceux d'Internet Explorer ou du nouveau Contrôle des comptes d'utilisateurs.

Pour l'ordinateur testé à la Figure 10.1, l'activation du pare-feu de Windows Vista n'est pas vérifiée car la protection est assurée en amont du PC par un routeur derrière lequel se trouvent tous les ordinateurs du réseau. Le pare-feu de Vista ferait double emploi (en revanche, si votre ordinateur se connecte directement au modem, vous devez activer le

---

Désactiver les permissions

Désactiver les demandes de permissions de Vista expose le PC aux forces obscures de l'informatique. Mais si vous passez plus de temps à cliquer dans ces panneaux qu'à travailler, et que vous détenez un compte d'Administrateur (ou que vous y avez accès), vous pourrez désactiver le vigile virtuel de Vista en procédant ainsi :

1. **Cliquez sur le bouton Démarrer, choisissez Panneau de configuration puis cliquez sur Comptes d'utilisateurs et protection des utilisateurs.**

   Le Panneau de configuration, décrit au Chapitre 11, permet de configurer les divers paramètres de Vista.

2. **Cliquez sur Comptes d'utilisateurs puis sur Activer ou désactiver le Contrôle des comptes d'utilisateurs.**

   Ce faisant, Vista vous demande une fois de plus la permission.

3. **Octroyez-vous la permission de continuer.**

   Cliquez sur Continuer ou entrez le mot de passe, puis cliquez sur OK pour accéder à la zone d'activation ou de désactivation.

4. **Décochez la case Utiliser le contrôle des comptes d'utilisateurs pour vous aider à protéger votre ordinateur.**

   Une fenêtre apparaît, vous demandant de redémarrer l'odinateur afin d'appliquer les modifications. Cliquez sur le bouton Redémarrer maintenant. L'ordinateur sera désormais très permissif.

Cette manipulation entraîne néanmoins un effet collatéral : le Centre de sécurité de Vista, décrit à la prochaine section, vous fera sans cesse remarquer que le Contrôle des comptes d'utilisateurs est désactivé.

Si vous changez d'avis, rétablissez ce contrôle en cochant cette fois la case à l'Étape 4.

---

pare-feu de Vista). La mise à jour automatique est activée, ce qui protège le PC des engeances que sont les virus et les espiogiciels.

Hormis quelques cas particuliers, comme celui exposé dans le paragraphe précédent, toutes ces protections devraient être actives afin de garantir une protection maximale.

Pour vous assurer que le système de défense du PC est opérationnel, ouvrez le Centre de sécurité et vérifiez ces paramètres :

1. **Ouvrez le menu Démarrer, cliquez sur Panneau de configuration, choisissez Sécurité puis Centre de sécurité.**

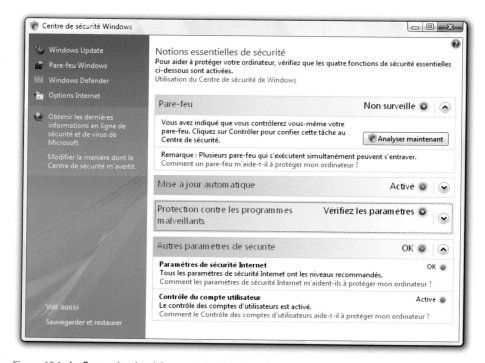

Figure 10.1 : Le Centre de sécurité permet d'activer les principales protections de votre ordinateur : le pare-feu de Windows, la mise à jour automatique et l'antivirus.

Le panneau de la Figure 10.1 apparaît. Il révèle la sécurité de l'ordinateur au travers de paramètres répartis en quatre catégories :

Si le Centre de sécurité signale qu'il est désactivé, cliquez sur Activer le Centre de sécurité.

Pare-feu : Au gré des mises à jour, un pare-feu de plus en plus puissant surveille toutes les connexions entrantes. S'il détecte une tentative d'intrusion indue, il la bloque aussitôt.

Mise à jour automatique : Cette fonction établit régulièrement une connexion Internet avec Microsoft, télécharge tous les nouveaux correctifs de sécurité et les installe, le tout gratuitement, sans même que vous ayez à intervenir.

Protection contre les logiciels malveillants : La protection contre les programmes malveillants est divisée en deux parties : la protection antivirus et la protection contre les logiciels espions – ou espiogiciels – et autres programmes malveillants. Vista n'est pas équipé d'un logiciel antivirus, ce qui vous oblige à en acheter un, soit en ligne sur l'Internet, soit dans une boutique informatique. Vous devrez ensuite vous abonner à la mise à jour des définitions de virus.

En revanche, Vista est équipé d'un éradiqueur d'espiogiciels nommé Windows Defender.

Autres paramètres de sécurité : Il s'agit essentiellement des paramètres de sécurité d'Internet Explorer et du Contrôle des comptes d'utilisateurs (qui vous inflige les incessantes demandes de permissions).

2. **Cliquez sur le bouton Activer maintenant ou Restaurer les paramètres afin de corriger tout problème sécuritaire potentiel.**

Chaque fois que le Centre de sécurité détecte qu'une protection de Vista est désactivée, il vous prévient en plaçant une icône en forme de bouclier dans la zone de notification, près de l'horloge.

Cliquez sur tout élément signalé par un bouclier rouge ou la mention Vérifiez les paramètres afin d'accéder aux boutons Activer maintenant ou Restaurer les paramètres.

En appliquant les deux étapes précédentes, votre ordinateur sera mieux protégé qu'avec toutes les versions antérieures de Windows.

Les quatre parties du Centre de sécurité ne proposent que des commutateurs de type Activé. Pour bidouiller davantage, cliquez sur l'un des noms des parties dans le volet de gauche. Vous accédez ainsi à d'autres commandes. Chaque partie, Pare-feu, Windows Update (la Mise à jour Windows), Windows Defender et Options Internet sont décrits dans des sections spécifiques, un peu plus loin dans ce chapitre.

Modifier les paramètres du pare-feu

Chacun de nous a décroché un jour le téléphone pour entendre le baratin d'un télévendeur. Dans les centres d'appels, un logiciel compose l'un après l'autre les numéros de téléphone qu'il trouve dans l'annuaire, jusqu'à ce que quelqu'un décroche. Les pirates informatiques procèdent de même : ils lancent un programme qui tente de s'introduire dans tous les ordinateurs connectés à l'Internet, les uns après les autres.

Les abonnés à l'Internet à haut débit sont particulièrement exposés car leurs ordinateurs sont longuement connectés. Ceci augmente le risque d'être localisé par les pirates décidés à exploiter n'importe quelle vulné-rabilité.

C'est là que le pare-feu de Windows entre en jeu. Placé entre Windows et l'Internet, il agit comme un portier intelligent. Si un quelque chose tente de se connecter alors que ni vous ni un de vos programmes l'a demandé, le pare-feu stoppe cette connexion inopportune.

Il arrivera occasionnellement de vouloir interagir avec un autre ordina-teur, quelque part sur l'Internet, pour participer à un jeu vidéo multi-joueur, par exemple, ou utiliser un logiciel de partage de fichiers. Pour empêcher le pare-feu de bloquer ces programmes, vous ajouterez leur nom à la liste des exceptions en procédant ainsi :

1. **Dans le menu Démarrer, choisissez le Panneau de configuration, cliquez sur Sécurité et choisissez Centre de sécurité.**

2. **Cliquez sur Pare-feu Windows, dans le volet de gauche, et choi-sissez Modifier les paramètres.**

   Dans le panneau de permission, cliquez sur Continuer ou entrez le mot de passe d'un compte d'Administrateur.

3. **Cliquez sur l'onglet Exceptions.**

   Comme le montre la Figure 10.2, le pare-feu répertorie tous les programmes actuellement autorisés à communiquer au travers du pare-feu. Vista en ajoute certains spontanément. Ne soyez donc pas étonné de les trouver dans la liste.

   Assurez-vous que la case Me prévenir lorsque le Pare-feu Windows bloque un nouveau programme est cochée, comme à la Figure 10.2. Quand un programme ne fonctionne pas correctement, le message pourrait laisser à penser que le pare-feu serait responsable.

4. **Cliquez sur le bouton Ajouter un programme, sélectionnez le programme – ou cliquez sur Parcourir pour le localiser –, puis cliquez sur OK.**

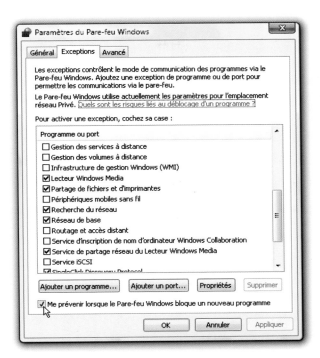

Figure 10.2 : Si le pare-feu bloque abusivement un programme, ajoutez ce dernier à la liste des exceptions.

Presque tous vos logiciels se trouvent dans le dossier Program Files, dans le disque dur C: ; leur icône est la même que dans le menu Démarrer.

Le pare-feu ajoute le programme sélectionné à la liste des exceptions, et autorise de ce fait les autres ordinateurs à s'y connecter.

- N'ajoutez pas de programmes à la liste des exceptions tant que vous n'avez pas la certitude que le pare-feu est en cause. Car chaque fois que vous enrichissez cette liste, vous rendez l'ordinateur un tout petit peu plus vulnérable.

- Si un programme vous demande d'ouvrir un port du pare-feu, choisissez Ajouter un port plutôt que Ajouter un programme, à l'Étape 4. Tapez le nom du port requis ainsi que son numéro, et indiquez s'il s'agit d'un port TCP (*Transmission Control Protocol,* protocole de contrôle de transmission) ou UDP (*User Datagram Protocol,* protocole de datagramme utilisateur).

- Il est facile de revenir aux paramètres initiaux si vous pensez vous être fourvoyé dans le paramétrage du pare-feu. Cliquez sur l'onglet Avancé, à l'Étape 3 puis cliquez sur le bouton Par défaut. Cliquez sur le bouton Oui, puis sur OK. Le pare-feu supprime toutes vos modifications, vous permettant ainsi de tout reprendre à zéro.

Modifier les paramètres de mise à jour de Windows

Chaque fois que quelqu'un découvre une nouvelle faille par laquelle s'introduire dans Windows, Microsoft sort un nouveau correctif de sécurité. Malheureusement, les malfaisants trouvent des failles plus vite que Microsoft les colmate. Le résultat est qu'il ne cesse de sortir correctif sur correctif.

La cadence est si soutenue que la plupart des utilisateurs n'arrivent plus à suivre. La solution fut donc d'automatiser les mises à jour. Chaque fois que vous vous connectez, que ce soit pour relever le courrier ou surfer sur le Web, l'ordinateur visite automatiquement le site Windows Update de Microsoft, et télécharge tous les nouveaux correctifs en tâche de fond.

Si votre ordinateur est connecté en permanence, c'est vers 3 heures du matin qu'il s'enquiert des nouveaux correctifs, afin de ne pas vous déranger dans votre travail. Au petit matin, il vous sera parfois demandé de redémarrer l'ordinateur afin que les correctifs soient opérationnels. Autrement, vous ne remarquez même pas ces actions.

Le Centre de sécurité de Vista, évoqué précédemment dans ce chapitre, explique comment s'assurer que Windows Update – qui se charge des mises à jour – est actif et en fonction. Mais si vous désirez modifier ces paramètres, par exemple pour ne pas installer de correctifs sans les avoir vus, vous procéderez comme suit :

1. **Cliquez sur le bouton Démarrer, choisissez Tous les programmes, puis Windows Update.**

   La fenêtre de Windows Update apparaît.

2. **Dans le volet de gauche, cliquez sur Modifier les paramètres.**

   La page des paramètres de Windows Update apparaît (Figure 10.3).

3. **Procédez aux modifications puis cliquez sur OK.**

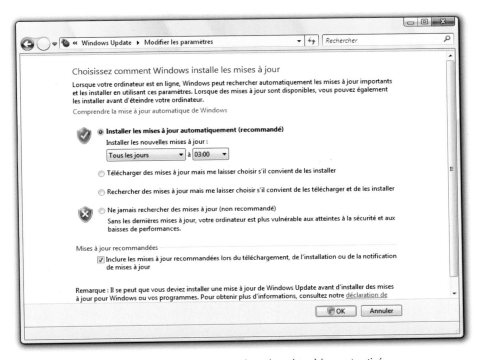

Figure 10.3 : Assurez-vous que l'installation automatique des mises à jour est activée.

Il est possible que vous n'ayez jamais à rien modifier. Mais dans la nuit noire, lorsque seules brillent encore les diodes du PC, Windows ira en catimini rechercher des correctifs à l'autre bout du monde.

Les utilisateurs avertis choisissent l'option Télécharger les mises à jour mais me laisser choisir s'il convient de les installer. Elle leur laisse une possibilité d'examiner les correctifs avant de les installer.

Éviter les virus

On est jamais trop prudent lorsqu'il s'agit de virus. Ils se propagent non seulement par les courriers électroniques et les programmes infectés, mais aussi dans les fichiers d'écran de veille, de thèmes (NdT : configurations de Bureau sauvegardées), de barres d'outils et autres compléments à Windows. Comme Vista ne comporte pas de programme antivirus, réduisez les risques en appliquant ces règles :

- Quand vous achèterez un antivirus, choisissez-en un qui tourne en tâche de fond. Pour trouver quelques propositions d'achats, ouvrez le Panneau de configuration, cliquez sur Centre de sécurité, puis sur la zone Protection contre les programmes malveillants, et cliquez sur le bouton Rechercher un programme.

- Configurez l'antivirus afin qu'il analyse tout ce que vous téléchargez, et aussi tout ce qui transite par des courriers électroniques ou par le programme de messagerie.

- N'ouvrez que les pièces jointes que vous attendiez. Si vous en recevez une inopinément de quelqu'un que vous connaissez, ne l'ouvrez pas. Contactez d'abord l'expéditeur pour vérifier que c'est bien lui qui vous l'a envoyée.

- N'exécutez pas deux antivirus en même temps car ils ne font généralement pas bon ménage (NdT : les indispensables définitions de virus de l'un sont considérées comme de vrais virus par l'autre). Pour tester un autre logiciel, désinstallez d'abord le programme existant à partir de la zone Programmes du Panneau de configuration.

- Le simple achat d'un antivirus n'est pas suffisant. Vous devez impérativement vous abonner à la mise à jour des définitions de virus afin que le logiciel détecte les derniers virus lâchés dans la nature. Ces mises à jour s'effectuent deux ou trois fois par semaine. Les virus récents se propagent très vite, causant les pires dégâts.

Si vous soupçonnez une infection par un virus et que vous n'avez pas de logiciel antivirus, débranchez le PC (ou le réseau, le cas échéant) ainsi que la prise de téléphone avant d'acheter le logiciel. Installez-le et démarrez l'analyse de l'ordinateur *avant* de le reconnecter à l'Internet. Vous éviterez ainsi d'infecter d'autres ordinateurs avant d'avoir désinfecté le vôtre.

Vous trouverez une foule d'informations sur la sécurité informatique, les virus, et même des programmes de désinfection spécifiques (et gratuits) sur le site www.secuser.com.

Sortir couvert sur l'Internet

L'Internet n'est pas un lieu sûr. Certains programmeurs ont conçu des sites Web destinés à exploiter les failles et vulnérabilités de Windows les plus récemment découvertes, celles que Microsoft n'a pas encore eu le temps de corriger. Cette section explique certaines des fonctionnalités d'Internet Explorer, et comment naviguer sur l'Internet sans attraper la vérole.

Définir les zones de sécurité d'Internet Explorer

Vous n'aurez peut-être jamais à modifier les zones de sécurité d'Internet Explorer. Elles sont prédéfinies pour offrir une protection maximale. Mais si elles vous intéressent, choisissez Options Internet, dans le menu Outils, puis cliquez sur l'onglet Sécurité. Vous craignez d'avoir déréglé tous les paramètres de sécurité ? Cliquez dans ce cas sur le bouton Remettre toutes les zones au niveau pas défaut.

Internet Explorer propose quatre niveaux de sécurité offrant chacun différents niveaux de protection. Quand vous ajoutez des sites Web à ces diverses zones, Internet Explorer traite ces sites différemment, plaçant des restrictions sur les uns et les ôtant sur les autres. En voici un aperçu :

- **Internet :** À moins que vous ayez configuré les zones d'Internet Explorer, tous les sites Web sont traités comme s'ils se trouvaient dans cette zone. Elle offre une sécurité moyenne, appropriée à la plupart des besoins.

- **Intranet local :** Cette zone s'applique aux sites Web d'un réseau interne. Les utilisateurs à domicile sont rarement confrontés à ce cas de figure, car les intranets se trouvent plutôt dans les moyennes et grandes entreprises. Comme ces sites sont "maison" et autonomes, la zone Intranet local lève certaines restrictions.

- **Sites de confiance :** Placer des sites ici présume que vous leur accordez une confiance totale (personnellement, je ne fais jamais entièrement confiance à un site Web).

- **Sites sensibles :** Si vous ne faites pas du tout confiance à un site, placez-le ici. Internet Explorer vous permettra de le visiter, mais vous ne pourrez rien télécharger ni utiliser aucun de ses plug-ins, ces modules complémentaires téléchargeables qui ajoutent des fonctions graphiques, d'animation, et autres améliorations. Je plaçais quelques sites dans cette zone afin d'éliminer leurs fenêtres publicitaires intempestives, mais le bloqueur de fenêtres publicitaires intégré à Vista apporte une meilleure solution.

Windows Mail respecte les paramètres définis dans ces zones. Il traite normalement tous les courriers comme s'ils provenaient d'un site Web de la zone sensible (beaucoup de courriers électroniques sont mis en forme par le même langage informatique que les pages des sites). Pour changer la zone utilisée par Mail, choisissez Options, dans son menu Outils, et cliquez sur l'onglet Sécurité.

Éviter les modules complémentaires malfaisants et les détourneurs

Microsoft a conçu Internet Explorer de manière à ce que les programmeurs puissent lui greffer des fonctions supplémentaires au travers de modules complémentaires comme, entre autres, des barres d'outils, des indicateurs de cours boursiers ou des lanceurs de logiciels. De même, beaucoup de sites utilisent des contrôles ActiveX qui permettent d'afficher des animations, du son, de la vidéo et autres éléments tape-à-l'œil dans un site Web.

Malheureusement, des programmeurs véreux se sont mis à créer des modules et des ActiveX qui nuisent à l'utilisateur. Certains espionnent votre activité, bombardent l'écran d'innombrables publicités, redirigent votre page de démarrage vers un autre site, ou font en sorte que votre modem téléphonique compose le numéro d'accès à un site pornographique, à l'étranger et donc au prix fort. Pire, certains de ces modules malhonnêtes s'installent d'eux-mêmes sitôt que vous visitez un site, sans vous demander la permission.

Windows Vista est équipé d'une artillerie lourde pour combattre ces trublions. D'abord, si un site tente d'introduire subrepticement un programme dans votre ordinateur, Internet Explorer le bloque immédiatement et vous prévient dans un bandeau affiché en haut de l'écran (voir Figure 10.4). Cliquer dessus propose les options que montre la Figure 10.5.

Figure 10.4 : Internet Explorer bloque un programme.

Figure 10.5 : Le bandeau d'alerte propose des options.

Internet Explorer ne peut hélas pas différencier un bon téléchargement d'un mauvais, et vous confie donc cette tâche. Prudence si un programme que vous n'avez pas demandé cherche à s'installer en vous demandant de le télécharger. Ne le téléchargez pas et n'installez pas de contrôles ActiveX.

Si un module parvient à se faufiler, vous n'êtes pas complètement démuni. Le gestionnaire de modules complémentaires permet en effet de les désactiver. Procédez comme suit pour voir tous ceux qui se trouvent dans l'ordinateur et supprimer ceux que vous savez pernicieux :

1. **Dans le menu Outils d'Internet Explorer, choisissez Gérer les modules complémentaires puis Activer ou désactiver les modules complémentaires.**

   Ne choisissez pas par mégarde l'option Rechercher encore des modules complémentaires. Vous vous retrouverez dans la boutique de Microsoft qui essayerait de vous fourguer quantité de modules trop chers.

   La Figure 10.6 montre la fenêtre Gérer les modules complémentaires. Elle contient tous les modules précédemment chargés ainsi que ceux qui tournent sans votre permission. Elle montre aussi les contrôles ActiveX téléchargés qui sont souvent à l'origine de la plupart des problèmes.

2. **Cliquez sur le module complémentaire qui cause un problème et choisissez l'option Désactiver.**

   Cliquez sur le bouton Afficher, en haut de la fenêtre, pour voir quatre types de modules. Choisissez-en un pour voir les modules de cette catégorie. Si vous avez repéré une barre d'outils indésirable ou autre programme douteux, c'est le moment de vous en débarrasser.

3. **Répétez le processus pour chaque module complémentaire indésirable puis cliquez sur le bouton OK.**

   Vous devrez sans doute redémarrer Internet Explorer pour que les modifications soient appliquées.

Tous les modules complémentaires ne sont pas véreux. Les meilleurs permettent de voir des vidéos, d'écouter du son ou de visionner des contenus spéciaux. Ne supprimez pas un module uniquement parce qu'il se trouve dans le gestionnaire de modules complémentaires.

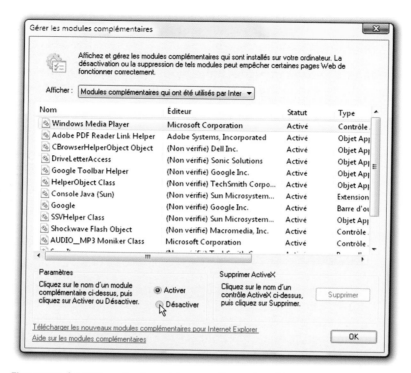

Figure 10.6 : Le gestionnaire de modules complémentaires d'Internet Explorer montre tous les modules installés et permet de désactiver ceux dont vous ne voulez pas.

- Dans les rares cas où la désactivation d'un module complémentaire empêche le chargement d'une page, cliquez sur le nom de ce module à l'Étape 2 puis cliquez sur l'option Activer afin de tout remettre en ordre.

- Le gestionnaire de modules complémentaires d'Internet Explorer désactive les modules assez facilement. Mais si vous repérez un module particulièrement nuisible, supprimez-le complètement en cliquant sur le bouton Supprimer, à la rubrique Supprimer ActiveX, à la place de Désactiver.

- Mais comment diable différencier un bon module d'un mauvais ? Il n'y a hélas aucun moyen infaillible, bien que le nom figurant dans la colonne Éditeur fournisse un indice. Mais le meilleur moyen de se protéger, c'est de ne pas installer ce qu'Internet a essayé de bloquer.

▱ Assurez-vous que le bloqueur de fenêtres publicitaires d'Internet Explorer est actif en choisissant, dans le menu Outils, Bloqueur de fenêtre publicitaire intempestive. Si l'option Désactiver le bloqueur de fenêtre intempestive est proposée, c'est parfait. Autrement, s'il vous est proposé de l'activer, c'est le moment de le faire.

Éviter l'hameçonnage

Peut-être recevrez-vous un jour un courrier provenant soi-disant de votre banque, d'eBay, de PayPal ou d'un autre site (Figure 10.7) annonçant des problèmes concernant votre compte bancaire ou autre. Invariablement, ces courriers contiennent un lien bien visible, indiquant que vous devez indiquer votre nom d'utilisateur et le mot de passe, voire le numéro de carte bancaire, pour que tout revienne en ordre.

Figure 10.7 : Ce courrier frauduleux vous invite à vérifier votre compte bancaire. Si vous cliquez sur un des liens, des informations confidentielles très sensibles vous seront demandées.

Remarquez, le bandeau en haut du volet de visualisation, à la Figure 10.7 : Windows Mail soupçonne ce message d'être douteux et l'a bloqué. Pour votre sécurité, les images et les liens ont été bloqués. Si vous pensez que ce message n'est pas frauduleux, cliquez sur le bouton Débloquer pour y accéder. Remarquez la flèche sur le lien, et non la main, car tous les liens sont neutralisés. Remarquez aussi, tout en bas de la fenêtre, l'adresse

Web très différente de celle sur laquelle pointe la flèche. De plus, dans la liste de la Boîte de réception, ce courrier apparaît en lettres rouges. N'hésitez pas à envoyer ce genre de courrier directement dans la boîte des Éléments supprimés.

En aucun cas, quelle que soit le réalisme du courrier ou du site, vous ne devez cliquer sur le lien. Vous êtes en effet visé par une toute nouvelle activité frauduleuse : l'hameçonnage. Les truands qui sont derrière cette manœuvre envoient des millions de messages dans le monde entier, espérant convaincre quelques pigeons, épouvantés à l'idée de voir leur compte clos sans remboursement, taper les précieux renseignements demandés.

Comment différencier un courrier réel d'un courrier frauduleux ? C'est en réalité très facile car jamais une banque ou un établissement financier n'enverra un courrier contenant un lien. De plus, personne – ni même le directeur de la banque, la police ou le fisc – ne demandera votre code de carte bancaire et cela dans aucun cas, même et surtout en cas de vol ou de perte. Si vous avez un doute sur la réalité du courrier, visitez le véritable site de votre banque, en tapant son adresse Web manuellement (et non par un lien).

Recherchez ensuite l'adresse d'un contact et transférez-lui le courrier en demandant s'il est authentique. Il y a de fortes chances que non.

Vista dispose de quatre moyens pour empêcher l'hameçonnage :

- Tout courrier arrivant dans Windows Mail est analysé. S'il est suspect (courrier indésirable ou tentative d'hameçonnage), Mail affiche le message de la Figure 10.8 et vous demande ce qu'il doit faire de ce courrier. Choisissez de l'envoyer vers le dossier du Courrier indésirable, puis mettez-le dans le dossier des Éléments supprimés.

- Quand vous démarrez Internet Explorer pour la première fois, il propose d'activer le filtre anti-hameçonnage. Acceptez car, contrairement à d'autres fonctions de sécurité de Vista, le filtre anti-hameçonnage n'est pas gênant.

- Internet Explorer examine chaque page à la recherche de signes révélateurs. Si un site semble douteux, la barre d'adresse d'Internet Explorer devient jaune et un panneau d'alerte affiché au milieu de l'écran prévient que le site est sans doute un site d'hameçonnage.

Figure 10.8 : Windows Mail a repéré un courrier indésirable ou douteux.

✔ Internet Explorer compare l'adresse du site Web avec une liste de sites frauduleux notoirement connus. S'il trouve une concordance, le filtre anti-hameçonnage vous empêche d'y accéder et affiche un message d'alerte. Quittez alors immédiatement la page Web.

N'est-il pas possible d'arrêter ceux qui commettent ces délits ? Non, car il est très difficile de découvrir et poursuivre les délinquants informatiques sur l'Internet. Ils peuvent travailler depuis n'importe où dans le monde.

✔ Si vous venez de communiquer vos nom et mot de passe sur un site d'hameçonnage, ne perdez pas de temps : allez sur le véritable site et changez immédiatement votre mot de passe. Changez aussi votre nom d'utilisateur si c'est possible. Contactez ensuite la banque par téléphone et demandez ce qu'il faut faire. Ils peuvent stopper les voleurs avant qu'ils vident votre compte.

✔ Vous pouvez signaler à Microsoft un site qui vous semble fraudu-leux. Dans le menu Outils, choisissez Filtre anti-hameçonnage, puis Signaler ce site Web. Internet Explorer ouvre la page de Microsoft consacrée à l'hameçonnage. En dénonçant un site frauduleux, vous permettrez à Microsoft de prévenir les autres internautes.

Éviter et supprimer les logiciels espions et les parasites avec Windows Defender

Les logiciels espions, ou espiogiciels, et les parasites, sont des programmes qui s'incrustent dans Internet Explorer à votre insu. Les plus sournois tente de changer votre page de démarrage, de composer un numéro avec votre modem téléphonique, d'espionner vos activités sur le Web, et de moucharder vos habitudes de surf sur l'Internet.

La plupart des espiogiciels reconnaissent être des logiciels espions, généralement à la 43e ou 44e page de la licence d'utilisateur que vous être supposée avoir lue avant d'installer le programme.

Comme personne, bien sûr, ne veut de ces affreux programmes, ils s'arrangent pour être très difficiles à supprimer. C'est là que le nouveau programme Windows Defender entre en lice. Il empêche certains espiogiciels de s'installer d'eux-mêmes et arrache au démonte-pneu ceux qui sont déjà fermement agrippés à votre PC. Mieux, Windows Update met Defender à jour de manière à ce qu'il puisse reconnaître et détruire les tout derniers espiogiciels.

Pour vous assurer que Windows Defender soit automatiquement lancé, visitez le Centre de sécurité décrit précédemment dans ce chapitre, à la section "Le Centre de sécurité veille". Quand il fonctionne en tâche de fond, Windows PC analyse le PC tous les soirs et vous prévient s'il trouve un nouvel espiogiciel.

Pour que Windows Defender analyse immédiatement votre PC – un bon réflexe s'il se comporte anormalement – cliquez sur le bouton Démarrer, choisissez Tous les programmes et démarrez Windows Defender. Cliquez sur le bouton Analyser et attendez qu'il ait terminé.

Plusieurs autres programmes anti-espiogiciels peuvent aussi analyser votre ordinateur à la recherche du moindre intrus. Certains d'entre eux sont gratuits, dans l'espoir que vous voudrez acheter la version payante, qui comporte plus de fonctionnalités. Ad-Aware (www.lavasoft.com) et Spybot Search and Destroy (www.safernetworking.org), qui existent tous deux en français, sont les plus connus.

N'hésitez pas à utiliser plusieurs logiciels anti-espiogiciels, car chacun analyse à sa manière, signalant et éliminant les logiciels espions qu'ils rencontrent.

Utiliser le contrôle parental

Fonctionnalité appréciée des parents mais que les enfants trouvent ringard, la fonction de contrôle parental de Vista propose plusieurs nouvelles manières de gouverner l'usage de l'ordinateur et l'accès à l'Internet. À vrai dire, tous ceux qui partagent l'ordinateur avec quelqu'un d'autre peuvent être intéressés par le le contrôle parental.

Le contrôle parental permet de définir qui peut – ou ne peut pas faire – ceci ou cela, sur l'Internet. Il conserve aussi la trace de l'usage de l'ordinateur par les utilisateurs, notamment l'heure, les sites Web visités et les programmes utilisés.

Pour configurer le contrôle parental, vous devez détenir un compte Administrateur (la création des différents types de comptes est expliquée au Chapitre 13). Si plusieurs personnes ont accès à l'ordinateur, veillez à ce que les enfants aient un compte Standard. S'ils possèdent leur propre PC, Créez un compte Administrateur pour vous et mettez leur compte en mode Standard (NdT : il y a du conflit dans l'air...).

Procéder comme suit pour configurer le contrôle parental :

1. **Dans le menu Démarrer, ouvrez le Panneau de configuration et, sous Comptes d'utilisateurs et protection des utilisateurs, cliquez sur Configurer le contrôle parental pour tout utilisateur.**

   Le vigile intégré à Vista exige votre permission : cliquez sur Continuer.

2. **Cliquez sur le compte d'utilisateur à restreindre.**

   Un seul compte à la fois peut être configuré.

   Après avoir choisi un compte d'utilisateur, le panneau Contrôle parental apparaît (voir Figure 10.9). Les prochaines étapes vous en feront parcourir chacune des parties.

3. **Activez le contrôle parental.**

   La rubrique Contrôle parental contient deux commutateurs permettant de l'activer et de le désactiver :

   • **Contrôle parental :** Ces deux boutons d'options servent à appliquer ou à ne plus appliquer les restrictions que vous avez définies. C'est un moyen rapide d'activer le contrôle parental si vous l'estimez nécessaire ou le désactiver s'il n'a pas lieu d'être.

   • **Rapport d'activités :** Lorsqu'il est activé, le PC flique les habitudes de l'enfant, vous indiquant exactement à quelle heure il a ouvert et fermé sa session, les programmes qu'il a utilisés ou tenté d'utiliser, et les sites Web qu'il a visités ou tenté de visiter.

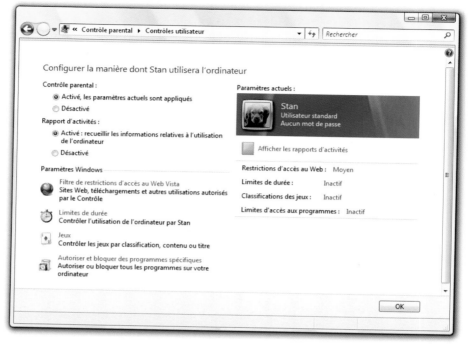

Figure 10.9 : Vista permet de définir l'usage de l'ordinateur pour vos enfants ou n'importe quel autre utilisateur standard.

4. **Configurez le Filtre de restriction d'accès au Web Vista pour définir les parties du Web que votre enfant peut visiter.**

Le lien Filtre de restriction d'accès au Web permet de choisir les parties de l'Internet auxquelles votre enfant peut accéder. Pour bloquer des sites, cliquez sur Modifier la liste verte et rouge. Dans le panneau qui apparaît, vous pouvez punir votre enfant en lui interdisant d'aller sur le site officiel de Disney (www.disney.fr) pendant une semaine (NdT : il se consolera en regardant *Les Valeurs de la Famille Adams,* de Barry Sonnenfeld, où une mémorable séquence est consacrée aux films de Walt Disney). Pour un contrôle total, cochez la case Autoriser uniquement les sites Web de la liste verte, et ajoutez ensuite quelques adresses de sites dans cette liste.

La rubrique Autoriser et bloquer des sites Web spécifiques est, par défaut, au niveau de restriction Moyen. De ce fait, tous les sites pour adultes, pornographiques, ceux où il est question de drogues, les sites incitant à la haine ou consacrés aux armes sont bloqués. Activez le niveau de restriction Haute pour bloquer tout ce qui ne s'adresse pas spécifiquement aux enfants. Ou alors, choisissez l'option Personnalisée et sélectionnez les catégories de sites à ne pas montrer aux enfants.

Sachez toutefois que les filtres Web ne sont pas fiables à 100%, et que certains sites indésirables parviendront parfois à franchir la barrière.

5. **Choisissez si vous autorisez les téléchargements puis cliquez sur OK.**

La dernière case de la page permet d'empêcher les enfants de télécharger des fichiers, un moyen efficace pour qu'ils n'installent pas des programmes en douce. Cette option peut toutefois les empêcher de télécharger des fichiers nécessaires pour leur travail scolaire.

Cliquer sur OK ramène à la page d'ouverture du contrôle parental de la Figure 10.9.

6. **Restreignez aussi la durée, les jeux et l'accès à des programmes, puis définissez le rapport d'activité. Cliquez à chaque fois sur OK.**

Cette vaste rubrique permet de bloquer des éléments sur le PC plutôt que sur l'Internet :

- **Limites de durée :** Cette option affiche un tableau des jours et des horaires où le PC n'est pas accessible à l'enfant. Vous définirez par exemple une interdiction de jouer jusqu'à une heure indue, le soir.

- **Jeux :** Ici, vous pouvez autoriser tous les jeux, certains d'entre eux, les interdire complètement, ou restreindre leur accès selon la classification d'âge (elle figure sur la plupart des boîtes de jeux vidéo).

- **Autoriser et bloquer des programmes spécifiques :** C'est ici que vous pouvez empêcher votre enfant d'accéder à la comptabilité familiale et aussi à certains jeux. Vous pouvez bloquer tous les programmes ou n'autoriser l'accès qu'à quelques-uns.

- **Afficher les rapports d'activité :** Cette option qui fera le bonheur des paranoïaques, tourmenteurs et inquisiteurs de tous poils enregistre l'activité de tous les comptes d'utilisateurs du PC. Vous obtenez la liste de tous les sites Web qu'ils ont visités, le nom des fichiers téléchargés, les heures d'ouverture et de fermeture des sessions, les jeux auxquels ils ont joué, les contacts nouvellement ajoutés, l'usage de la webcam, les morceaux et vidéos joués, et bien d'autres renseignements. Un Top-10 des sites Web les plus visités apparaît en tête de liste.

7. **Cliquez sur OK pour quitter le contrôle parental.**

Pour savoir tout ce que votre enfant a fait, retournez dans le Contrôle parental et choisissez Afficher le rapport d'activité.

Crypter le PC avec BitLocker

Le nouveau programme BitLocker de Vista crypte de contenu du disque dur. Il le décrypte automatiquement chaque fois que vous entrez le mot de passe de votre compte d'utilisateur. À quelle fin ? Pour préserver vos informations personnelles des voleurs. S'ils dérobaient le PC ou seulement le disque dur, ils seraient incapables d'accéder à vos données sensibles (mots de passe, numéro de carte bancaire...).

BitLocker fournit malheureusement une protection beaucoup plus élevée que celle demandée par la plupart d'entre nous. Il est difficile à configurer, et si jamais vous oubliez le mot de passe, vous perdez du même coup toutes vos données. De plus, le PC doit être configuré d'une certaine manière, avec une partition – une zone de stockage sur le disque dur – supplémentaire. Pour une protection totale, le PC doit être équipé d'un composant spécial, assez rare sur les ordinateurs actuels.

Si BitLocker vous intéresse, adressez-vous à un spécialiste de la sécurité informatique. Car il ne suffit pas de cliquer sur un bouton d'option pour l'activer, loin de là.

Quatrième partie

Personnaliser Vista et le mettre à jour

Dans cette partie...

Quand votre vie change, vous voulez que Windows Vista change aussi. C'est de cela qu'il est question ici. Vous découvrirez le Panneau de configuration entièrement revu qui permet de modifier une kyrielle de paramètres.

Le Chapitre 12 explique comment maintenir l'ordinateur au mieux de sa bonne forme et effectuer des sauvegardes. S'il est partagé avec d'autres, vous découvrirez comment créer des comptes d'utilisateurs pour chacun, tout en vous réservant le droit de décider qui peut faire quoi.

Enfin, si vous êtes tenté d'acheter un deuxième, un troisième, un quatrième voire un cinquième ordinateur, un chapitre vous expliquera comment créer un réseau domestique permettant de partager la connexion Internet, l'imprimante et les fichiers.

Chapitre 11

Personnaliser Windows Vista avec le Panneau de configuration

Dans ce chapitre :

▷ Personnaliser le Panneau de configuration.
▷ Modifier l'apparence de Vista.
▷ Changer de mode vidéo.
▷ Installer ou supprimer des programmes.
▷ Régler la souris.
▷ Régler automatiquement la date et l'heure de l'ordinateur.

Le Panneau de configuration de Vista se trouve en toute logique dans le menu Démarrer.

Vous trouverez dans ce panneau des dizaines de boutons et d'options permettant de personnaliser l'apparence, l'utilisation et l'impression générale de Windows. Ce chapitre présente les boutons et glissières que vous pouvez régler, et vous signale aussi ceux auxquels il vaut mieux ne pas toucher.

Certains paramètres ne peuvent être modifiés que par un utilisateur ayant les privilèges d'Administrateur. C'est généralement le propriétaire de l'ordinateur : peut-être vous, peut-être quelqu'un qui se trouve à l'autre bout du pays...

Trouver la bonne option dans le Panneau de configuration

Ouvrez le Panneau de configuration de Vista, et vous pourrez passer une bonne semaine à cliquer sur des icônes et des options. En affichage classique, il héberge plus d'une cinquantaine d'icônes, dont certaines donnent accès à des boîtes de dialogue contenant plus d'une vingtaine de paramètres et tâches.

Pour vous éviter une pénible errance à la recherche de la bonne option, le Panneau de configuration peut être affiché par catégories, comme le montre la Figure 11.1.

Figure 11.1 : Les paramètres sont plus faciles à localiser lorsqu'ils sont regroupés par catégories.

Sous chaque nom de catégorie se trouvent des liens vers les sujets principaux. Par exemple, après avoir cliqué sur l'icône de la catégorie Sécurité, vous accédez à d'autres liens permettant notamment de télécharger les dernières mises à jour de sécurité ou de vérifier l'état de la sécurité de Windows.

Les anciens de Windows XP, familiarisés avec les icônes du Panneau de configuration, peuvent opter pour l'affichage Classique (c'est le lien pointé du doigt dans la Figure 11.1). Cette présentation présente toutes les icônes à la fois, comme le révèle la Figure 11.2.

Figure 11.2 : Conçue pour les utilisateurs de Windows expérimentés, l'affichage Classique du Panneau de configuration montre la totalité des icônes.

Ne vous inquiétez pas si votre Panneau de configuration diffère quelque peu de celui de la Figure 11.2. Différents programmes, accessoires et modèles d'ordinateurs y ajoutent souvent leurs propres icônes. Les différentes versions de Vista, décrites au Chapitre 1, omettent ou ajoutent également des icônes.

Immobilisez le pointeur de la souris sur une catégorie ou une icône du Panneau de configuration, et Vista explique longuement son usage.

Le Panneau de configuration réunit tous les principaux commutateurs de Vista dans un seul emplacement, mais ce n'est pas le seul endroit permettant de modifier les paramètres de Vista. Vous pouvez accéder à la plupart d'entre eux en cliquant du bouton droit sur l'élément à modifier, qu'il s'agisse du Bureau, du menu Démarrer ou d'un dossier, en choisissant Propriétés, dans le menu contextuel.

Le reste de ce chapitre est consacré aux catégories du Panneau de configuration visibles dans la Figure 11.1, aux raisons pour lesquelles vous vous abstiendrez d'en visiter certaines, et aux raccourcis permettant d'accéder directement aux paramètres désirés.

Système et maintenance

Comme d'une Ford Mustang des années 1960, Windows Vista nécessite occasionnellement de la maintenance. En fait, un peu de maintenance peut faire tellement mieux tourner Vista que le meilleur du Chapitre 12 est consacré à ce sujet.

Ce chapitre explique comment accélérer Windows, libérer de la place sur le disque dur, sauvegarder vos données et créer un filet de sécurité appelé Restauration du système.

À l'instar de la plupart des catégories du Panneau de configuration, la partie Système et maintenance est truffée d'options. Pour vous y retrouver plus aisément, double-cliquez sur la barre de menus afin que le panneau couvre tout l'écran. Au besoin, faites défiler la fenêtre pour découvrir les icônes qui se cachent en bas.

Comptes d'utilisateurs et protection des utilisateurs

Le Chapitre 13 explique comment créer des comptes séparés pour tous ceux qui utilisent l'ordinateur. Ceci permet de limiter les risques encourus par Windows et vos fichiers.

Voici un rappel, si vous ne tenez pas à lire le Chapitre 13 dès maintenant : choisissez le Panneau de configuration, dans le menu Démarrer puis, dans la zone Comptes d'utilisateurs et protection des utilisateurs, cliquez sur Ajouter ou supprimer des comptes d'utilisateurs.

Vous accédez ainsi à la page des comptes d'utilisateurs, où vous pouvez en créer, modifier ceux qui existent, y compris leur mot de passe et leur image.

La catégorie Comptes d'utilisateurs et protection des utilisateurs comporte aussi un lien vers la partie Sécurité, où vous pouvez définir le contrôle parental, une fonction décrite au Chapitre 10.

Sécurité

La catégorie Sécurité du Panneau de configuration contient toute une escouade de sbires prêts à défendre Windows. Les options – Pare-feu Windows, Windows Update, Windows Defender et le nouveau Contrôle parental – sont décrites au Chapitre 10.

Apparence et personnalisation

L'une des catégories les plus populaires, Apparence et personnalisation, permet de modifier le look de Vista de diverses manières. Ouvrez cette catégorie pour découvrir les six icônes suivantes :

✐ **Personnalisation :** Pour beaucoup de gens, cette icône est un vrai terrain de jeu. Choisissez-la pour placer une nouvelle image ou une photo numérique sur le Bureau, choisir l'écran de veille qui démarrera quand vous vous éloignez du PC, changer la couleur des cadres de Windows, et aussi la résolution d'écran du moniteur, s'il le permet (ceux des écrans plats est optimisée pour une seule résolution). C'est un bon moyen d'afficher plus d'informations.

✐ **Barre des tâches et menu Démarrer :** Vous voulez remplacer l'image en haut du menu Démarrer par un portrait de vous ? Vous voulez personnaliser la Barre des tâches en bas de l'écran ? Ces deux sujets ont été couverts au Chapitre 2.

✐ **Centre Options d'ergonomie :** Conçues pour venir en aide aux handicapées, ces options facilitent l'usage de Windows par les malvoyants, les malentendants et les personnes souffrant d'autres handicaps physiques. Une section est consacrée plus loin à ces paramètres.

✐ **Options de dossiers :** Principalement mises en œuvre par les utilisateurs expérimentés, cette zone permet de configurer subtilement l'aspect et le comportement des dossiers.

▶ **Polices :** C'est ici que vous installez les nouvelles polices qui agrémenteront vos textes. L'installation et l'usage des polices sont décrits au Chapitre 7, consacré à l'impression.

▶ **Propriétés du Volet Windows :** Cette catégorie permet d'ajouter des gadgets au Volet Windows, une nouveauté de Vista. Ces éléments sont décrits au Chapitre 2, mais voici néanmoins une astuce : vous pouvez ajouter des miniprogrammes en cliquant du bouton droit dans le Volet Windows et en choisissant Ajouter des gadgets.

Dans les quelques sections à venir, nous verrons quelles sont, dans ces catégories, les tâches que vous effectuerez le plus souvent.

Changer l'arrière-plan du Bureau

L'arrière-plan, parfois appelé aussi "papier peint", est une image de fond couvrant le Bureau. Procédez comme suit pour la changer :

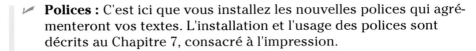

Cliquer du bouton droit sur le Bureau, choisir Personnaliser et sélectionner Arrière-plan du Bureau vous mène directement à l'Étape 3.

1. **Cliquez sur le menu Démarrer, choisissez Panneau de configuration et trouvez la catégorie Apparence et personnalisation.**

2. **Dans la section Personnalisation, choisissez Modifier l'arrière-plan du Bureau.**

   La fenêtre de la Figure 11.3 apparaît.

3. **Cliquez sur une nouvelle image pour en faire l'arrière-plan.**

   Veillez à cliquer sur le menu déroulant, visible dans la Figure 11.3, pour voir toutes les photos, textures, peintures et atmosphères légères offertes par Vista. Cliquez sur Parcourir pour farfouiller dans des dossiers non répertoriés dans le menu. N'hésitez pas à chercher parmi vos propres photos.

   Les fichiers d'arrière-plan peuvent être au format BMP, GIF, JPEG, DIB ou PNG. Autrement dit, vous pouvez utiliser presque n'importe quelle photo provenant de l'Internet ou d'un appareil photo numérique (NdT : on notera cependant l'absence du format TIFF produit

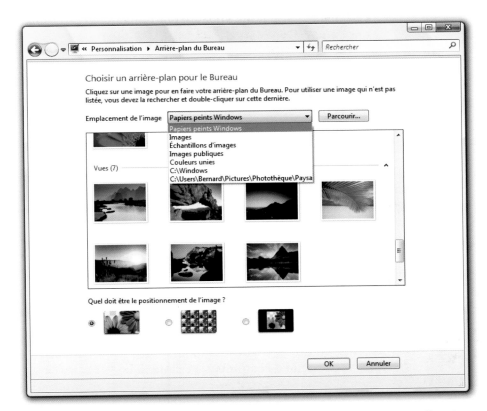

Figure 11.3 : Cliquez sur le menu déroulant pour trouver d'autres images à placer comme arrière-plan sur le Bureau.

par les scanneurs et de nombreux appareils photo haut de gamme).

Quand vous cliquez sur une nouvelle image, Vista la place aussitôt sur le Bureau. Si elle vous plaît, passez à l'Étape 5.

4. Décidez si l'image doit être étirée, répétée ou centrée.

Toutes les images ne sont pas à la taille de l'écran. Une image de petites dimensions doit être, soit étirée pour remplir tout l'espace, soit répétée à la manière des timbres-poste sur une feuille de timbres neufs. Si l'étirement ou la répétition sont disgracieux, centrez l'image en laissant du vide autour.

5. **Cliquez sur OK pour enregistrer l'image actuellement utilisée comme arrière-plan.**

Vous avez remarqué une fabuleuse image lors de vos pérégrinations sur le Web avec Internet Explorer ? Cliquez dessus du bouton droit et sélectionnez Choisir comme image d'arrière-plan. Windows copie furtivement l'image et l'étale sur le Bureau, où elle devient un nouvel arrière-plan.

Choisir un écran de veille

A l'époque des premiers PC, les écrans avaient une fâcheuse tendance à conserver une image fantôme de ce qui s'y affichait longuement à la même place, comme des cadres par exemple. Pour éviter cet inconvénient, les utilisateurs activaient ce que l'on appelait aussi un "économiseur d'écran". Il affichait un motif mouvant – feu d'artifice, lignes en mouvement... – empêchant l'usure du phosphore. Les actuels moniteurs ne souffrant plus de cet effet, les gens n'utilisent un écran de veille que pour son esthétique.

Windows est livré avec plusieurs écrans de veille. Procédez comme suit pour en essayer un :

Cliquer du bouton droit sur le Bureau, choisir Personnaliser puis Écran de veille vous mène directement à l'Étape 3.

1. **Cliquez sur le menu Démarrer, choisissez Panneau de configuration et trouvez la catégorie Apparence et personnalisation.**

   La catégorie choisie apparaît.

2. **Dans la zone Personnalisation, choisissez Modifier l'écran de veille.**

   La boîte de dialogue Paramètres de l'écran de veille apparaît.

3. **Cliquez sur la flèche pointée vers le bas et sélectionnez un écran de veille.**

   Après avoir choisi un écran de veille, cliquez sur le bouton Aperçu pour voir son effet en plein écran. Visionnez-en autant que vous le désirez avant d'en choisir un.

   N'oubliez pas de cliquer sur le bouton Paramètres, car la plupart des écrans de veille offrent des options. Vous pouvez par exemple régler la vitesse du diaporama et le sens du déplacement des photos à travers l'écran.

4. **Au besoin, renforcez la sécurité en cochant la case À la reprise, afficher l'écran de reprise de session.**

Ce système de sécurité évite aux intrus de fouiller dans votre ordinateur pendant que vous êtes à la machine à café. Dès que l'écran de veille cesse, Windows demande en effet le mot de passe (les mots de passe sont expliqués au Chapitre 13).

5. **Après avoir paramétré l'écran de veille, cliquez sur OK.**

Pour prolonger efficacement la vie de votre moniteur et faire aussi des économies d'électricité, abandonnez les écrans de veille et, à l'Étape 3, cliquez plutôt sur Modifier les paramètres d'alimentation. La fenêtre qui apparaît permet de régler Vista pour qu'il éteigne le moniteur après une durée d'inactivité que vous aurez paramétrée.

Modifier le thème de l'ordinateur

Les thèmes sont simplement des ensembles de paramètres. Vous pouvez par exemple enregistrer l'écran de veille et l'arrière-plan du Bureau dans un thème, ce qui permet de passer rapidement de la présentation d'origine de Vista à la vôtre et inversement.

Si vous n'avez pas créé vos propres thèmes, vous n'en trouverez pas beaucoup dans Windows Vista. Pour en essayer un, cliquez du bouton droit sur le Bureau, choisissez Personnaliser puis Thème. La boîte de dialogue de la Figure 11.4 apparaît.

Windows Vista liste les quelques thèmes donnés en cadeau et propose une option permettant de créer les vôtres. Cliquez sur l'un des thèmes suivants pour voir l'effet dans la fenêtre d'aperçu visible à la Figure 11.4 :

Figure 11.4 : Choisissez un thème prédéfini pour changer l'apparence et les sons de Windows.

- **Mon thème actuel :** Si vous vous êtes mélangé les pinceaux en modifiant les paramètres d'apparence – mais que vous ne les avez pas encore enregistrés – choisir cette commande rétablit le dernier thème enregistré.

- **Windows Vista :** Ce paramètre rétablit le thème "d'usine" de Vista, celui qui était installé en tout premier.

- **Windows Classique :** Les nostalgiques des vénérables PC tournant sous Windows 98 opteront pour ce thème au *look* rétro.

- **Parcourir :** Cliquez ici pour récupérer un thème que vous avez enregistré dans un dossier spécifique. Vista les stocke normalement dans le dossier Program Files.

Choisissez n'importe quel thème, et Vista enfile aussitôt ses nouveaux habits. Pour voir l'effet d'un thème présent dans la liste, cliquez dessus et regardez la fenêtre Aperçu.

Au lieu d'opter pour les thèmes prédéfinis de Vista, créez les vôtres en modifiant l'arrière-plan, les couleurs, l'écran de veille et autres éléments graphiques ou sonores. Enregistrez ensuite le thème en cliquant sur le bouton Enregistrer sous, puis nommez-le.

- Après un certain temps, on a vite fait le tour des outils de base pour créer des thèmes. Si vous êtes vraiment intéressé par la création de thèmes pour Windows, optez pour un programme comme Window-Blinds (www.windowsblinds.net). Vous pouvez télécharger des thèmes vraiment spectaculaires créés par les utilisateurs de ce logiciel sur le site WinCustomize (www.wincustomize.com).

- Avant de télécharger des thèmes sur le Web ou les obtenir en pièce jointe, assurez-vous d'avoir installé un antivirus et qu'il est à jour. Les virus sont souvent propagés par des thèmes.

- Pour changer rapidement de thèmes, cliquez du bouton droit sur le Bureau et choisissez Personnaliser. Dans la zone Personnalisation du Panneau de configuration, cliquez sur Thème et choisissez-en un.

Modifier la résolution de l'écran

Paramètre souvent mésestimé, la résolution de l'écran détermine la quantité d'informations susceptibles d'être affichées en une seule fois. L'augmenter permet d'afficher davantage d'éléments, mais en plus petit, tandis que la réduire affiche les éléments en plus gros, mais aussi en moins grand nombre.

Procédez comme suit pour trouver la résolution la plus confortable (NdT : si vous possédez un écran plat, consultez son manuel car beaucoup n'acceptent qu'une seule résolution) :

1. **Dans le menu Démarrer, choisissez Panneau de configuration puis la catégorie Apparence et personnalisation.**

   La zone Apparence et personnalisation répertorie les différentes manières de modifier la présentation de Vista.

2. **Dans la zone Personnalisation, choisissez Ajuster la résolution de l'écran.**

   La boîte de dialogue Paramètres d'affichage apparaît (Figure 11.5).

3. **Modifiez le nombre de couleurs affichées, si vous le désirez.**

   Vista permet de choisir parmi plusieurs options, dans le menu Couleurs.

   Pour admirer vos photos dans toute leur splendeur, assurez-vous que Vista affiche le nombre le plus élevé de couleurs. En mode 32 bits, les images sont affichées en plus de 16,7 millions de couleurs et des transparences. En mode moyen (16 bits), 65 535 couleurs seulement sont affichées, d'où une différence très sensible du rendu.

4. **Pour changer la résolution d'écran, actionnez le curseur de la glissière Résolution.**

   Observez le petit aperçu de l'écran, pendant que vous actionnez la souris. Il montre les proportions de l'écran. Sachez aussi que plus vous tirez vers la droite, plus vous affichez d'éléments à l'écran, mais en contrepartie, ils sont plus petits.

   Il n'y a pas de bon ou de mauvais choix, mais un conseil s'impose : la plupart des sites Web ne tiennent pas dans un écran en 640 × 480

Figure 11.5 : Selon la résolution de l'écran, Windows affichera plus ou moins d'informations.

pixels. Une résolution de 800 × 600 est meilleure, et 1024 × 768 conviendra à tous les sites Web que vous visiterez. De nombreux écrans plats offrent une résolution de 1280 × 1024 et plus.

5. Testez ce que donnent les modifications en cliquant sur le bouton Appliquer.

Quand Vista passe à une nouvelle résolution, il vous accorde un délai de 15 secondes pour approuver la modification. En effet, si l'écran devient tout noir, plus aucun bouton n'est visible. Si passé ce délai vous n'avez pas cliqué, Vista rétablit la résolution antérieure.

6. Cliquez sur OK afin de mémoriser vos réglages.

Après avoir défini le nombre le plus élevé de couleurs et une résolution confortable, vous ne reviendrez sans doute plus dans cette boîte de dialogue. À moins que vous branchiez un second écran, comme il est expliqué dans l'encadré.

Étendre votre espace de travail avec un second moniteur

Vous avez un deuxième écran chez vous, provenant peut-être d'un PC mis au rebut ? Connectez-le à votre ordinateur et vous disposerez d'un espace de travail plus vaste, s'étendant sur les deux écrans. Vous pourrez ainsi afficher une encyclopédie en ligne dans l'un tandis que vous tapez votre texte dans l'autre.

Pour bénéficier de cet avantage, la carte graphique de votre PC doit être équipée de deux ports, qui doivent être du même type que ceux de votre moniteur (NdT : ou d'un seul port double, divisible grâce à un câble en "Y"), des détails techniques que vous trouverez dans mon livre *PC Mise à niveau et dépannage Pour les Nuls,* édité aux Editions First.

Modifier les connexions de réseau et Internet

Normalement, Windows Vista accède automatiquement à l'Internet et à d'autres PC. Établissez une connexion à l'Internet, et Vista commence aussitôt à glaner des informations sur le Web. Reliez-le à un autre PC, et Vista s'efforce de créer un réseau.

Mais si Vista ne parvient pas se débrouiller seul, vous devrez recourir à la catégorie Réseau et Internet du Panneau de configuration.

Le Chapitre 14 est entièrement consacré à la mise en réseau. La connexion à l'Internet a été évoquée au Chapitre 8.

Régler la date, l'heure, la langue et les options régionales

Microsoft a surtout conçu ces paramètres pour les possesseurs d'ordinateurs portables qui voyagent beaucoup et changent fréquemment de fuseau horaire. Autrement, vous ne réglerez ces paramètres qu'une seule fois, au moment de la configuration initiale de l'ordinateur. Ce dernier mémorise la date et l'heure même lorsque l'ordinateur est éteint, grâce à une petite pile bouton située sur la carte-mère.

Pour accéder à tous ces paramètres, cliquez sur le bouton Démarrer, choisissez le Panneau de configuration puis cliquez dans la catégorie Horloge, langue et région. Elle est divisée en deux parties : Date et heure, et Options régionales et linguistiques. Vous y effectuerez les tâches suivantes :

- ✎ **Date et heure :** Vous y réglez ces paramètres. Cliquer sur l'horloge, dans la barre des tâches, et choisir Modifier les paramètres de la date et de l'heure, accède à la même boîte de dialogue.

- ✎ **Options régionales et linguistiques :** Vous voyagez au Brésil ? Cliquez sur cette option et, dans le menu déroulant Format actuel, choisissez Portugais (Brésil). Windows applique la langue de ce pays, le symbole monétaire du real, et le format de date. Pendant que vous y êtes – dans la boîte de dialogue, pas au Brésil –, cliquez sur l'onglet Emplacement et choisissez Brésil.

  Les polyglottes modifient souvent les options régionales et linguistiques pour obtenir les caractères typographiques des différentes langues. Parfois, il est nécessaire d'installer une autre police – c'est par exemple le cas pour l'amharique, la langue officielle éthiopienne –, une opération expliquée au Chapitre 7.

Matériel et audio

La catégorie Matériel et audio contient une foule d'icônes en tous genres, comme le montre la Figure 11.6. C'est une débauche de commutateurs qui contrôlent le matériel composant votre PC : la souris, le clavier, l'imprimante, les enceintes, le téléphone, le scanner, l'appareil photo numérique, le contrôleur de jeu, et pour vous qui avez une âme d'artiste, la tablette graphique et son stylet.

Vous ne vous attarderez guère ici, en tout cas pas en passant par le Panneau de configuration, car la plupart des paramètres apparaissent ailleurs, à portée d'un clic du bouton droit qui vous mènera directement aux paramètres désirés.

Que vous arriviez à ces pages par le Panneau de configuration ou par un raccourci, cette section explique les meilleures raisons de s'y intéresser.

Régler le volume et le son

La zone Son permet d'ajuster le volume du PC et aussi de connecter jusqu'à sept enceintes et caissons de basses, une fonctionnalité appré-

Figure 11.6 : La catégorie Matériel et audio est bien fournie.

ciée par les inconditionnels du jeu massivement multijoueur World of Warcraft.

 Pour baisser le volume du PC, cliquez sur le petit haut-parleur près de l'horloge et tirez le curseur vers le bas (Figure 11.7). Pas de petite icône de haut-parleur dans la Barre des tâches ? Rétablissez-la en cliquant du bouton droit sur l'horloge, choisissez Propriétés et cochez la case Volume.

Pour rendre le PC muet, cliquez sur le bouton en forme de haut-parleur, sous la glissière. Cliquer de nouveau dessus pour ravoir du son.

 Vista surenchérit sur Windows XP en permettant de régler le volume différemment pour différents programmes. Vous pouvez atténuer les détonations dans le jeu Démineur et augmenter le son de Windows Mail afin de bien entendre les notifications d'arrivée de courrier. Procédez comme suit pour régler le volume des programmes :

Double-cliquer sur le petit haut-parleur, dans la Barre des tâches, vous amène directement à l'Étape 3.

1. **Choisissez Panneau de configuration, dans le menu Démarrer, puis Matériel et audio.**

   La zone Matériel et audio, montrée à la Figure 11.6, affiche ses outils.

2. **Trouvez l'icône Son puis cliquez sur Ajuster le volume du système.**

   La boîte Mélangeur de volume (Figure 11.8) apparaît.

3. **Réglez les volumes à l'aide des glissières.**

   Fermez le Mélangeur de volumes en cliquant sur le bouton "X", en haut à droite.

Figure 11.7 : Cliquez sur l'icône en forme de haut-parleur puis actionnez le curseur afin de régler le volume sonore.

Installer ou configurer les enceintes

La plupart des PC ne sont livrés qu'avec une paire d'enceintes, mais certains en ont quatre et les PC utilisés pour le home cinéma ou pour les jeux peuvent en avoir jusqu'à huit. Pour s'accommoder de cette diversité de configurations, Vista est doté d'une zone de configuration des haut-parleurs, complète avec un test audio.

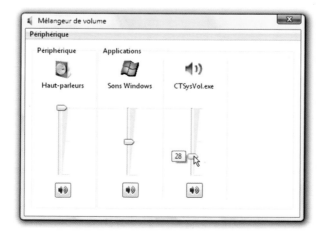

Figure 11.8 : Baissez le volume des programmes sans affecter les autres.

Si vous installez de nouvelles enceintes, ou si vous n'êtes pas sûr que les anciennes fonctionnent, suivez ces étapes afin de les mettre correctement en liaison avec Vista :

Cliquez du bouton droit sur l'icône Volume, dans la Barre des tâches, et choisissez Périphériques de lecture pour passer directement à l'Étape 2.

1. **Cliquez sur le bouton Démarrer, choisissez Panneau de configuration et sélectionnez la catégorie Matériel et audio.**

   La familière catégorie Matériel et audio de la Figure 11.6 apparaît.

2. **Dans la zone Son, choisissez Gérer les périphériques audio.**

   La boîte de dialogue Son apparaît, ouverte sur l'onglet Lecture qui liste vos haut-parleurs.

3. **Cliquez sur votre haut-parleur ou sur l'icône des enceintes, puis cliquez sur Configurer.**

   La boîte de dialogue Configurer les haut-parleurs apparaît (Figure 11.9).

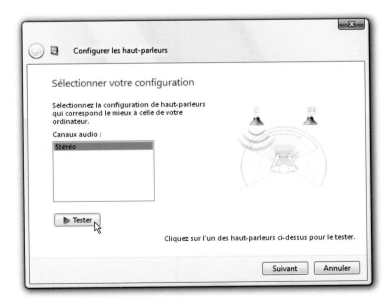

Figure 11.9 : Cliquez sur Tester pour écouter chacune de vos enceintes.

4. **Cliquez sur le bouton Test, ajustez les paramètres du haut-parleur puis cliquez sur Suivant.**

   Vista vous propose de sélectionner les haut-parleurs les uns après les autres et de les tester selon leur emplacement, ce qui permet de les vérifier selon l'emplacement qu'ils occupent.

5. **Réglez tous les autres périphériques audio puis cliquez quand vous aurez terminé.**

Vérifiez aussi le volume sonore des enceintes en cliquant sur l'onglet Enregistrement, à l'Étape 2, et aussi sur les autres onglets pour découvrir d'autres paramètres.

Ajouter une imprimante

Les fabricants d'imprimantes n'ont jamais réussi à se mettre d'accord sur la manière dont une imprimante doit être installée :

- Certains fabricants préconisent de simplement brancher l'imprimante, en insérant la petite prise rectangulaire dans un port USB. Allumez-la ensuite, et Vista la reconnaît aussitôt et la fait sienne. Assurez-vous que la cartouche d'encre et le papier sont en place, et vous pouvez imprimer.

- D'autres fabricants préconisent d'installer les logiciels de l'imprimante avant de la connecter à l'ordinateur. Autrement, elle ne fonctionnerait pas.

Le seul moyen de savoir comment procéder est de consulter le manuel de l'imprimante.

Si votre imprimante n'est pas accompagnée d'un logiciel d'installation, placez d'abord la ou les cartouches et le papier, puis procédez comme suit :

1. **Vista étant en service, connectez l'imprimante au PC et allumez-la.**

   Si le connecteur de l'imprimante est une petite prise rectangulaire, l'imprimante est de type USB, ce qui est le cas de presque tous les modèles actuels. Vista affichera un message confirmant que l'installation de l'imprimante est réussie, mais appliquez néanmoins les étapes suivantes afin de la tester.

Si la prise de votre imprimante est un gros connecteur trapézoïdal à deux rangées de broches, sa connexion est de type "parallèle", appelée aussi LPT en jargon informatique. Branchez-la au port Imprimante de l'ordinateur (NdT : les PC récents sont souvent dépourvus de ce port aujourd'hui désuet).

2. **Dans le menu démarrer, choisissez Panneau de configuration.**

Le Panneau de configuration affiche les catégories de paramétrages.

3. **Ouvrez la catégorie Matériel et audio et choisissez Imprimantes.**

La fenêtre Imprimante apparaît. Elle montre l'icône de toutes les imprimantes reliées à l'ordinateur. Si votre imprimante USB figure dans la fenêtre, cliquez dessus du bouton droit, choisissez Propriétés puis cliquez sur le bouton Imprimer une page de test. Si elle sort correctement, le test est terminé. Si le nom de l'imprimante n'apparaît pas dans la fenêtre, continuez à l'Étape 4.

Vista affiche une imprimante Microsoft XPS Document Writer qui n'en est pas vraiment une. Elle produit un fichier spécial, qui ressemble à un fichier PDF d'Adobe, qui exige un logiciel spécial pour être visionné et imprimé. Vista visionne et imprime des fichiers XPS, ce qui n'était pas le cas de Windows XP, qui exigeait le téléchargement et l'installation d'une visionneuse XPS depuis le site de Microsoft.

4. **Dans la barre d'outils de la fenêtre, cliquez sur le bouton Ajouter une imprimante.**

Dans la fenêtre Ajouter une imprimante, choisissez Ajouter une imprimante locale (si vous installez une imprimante de réseau, reportez-vous au Chapitre 14).

5. **Choisissez le type de port par lequel l'imprimante est connectée puis cliquez sur Suivant.**

Choisissez LPT1 si la connexion est de type Parallèle (connecteur trapézoïdal à deux rangées de broches). Si l'imprimante est de type USB, cliquez sur Annuler, installez son logiciel puis recommencez. Elle n'a pas de logiciel ? Téléchargez-le depuis le site Web du fabricant.

6. Choisissez le port de l'imprimante et cliquez sur Suivant.

Quand Vista demandera quel port choisir, sélectionnez LPT1.

7. Sélectionnez le fabricant et le modèle de l'imprimante, puis cliquez sur Suivant.

Dans la boîte de dialogue Ajouter une imprimante, la liste des fabricants se trouve à gauche, leurs modèles d'imprimantes à droite (Vista en reconnaît des centaines).

Vista peut demander d'insérer le CD approprié. Vous ne l'avez pas ? Cliquez sur le bouton Windows Update : Vista se connecte à l'Internet pour trouver le logiciel de cette imprimante.

Après un moment, une nouvelle liste d'imprimantes apparaît. Imprimez la page de test comme le suggère Vista.

Et voilà ! En principe, votre imprimante devrait fonctionner à merveille. Si ce n'est pas le cas, vous trouverez quelques conseils et dépannages au Chapitre 7.

Si plusieurs imprimantes sont connectées à l'ordinateur, cliquez du bouton droit sur l'icône de celle que vous utilisez le plus fréquemment et, dans le menu, choisissez Définir comme imprimante par défaut. Windows Vista l'utilisera systématiquement, à moins que vous lui en indiquiez une autre.

- Pour supprimer une imprimante inutilisée, cliquez du bouton droit sur son nom et, dans le menu, choisissez Supprimer. Cette imprimante ne figurera plus dans la liste des imprimantes disponibles, dans la fenêtre Imprimer des différents programmes. Si Vista propose de désinstaller les pilotes et logiciels de l'imprimante, cliquez sur Oui, sauf si vous envisagez de réinstaller cette imprimante ultérieurement.

- Les options d'impression peuvent être modifiées à partir de beaucoup de programmes. Choisissez Fichier dans la barre de menus puis l'option Mise en page ou Imprimer. A partir de là, vous accéderez généralement à la même boîte de dialogue que celle du Panneau de configuration. Vous pourrez modifier le format du papier, l'orientation et choisir les types de graphisme.

- Pour partager rapidement une imprimante sur le réseau, cliquez sur son icône du bouton droit et choisissez Partager. Cochez la case Partager cette imprimante puis cliquez sur OK. L'installation de cette imprimante est maintenant proposée sur tous les ordinateurs du réseau.

Installer ou paramétrer d'autres éléments

La zone Matériel et audio du Panneau de configuration contient des éléments attachés à la plupart des PC : la souris, le clavier, un scanner, un appareil photo numérique, une manette de jeu, voire un téléphone. Cliquez sur le nom d'un élément afin de le paramétrer.

Le reste de cette section explique comment ajuster la plupart de ces équipements.

Pour atteindre ces diverses zones, choisissez Panneau de configuration, dans le menu Démarrer, puis Matériel et audio. Cliquez ensuite sur la zone à paramétrer.

Souris

Vous trouverez de nombreux réglages d'une souris à deux boutons. Certains sont un peu futiles, comme le changement du pointeur.

Les gauchers pourront permuter les boutons en cochant la case Permuter les boutons principal et secondaire. Le changement est immédiat, avant même d'avoir cliqué sur Appliquer.

Ceux qui manquent de dextérité règleront la rapidité du double-clic. Testez la vitesse actuelle en double-cliquant sur la représentation d'un dossier. S'il s'ouvre, les paramètres sont parfaits. Sinon, réduisez la rapidité du double-clic à l'aide de la glissière.

Les possesseurs de souris à boutons supplémentaires ou sans fil trouveront des paramètres supplémentaires.

Scanneurs et appareils photo

Cliquez ici pour voir les scanneurs et/ou appareils photos actuellement installés. Ou, pour en installer de nouveaux, connectez-les et allumez-les. Windows Vista les reconnaît presque tous par leur nom. Si d'aventure ce n'était pas le cas, voici comment faire :

1. **Dans le menu Démarrer, cliquez sur Panneau de configuration et choisissez Matériel et audio.**

2. **Cliquez sur l'icône Scanneurs et appareils photo.**

   La fenêtre Scanneurs et appareils photo apparaît, montrant tous les scanneurs et appareils détectés par Vista.

3. **Cliquez sur le bouton Ajouter un périphérique, puis sur Suivant.**

   Vista démarre l'assistant Installation de scanneur et d'appareil photo.

4. **Choisissez le fabricant et le modèle puis cliquez sur Suivant.**

   Cliquez sur le nom du fabricant à gauche et sur le nom du modèle à droite.

5. **Nommez votre scanneur ou votre appareil photo, cliquez sur Suivant puis sur Finir.**

   Tapez un nom pour identifier votre périphérique, ou conservez celui qui est suggéré. Si le scanneur ou l'appareil photo est branché, Windows devrait le reconnaître et placer une icône pour ce matériel dans la zone Ordinateur et dans la zone Scanneurs et appareils photo du Panneau de configuration.

L'installation d'un scanneur ou d'un appareil photo un peu ancien n'est malheureusement pas toujours aussi simple. Si Windows n'accepte pas spontanément votre équipement, utilisez le logiciel d'installation qui était livré avec. Il devrait fonctionner (NdT : rien n'est moins sûr, car Vista refuse parfois de lancer des logiciels qui testent la version de Windows ; dans ce cas, allez sur le site du fabricant pour télécharger la mise à jour), mais vous ne pourrez pas utiliser le logiciel de transfert d'images intégré à Vista.

Le Chapitre 16 explique comment récupérer les images depuis un appareil photo numérique, et ce qui compte pour ce matériel vaut aussi pour les scanneurs, car Vista les traite sur un pied d'égalité.

Clavier

Si le clavier n'est pas connecté ou en panne, votre ordinateur le signalera dès l'allumage. Si vous voyez s'afficher le message Erreur de clavier – Windows ne le trouvera pas davantage –, le moment est venu d'en acheter un autre. Il sera aussitôt reconnu.

Si votre clavier est doté de boutons supplémentaires, comme Web/Démarrage, Courrier, Calendrier, Fichiers..., vous devez installer le logiciel du clavier pour que ces boutons fonctionnent. Les claviers sans fil exigent presque tous l'installation de leur logiciel.

N'entrez dans cette zone que pour des réglages mineurs du clavier, comme la vitesse de rééééépétition de la frappe.

Options de modem et téléphonie

Vous modifierez rarement ces options de modem et de téléphonie, sauf si vous possédez un ordinateur portable et changez souvent de zone téléphonique. Si tel est votre cas, cliquez sur Configurer les règles de numérotation et ajoutez vos nouveaux sites d'appel et indicatifs téléphoniques régionaux.

Windows enregistre toutes ces informations. Ainsi, lorsque vous revenez à tel ou tel endroit, sélectionnez le site d'appel correspondant afin de ne pas avoir à tout reconfigurer.

Contrôleur de jeu

Windows Vista reconnaît la plupart des nouveaux contrôleurs de jeu comme les manettes, pads, manches et palonniers pour la simulation de vol et autres équipements ludiques. Cliquez dans cette zone pour régler leur sensibilité et leur comportement.

Ajouter de nouveaux périphériques

Dès que vous connectez un périphérique au port USB du PC, qu'il s'agisse d'un iPod, d'un appareil photo ou d'un scanneur, Vista le reconnaît presque toujours et permet de l'utiliser aussitôt. Mais s'il ne le reconnaît pas, faites appel à l'Assistant Ajout de matériel :

1. **Choisissez Panneau de configuration, dans le menu Démarrer et cliquez sur Affichage classique.**

   Comme le montre la Figure 11.2 au début de ce chapitre, l'affichage classique montre toutes les icônes. C'est la voie royale vers l'Assistant Ajout de matériel.

2. **Double-cliquez sur l'icône Ajout de matériel, cliquez sur Continuer (dans la boîte d'alerte, si elle apparaît) puis sur Suivant afin**

que l'assistant puisse rechercher et installer automatiquement le
matériel.

L'Assistant Ajout de matériel présente à Windows tous les périphériques connectés à l'ordinateur, si Vista les reconnaît.

Voici où cela se corse :

- **Si Windows localise le nouveau matériel,** cliquez sur son nom dans la liste, cliquez sur Terminer et suivez les instructions restantes de l'assistant.

- **Si l'assistant ne localise pas le matériel,** cliquez sur Suivant et suivez les instructions. Avec un peu de chance, le nom du périphérique figure dans la liste. Cliquez dessus pour que Windows l'installe.

Mais si Windows ne parvient pas à le localiser automatiquement, vous devrez contacter le fabricant et demander un pilote – un petit programme qui permet à Vista de prendre en charge un équipement – conçu pour Windows Vista. Ils sont souvent téléchargeables depuis le site Web des fabricants. Certains sont livrés avec le logiciel d'installation. La chasse aux pilotes – rien à voir avec les pilotes de chasse – est évoquée au Chapitre 12.

Ajouter ou supprimer des programmes

Que vous ayez acquis un nouveau programme ou que vous désiriez vous débarrasser d'un, c'est à la catégorie Programmes du Panneau de configuration que vous confierez la tâche. Cliquez sur l'icône. Dans la nouvelle fenêtre, la catégorie Programmes et fonctionnalités répertorie tous les programmes actuellement installés, comme le montre la Figure 11.10. Cliquez sur celui que vous désirez supprimer ou modifier.

La prochaine section explique comment supprimer ou modifier un programme, et comment en installer un nouveau.

Supprimer ou modifier des programmes

Procédez comme suit pour supprimer un programme ou modifier ses paramètres :

Figure 11.10 : La fenêtre Désinstaller ou modifier un programme permet de supprimer un programme.

1. **Choisissez Panneau de configuration, dans le menu Démarrer et, dans la zone Programmes, choisissez Désinstaller un programme.**

   La fenêtre Désinstaller ou modifier un programme, similaire à celle de la Figure 11.10, apparaît. Elle répertorie les programmes actuellement installés, leur éditeur, leur taille sur le disque dur ainsi que la date d'installation.

2. **Cliquez sur le programme à supprimer puis cliquez sur le bouton Désinstaller, Modifier ou Réparer.**

   Le bouton Désinstaller est toujours présent sur la barre de menus. Les deux autres boutons, Modifier et Réparer, n'apparaissent que pour certains programmes. S'ils sont affichés, cliquez dessus. Vista tente alors de réparer le programme ou de modifier certains de ses composants. Il arrive que ces commandes corrigent un dysfonctionnement, mais vous aurez souvent besoin du CD d'origine.

3. Vista demande si vous êtes sûr : cliquez sur Oui.

Vista démarre le programme de désinstallation associé au logiciel à supprimer, ou parfois, supprime le programme sans autre forme de procès, redémarrant l'ordinateur si c'est nécessaire.

Une fois supprimé, un programme l'est définitivement ; il ne transite pas par une corbeille. C'est pourquoi, veillez à toujours posséder son CD d'installation, pour le cas où vous désireriez le réinstaller.

Utilisez toujours la fenêtre Désinstaller ou modifier un programme lorsque vous vous débarrassez d'un logiciel. Se contenter de placer ses dossiers dans la Corbeille n'est ni suffisant ni à faire. Procéder ainsi provoque presque immanquablement une instabilité du système qui envoie en retour d'affreux messages d'erreurs.

Ajouter un programme

Vous n'aurez peut-être jamais à utiliser cette fonction, car de nos jours, presque tous les programmes s'installent d'eux-mêmes sitôt que leur CD a été inséré dans le lecteur. Si vous ne savez pas si un programme a bien été installé, cliquez sur le bouton Démarrer et cherchez dans la liste Tous les programmes. S'il s'y trouve, c'est que tout s'est déroulé normalement.

Si un programme ne s'installe pas spontanément, voici quelques conseils qui vous aideront :

↙ Vous devez disposer d'un compte d'Administrateur pour installer des programmes. C'est généralement le cas du possesseur de l'ordinateur. Ceci empêche les enfants et ceux qui possèdent un compte limité ou Invité d'installer des programmes n'importe comment. Les comptes d'utilisateurs sont expliqués au Chapitre 13.

↙ Vous avez téléchargé un programme ? Vista le stocke généralement dans le dossier Downloads, accessible en cliquant sur votre nom d'utilisateur, dans le menu Démarrer. Double-cliquez sur le nom du programme téléchargé pour l'installer.

↙ Beaucoup de programmes nouvellement installés veulent placer un raccourci sur le Bureau, dans le menu Démarrer et dans le menu Lancement rapide. Refusez toutes ces propositions hormis celle du menu Démarrer. Tous ces raccourcis finissent en effet par encombrer l'écran, rendant la recherche d'un programme difficile et fastidieuse. Vous pouvez supprimer sans problème ces raccourcis superflus en cliquant dessus du bouton droit et en choisissant Supprimer.

➥ Il est vivement recommandé de créer un point de restauration avant d'installer un nouveau programme (les points de restauration sont décrits au Chapitre 12). Ainsi, si le nouveau programme se détraque, vous pourrez utiliser la fonction de restauration du système pour rétablir l'ordinateur tel qu'il était avant l'installation du fauteur de troubles.

Quand un programme est dépourvu de logiciel d'installation...

Des programmes, notamment ceux de petite taille téléchargés depuis l'Internet, sont parfois dépourvus d'un installeur. Si vous en avez téléchargé un, créez un nouveau dossier à son intention et placez-y le fichier téléchargé (non sans l'avoir préalablement analysé avec l'antivirus). Double-cliquez ensuite sur le fichier du programme ; c'est souvent celui dont l'icône est la plus sophistiquée. L'une de ces deux choses peut se produire :

➥ **Le programme démarre tout simplement :** Cela signifie qu'il n'est pas nécessaire de l'installer. Tirez son icône jusque sur le bouton Démarrer et déposez-le afin de l'ajouter au menu Démarrer. Pour désinstaller le programme, cliquez dessus du bouton droit et choisissez Supprimer. Ce type de programme apparaît très rarement dans la liste de la fenêtre Désinstaller ou modifier un programme.

➥ **Le programme s'installe de lui-même :** Cela signifie que c'est fait. Le programme d'installation a été lancé, vous épargnant tout problème. Pour désinstaller le programme, utilisez la commande de désinstallation du Panneau de configuration.

Si le programme se trouve dans un dossier compressé, reconnaissable à sa fermeture Éclair, une autre étape est nécessaire. Cliquez du bouton droit dans le dossier compressé – ou "zippé", en jargon informatique –, choisissez Extraire tout, puis cliquez sur Extraire. Windows décompresse le contenu du dossier et le place dans un nouveau dossier dont le nom est généralement celui du programme. Vous pouvez à présent démarrer le programme directement ou, s'il a un installeur, le démarrer. Les dossiers compressés sont décrits au Chapitre 4.

Ajouter ou supprimer des éléments de Vista

Vous pouvez aussi vous défaire des parties de Windows Vista dont vous n'avez que faire, les jeux par exemple, si vous voulez empêcher vos employés d'y jouer.

Suivez ces étapes pour connaître les parties de Vista que vous pouvez ôter :

1. **Cliquez sur le menu Démarrer, choisissez Panneau de configuration et cliquez sur l'icône Programmes.**

2. **Dans la zone Programmes et fonctionnalités choisissez Activer ou désactiver des fonctionnalités Windows. Cliquez au besoin sur Continuer.**

   Windows ouvre une fenêtre répertoriant toutes ses fonctionnalités. Celles qui sont cochées sont déjà installées, celles qui ne le sont pas ne sont évidemment pas installées. Si une case est remplie (ni vide ni cochée) cela signifie qu'une partie seulement des composants est installée. Cliquez sur le bouton avec un signe "+" pour afficher tous ces composants et savoir lesquels sont installés et lesquels ne le sont pas.

3. **Pour ajouter un composant, cliquez dans sa case vide. Pour un ôter un, l'ensemble des jeux par exemple, décochez la case Jeux.**

4. **Cliquez sur le bouton OK.**

   Windows Vista ajoute et/ou supprime le ou les programmes. Le DVD de Vista vous sera peut-être demandé.

Modifier Vista pour les handicapés

 Windows peut être d'un abord difficile pour beaucoup de gens, mais pour d'autres s'ajoute un handicap physique. Le panneau Ergonomie a été conçu pour les aider et leur faciliter l'usage de Windows Vista.

Procédez comme suit pour modifier les paramètres de Vista :

1. **Cliquez sur le menu Démarrer, choisissez Panneau de configuration et cliquez sur l'icône Ergonomie et choisissez Centre Options d'ergonomie.**

Choisir le programme par défaut

Microsoft permet aux fabricants de remplacer Internet Explorer, le Lecteur Windows Media, Outlook Express et Windows Messenger par des programmes d'autres éditeurs. C'est ainsi que votre nouvel ordinateur peut être équipé du navigateur Mozilla Firefox, à la place d'Internet Explorer. Sur certains PC, les deux sont installés.

Quand plusieurs programmes peuvent effectuer une même tâche – ouvrir un lien Web, par exemple –, Vista doit savoir lequel il doit lancer. C'est là que le choix du programme par défaut s'impose. Pour cela, ouvrez le Panneau de configuration depuis le menu Démarrer, choisissez Programmes, sélectionnez Programmes par défaut et cliquez sur Choisissez vos programmes par défaut.

Dans la fenêtre éponyme, les programmes sont répertoriés à gauche. Cliquez sur celui que vous utilisez le plus fréquemment puis choisissez Définir ce programme comme programme par défaut. Faites de même pour d'autres programmes de la liste puis cliquez sur OK.

La fenêtre de la Figure 11.11 apparaît.

2. **Cliquez sur le lien Afficher les recommandations pour faciliter l'usage de l'ordinateur.**

   Cette option est pointée du doigt à la Figure 11.11. Windows pose une série de questions permettant d'évaluer les paramétrages nécessaires. Ensuite, Vista les applique et c'est tout.

   Les changements de Vista ne sont pas satisfaisants ? Passez à l'Étape 3.

3. **Effectuez les changements manuellement.**

   La fenêtre Centre Options d'ergonomie contient des commutateurs qui facilitent l'utilisation du clavier, de la souris, de l'écran et du son :

   - **Activer la loupe :** Conçue pour ceux qui ont une mauvaise acuité visuelle, cette option grossit l'écran autour du pointeur de la souris.

   - **Activer le narrateur :** Une voix féminine lit le texte affiché à l'écran.

   - **Activer le clavier visuel :** Affiche un clavier cliquable en bas de l'écran, permettant d'écrire en n'utilisant que la souris.

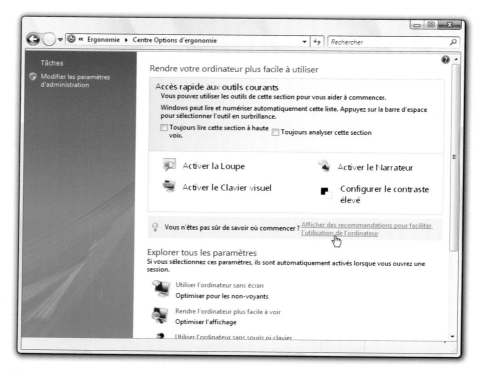

Figure 11.11 : La zone Centre Options d'ergonomie contient de nombreux paramètres susceptibles de faciliter l'usage de Windows par les handicapés physiques.

- **Configurer le contraste élevé :** Ce paramètre atténue considérablement les couleurs, mais permet aux malvoyants de mieux distinguer le contenu de l'écran et le pointeur.

Choisissez n'importe laquelle de ces options, qui devient immédiatement active. Fermez la fenêtre associée à la fonction si l'option d'ergonomie complique les choses au lieu de les arranger.

Si vous n'êtes toujours pas satisfait, passez à l'Étape 4.

4. **Choisissez un paramètre spécifique dans la zone Explorer tous les paramètres.**

C'est ici que Vista passe aux choses sérieuses, en permettant d'optimiser Vista pour :

- Les aveugles et les malvoyants.

- Utiliser un autre périphérique que la souris ou le clavier.

- Permettre le réglage de la sensibilité du clavier et de la souris afin de compenser la limitation des mouvements.

- Activer des alertes visuelles à la place des notifications sonores.

- Faciliter la concentration sur les zones de lecture et d'écriture.

Certains centres pour handicapés disposent de logiciels et d'une assistance qui aident à tirer parti de ces modifications.

Les options pour ordinateurs portables

 La zone PC mobile, visible uniquement sur les ordinateurs portables, permet de régler des paramètres que les utilisateurs nomades connaissent bien : la luminosité de l'écran, le réglage du volume sonore, l'économie de la batterie, la vérification du signal d'un réseau sans fil et la configuration d'affichages externes ou de projecteurs. La plupart de ces paramètres sont couverts au Chapitre 22.

Les options supplémentaires

 Quand Windows Vista est tout beau tout neuf, cette zone est vide. Mais au fur et à mesure que vous installerez d'autres logiciels ou équipements, comme une tablette graphique ou le module Quicktime, elle se remplira d'icônes supplémentaires, comme le montre la Figure 11.12.

Notez que si vous avez opté pour l'affichage classique du Panneau de configuration, les icônes des options supplémentaires seront placées (dans l'ordre alphabétique) parmi celles qui se trouvent habituellement dans le Panneau de configuration.

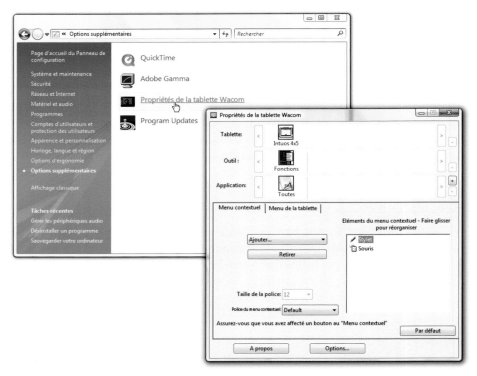

Figure 11.12 : Les nouveaux équipements apparaissent dans la zone Options supplémentaires du Panneau de configuration.

Éviter que Vista plante

*E*n cas de dysfonctionnement de Windows, allez directement au Chapitre 17. Mais si l'ordinateur semble tourner plutôt bien, restez dans ce chapitre. Il vous explique comment faire en sorte qu'il continue le plus longtemps possible à vous rendre de bons services.

Dans ce chapitre, chaque section décrit une tâche relativement facile et indispensable pour que Windows tourne au mieux. Il n'est pas nécessaire de faire appel à un passionné d'informatique car la plus grande partie de cet entretien s'effectue avec les outils de maintenance intégrés à Windows – comme le programme Nettoyage de disque pour libérer de l'espace dans un disque dur encombré – ou à des produits de nettoyage ménagers.

Vous apprendrez aussi à venir à bout de l'ennuyeux et sempiternel problème de "mauvais" pilote.

Enfin, vous découvrirez un moyen rapide de nettoyer la souris, une opération souvent négligée et pourtant indispensable si vous tenez à ce que le pointeur se déplace en douceur, sans à-coups.

En plus d'effectuer la check-list que propose ce chapitre, veillez à ce que Windows Update et Windows Defender fonctionnent en mode automatique (voir Chapitre 10). Tous deux jouent un grand rôle dans la sécurité et la fiabilité de votre ordinateur.

Créer un point de restauration

Quand votre ordinateur est mal en point, le programme Restauration du système, couvert au Chapitre 17, permet de remonter dans le temps jusqu'à une époque où l'ordinateur se portait comme un charme. Bien qu'il crée automatiquement des points de restauration, rien ne vous empêche de créer les vôtres. Un point de restauration permet de revenir à un point où votre ordinateur fonctionnait sans problème.

1. **Dans le menu Démarrer, cliquez sur Tous les programmes, Accessoires, Outils système puis Restauration du système.**

   La fenêtre Restauration du système apparaît.

2. **Cliquez sur le lien Ouvrez Protection système et cliquez sur le bouton Créer.**

   Située en bas à droite de la fenêtre Restauration du système, l'option Ouvrez Protection système donne accès à la page Propriétés système.

3. **Cliquez sur Créer, nommez le nouveau point de restauration puis cliquez sur Créer afin de l'enregistrer.**

   Windows Vista crée un point de restauration portant ce nom, vous laissant avec une tapée de fenêtres à fermer.

En créant vos propres points de restauration les jours où tout va bien, vous saurez lesquels utiliser lorsque les choses iront mal. Vous apprendrez au Chapitre 17 comment tirer l'ordinateur d'un état précomateux grâce à la Restauration du système.

Régler Vista avec les outils de maintenance

Vista contient toute une panoplie d'outils destinés à le faire tourner le mieux possible. Plusieurs sont lancés automatiquement, limitant votre intervention à vérifier des commutateurs qui doivent être sur Activé. D'autres vous préparent à échapper au pire – la perte de vos données –

en sauvegardant vos fichiers. Pour voir ces outils, cliquez sur le menu Démarrer, choisissez le Panneau de configuration et sélectionnez la catégorie Système et maintenance.

Voici les outils auxquels vous recourrez le plus souvent :

- ✒ **Centre de sauvegarde et de restauration :** Windows Vista est livré avec un programme de sauvegarde peu commode. Mais comme il est livré avec, vous n'avez aucune excuse de ne pas sauvegarder vos fichiers. Tout disque dur finit par tomber en panne, anéantissant tout ce qui s'y trouvait.

- ✒ **Système :** Les petits génies du support technique y font des incursions. La zone Système contient votre version de Vista, la puissance de votre PC et l'état du réseau, et aussi un indice de performance Windows.

- ✒ **Windows Update :** Ces outils permettent à Microsoft de greffer des mises à jour et des correctifs de sécurité sur votre PC, par une connexion Internet, ce qui est généralement une bonne chose. C'est là aussi que vous pouvez désactiver Windows Update, si vous le jugez utile.

- ✒ **Options d'alimentation :** Vous ne savez pas quelle est la différence entre la veille, la veille prolongée et l'arrêt ? Le Chapitre 2 l'explique. Cette partie vous laisse choisir le degré de léthargie de votre PC quand vous appuyez sur le bouton Arrêt (ou, pour les possesseurs d'ordinateurs portables, quand ils referment l'écran).

- ✒ **Outils d'administration :** L'un d'eux est particulièrement utile car il permet de libérer de l'espace dans le disque dur en éliminant tout ce qui ne sert plus à rien.

Toutes ces tâches seront décrites plus en détail dans les cinq prochaines sections de ce chapitre.

Sauvegarder les fichiers

Un disque dur n'est pas à l'abri des pannes et dans ce cas, il emporterait avec lui tout ce qui s'y trouvait : des années de photos numériques, de morceaux de musique, de lettres, de documents administratifs, commerciaux ou bancaires, d'éléments numérisés avec le scanneur, bref tout ce que vous avez engrangé dans l'ordinateur.

C'est pour éviter une telle catastrophe que vous devez sauvegarder régulièrement vos fichiers. Vos archives seront ainsi à l'abri le jour où le disque dur rendra soudainement l'âme.

Le programme de sauvegarde de Vista se distingue des autres en ce sens qu'il est à la fois très basique et malcommode à utiliser. Mais, si vous avez plus de temps que d'argent, c'est à lui que vous confierez la sauvegarde de fichiers importants. Si vous préférez un programme plus convivial, faites un tour dans une boutique informatique.

Trois ingrédients sont nécessaires pour utiliser le programme de sauvegarde de Vista :

- **Un graveur de CD ou de DVD, ou un disque dur externe :** Le programme de sauvegarde de Vista grave aussi bien des CD que des DVD, mais rien ne vaut un disque dur externe. Il suffit de le brancher sur le port USB 2.0 ou FireWire, et Vista le reconnaît instantanément.

- **Un compte d'Administrateur :** Vous devez avoir ouvert une session comme administrateur. Les comptes d'utilisateurs et les mots de passe sont expliqués au Chapitre 13.

- **Le programme de sauvegarde de Vista :** Il est livré avec toutes les versions de Windows Vista. Il ne fonctionne hélas pas automatiquement dans la version Édition Familiale Basique. Vous devez penser à le démarrer tous les soirs.

Ces trois éléments étant réunis, effectuez ces étapes afin que votre ordinateur sauvegarde vos fichiers automatiquement tous les mois (bien), toutes les semaines (c'est mieux) ou toutes les nuit (c'est parfait) :

1. **Ouvrez le Centre de sauvegarde et de restauration de Vista.**

   Cliquez sur le bouton Démarrer, choisissez Panneau de configuration, sélectionnez la catégorie Système et maintenance puis cliquez sur Centre de sauvegarde et de restauration.

2. **Cliquez sur le bouton Sauvegarder les fichiers.**

   Si vous utilisez la version Édition intégrale ou Entreprise, le Centre de sauvegarde et de restauration propose deux moyens légèrement différents de sauvegarder le PC, décrits chacun dans l'encadré. Mais là, vous cliquez sur le bouton Sauvegarder les fichiers.

Le programme demande fort judicieusement où vous désirez sauvegarder les fichiers.

3. **Choisissez l'emplacement de la sauvegarde puis cliquez sur Suivant.**

Vista est capable de sauvegarder sur presque tous les supports : CD, DVD, clé USB, disque dur externe et même sur un lecteur se trouvant sur un autre ordinateur du réseau (voir Chapitre 14).

Bien que le choix dépende de la quantité de données à sauvegarder, la meilleure solution reste le disque dur externe, connecté à un port USB ou FireWire, permettant des sauvegardes à l'improviste.

Si vous n'en avez pas, les CD et DVD sont une bonne solution.

Si vous tentez de sauvegarder sur le disque d'un autre ordinateur du réseau, Vista exigera que vous ayez un compte Administrateur et un mot de passe sur l'ordinateur distant.

Si Vista demande quel disque local il faut inclure dans la sauvegarde, choisissez Disque local C: (Système).

4. **Choisissez les types de fichiers à sauvegarder puis cliquez sur Suivant.**

Bien que Vista laisse le choix des types de fichiers à sauvegarder, comme le montre la Figure 12.1, il les sélectionne en fait tous. Si vous avez de bonnes raisons de ne pas sauvegarder certains d'entre eux, décochez-les dans la liste.

Si vous ne décochez aucune case, Vista sauvegarde tous les fichiers de tous les comptes d'utilisateurs du PC.

Figure 12.1 : Choisissez les types de fichiers à sauvegarder.

En revanche, Vista ne sauvegarde pas les programmes. Mais, comme vous avez sans doute bien rangé leurs disques d'installation, il vous suffira de les réutiliser au besoin.

Vista sauvegarde tous les dossiers et fichiers de chaque compte d'utilisateur. Pour être plus précis, il s'agit du dossier `C:\Utilisateurs` et de tous ses sous-dossiers.

5. **Choisissez l'intervalle entre les sauvegardes, puis cliquez sur le bouton Enregistrer les paramètres et démarrer la sauvegarde.**

Choisissez entre la sauvegarde mensuelle, hebdomadaire (Figure 12.2) ou quotidienne, ainsi que l'heure où elle doit se produire. Vous pouvez choisir une heure où vous travaillez sur le PC, mais l'opération ralentit l'ordinateur.

Pour plus de commodité, choisissez une sauvegarde quotidienne aux petites heures du matin. Si vous éteignez le PC le soir, choisissez un moment dans la journée.

Figure 12.2 : Choisissez la fréquence, le jour et l'heure des sauvegardes automatiques.

Après avoir cliqué sur le bouton Enregistrer les paramètres et démarrer la sauvegarde, Vista commence immédiatement à transférer des données, même si aucune sauvegarde n'a été planifiée. C'est parce que le très vigilant Vista tient à ce que tout soit mis en lieu sûr maintenant, sans tarder, avant qu'un incident se produise.

6. **Restaurez quelques fichiers afin de tester la qualité de la sauvegarde.**

Vérifiez que tout s'est bien déroulé. Répétez la première étape, mais choisissez Restaurer les fichiers. Suivez les indications de Vista jusqu'à ce que vous puissiez parcourir la liste des fichiers sauvegardés. Restaurez l'un d'eux en vous assurant qu'il est copié à son emplacement initial.

Le programme de sauvegarde de l' Édition Familiale Basique ne peut pas être planifié. Si vous possédez cette version, vous devrez vous rappeler de sauvegarder vos fichiers au moins une fois par semaine.

✔ Pour que la sauvegarde se produise chaque nuit, l'ordinateur doit rester allumé ; en revanche, l'écran peut être éteint. Mon ordinateur tourne 24 heures sur 24, car la plupart des PC consomment moins de courant qu'une ampoule.

✔ Vista enregistre la sauvegarde dans un dossier nommé Vista, à l'emplacement choisi à l'Étape 3. Ne le déplacez pas car Vista serait incapable de le retrouver lors des restaurations.

✔ Après la première sauvegarde, Vista ne sauvegarde plus que les fichiers qui ont été modifiés depuis la dernière sauvegarde. Ne soyez pas surpris si les sauvegardes subséquentes sont beaucoup plus rapides ou exigent moins de CD ou de DVD. Éventuellement, Vista vous avisera que le moment est venu d'une sauvegarde complète qui, elle, est plus longue.

Trouvez des informations techniques sur l'ordinateur

Pour savoir ce que Vista a dans les tripes, ouvrez le Panneau de configuration, choisissez Système et maintenance, puis Système. La fenêtre que montre la Figure 12.3 est une fiche technique pleine d'enseignements. Elle mentionne en effet :

✔ **La version de Windows :** Vista est décliné en plusieurs versions. Si vous devez travailler avec un ordinateur que vous ne connaissez pas, vous apprendrez ici laquelle est installée.

✔ **Le système :** Vista évalue les performances du PC et attribue un indice de performance de 1 (malingre) à 5 (costaud). Le type du microprocesseur est également mentionné ici, de même que la quantité de mémoire vive.

✔ **Le nom de l'ordinateur et le groupe de travail :** Ces informations sont indispensables pour connecter l'ordinateur à un réseau local.

Faut-il sauvegarder l'intégralité du PC ?

Le Centre de sauvegarde et de restauration propose deux manières de sauvegarder le PC, très différentes l'une de l'autre :

- **Sauvegarder les fichiers :** C'est l'option choisie par la plupart des gens, et la seule disponible dans Vista Édition Familiale et dans Vista Édition Familiale Basique. Tous les fichiers sont réunis dans un dossier géant qui, au besoin, peut être réparti sur plusieurs CD ou DVD. Cette option permet de restaurer tout ou partie des dossiers et des fichiers.

- **Sauvegarder l'ordinateur :** Disponible seulement dans les versions Entreprise et Édition intégrale, cette option créé une "image" de la totalité du disque dur et la place dans un fichier géant, tout comme avec la technique "dossiers et fichiers". La différence réside dans le fait que la sauvegarde intégrale ne permet pas de restaurer quelques dossiers ou fichiers spécifiques, mais seulement la totalité de l'ordinateur, en écrasant tous les fichiers créés depuis la sauvegarde.

La sauvegarde de l'ordinateur est commode pour un nouveau PC, ou un PC que vous avez laborieusement configuré à votre manière. Vous disposez ainsi d'une base sûre que vous pourrez réinstaller en cas d'incident majeur. Mais pour la plupart des utilisateurs, c'est la sauvegarde des fichiers qui est la solution la plus souple et la plus commode.

- **Activation de Windows :** Pour éviter qu'un exemplaire de Vista soit installé sur plusieurs ordinateurs à la fois, Microsoft exige qu'il soit activé, ce qui l'associe à un seul et unique PC.

Le volet de gauche donne accès à quelques tâches plus avancées que vous apprécierez sans doute quand le PC fait des siennes :

- **Gestionnaire de périphériques :** Il recense tous les éléments matériels de votre PC, mais en termes assez techniques. Les éléments précédés d'un point d'exclamation posent problème. Double-cliquez dessus et choisissez Diagnostiquer.

- **Paramètres d'utilisation à distance :** Rarement utilisé, ce paramétrage compliqué autorise quelqu'un à contrôler votre PC au travers de l'Internet, généralement pour corriger un problème. Si vous connaissez l'une de ces personnes secourables, laissez-la vous expliquer par téléphone ou par un courrier électronique ce qu'il faut faire.

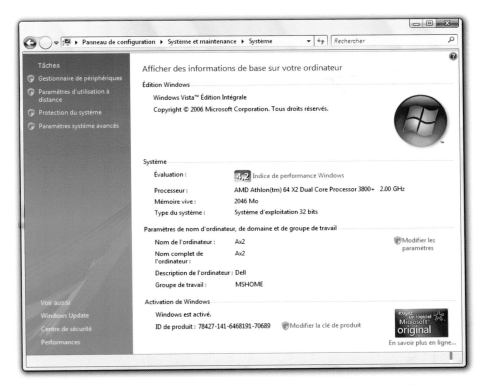

Figure 12.3 : Cliquer sur l'icône Système affiche les spécifications techniques de votre ordinateur.

✔ **Protection du système :** Cette option sert à créer des points de restauration, décrits à la première section de ce chapitre, et à restaurer l'un d'eux afin de ramener l'ordinateur à un moment où il fonctionnait sans problème.

✔ **Paramètres système avancés :** Les techniciens professionnels passent beaucoup de temps ici. Les autres passent leur chemin.

La plupart des éléments de la zone Système de Vista sont assez compliqués. N'y touchez pas si vous n'êtes pas sûr de ce que vous faites, ou si quelqu'un du support technique ne vous a pas demandé de modifier un paramètre. Pour en avoir un aperçu, lisez l'encadré consacré au réglage des effets visuels de Vista.

Accélérer le PC en atténuant les effets visuels

Tout en moulinant des chiffres en coulisses, Windows Vista tente d'en mettre plein la vue par des effets visuels : les menus et les fenêtres s'ouvrent et se ferment en douceur, une ombre esthétique borde les cadres et le pointeur de la souris. Si la carte graphique du PC est suffisamment musclée, le cadre des fenêtres est transparent, permettant de distinguer ce qu'il y a dessous.

Tous ces effets exigent des calculs graphiques qui réduisent quelque peu Vista. Pour privilégier les performances, allez dans le Panneau de configuration, choisissez la catégorie Système et maintenance, puis Système et, dans le volet de gauche, cliquez sur Paramètres système avancés. Dans la boîte de dialogue Propriétés système, cliquez sur l'onglet Paramètres avancés. A la rubrique Performances, cliquez sur le bouton Paramètres.

Pour que le PC mouline aussi vite que possible, activez l'option Ajuster afin d'obtenir les meilleures performances. Windows se passe de tous les effets graphiques et revient à un affichage plus classique, pour ne pas dire désuet, qui imite Windows 98. Pour revenir à un affichage plus flatteur mais plus lent, choisissez l'option Laisser Windows choisir la meilleure configuration pour mon ordinateur.

Libérer de l'espace sur le disque dur

Vista occupe plus de place sur le disque dur – une bonne dizaine de giga-octets – que n'importe quelle autre version de Windows. S'il est très rempli et que des programmes se plaignent de ne pas avoir assez de place, cette manipulation leur en fera :

1. **Cliquez sur le bouton Démarrer, choisissez Panneau de configuration, puis la catégorie Système et maintenance. Ensuite, à la rubrique Outils d'administration, cliquez sur Libérer de l'espace disque.**

   Vista demande s'il faut supprimer uniquement vos fichiers superflus ou ceux de tous les comptes d'utilisateurs.

2. **Choisissez l'option Les fichiers de tous les utilisateurs.**

   Cette étape vide la Corbeille et élimine les fichiers inutiles – notamment des fichiers temporaires générés par divers programmes – de tous les comptes d'utilisateurs.

Si le PC demande quel disque il doit nettoyer, choisissez le premier de la liste, C:, puis cliquez sur OK.

3. Vérifiez tous les éléments puis cliquez sur OK.

Vista présente la fenêtre Nettoyage de disque dur de la Figure 12.4. Cochez toutes les cases et cliquez sur OK. Quand vous sélectionnez l'intitulé d'une case, la rubrique Description, dans la partie inférieure de la fenêtre, explique ce que vous supprimerez.

4. Cliquez sur Supprimer les fichiers, lorsque Vista vous demandera confirmation.

Vista vide ensuite la Corbeille, détruit les fichiers laissés dans l'ordinateur par des pages Web et supprime bien d'autres scories abandonnées dans le disque dur par divers programmes.

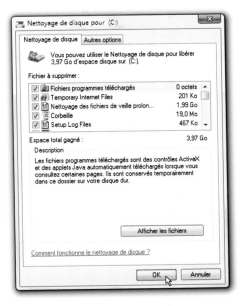

Figure 12.4 : Veillez à cocher toutes les cases.

Pour obtenir un raccourci vers le nettoyeur de disque, cliquez sur le bouton Démarrer et tapez Nettoyeur de disque dans le champ Rechercher.

Ajouter des fonctions au bouton d'alimentation

Normalement, un appui prolongé sur le bouton marche-arrêt de votre PC l'éteint, que Vista soit prêt ou non. C'est pourquoi vous devez systématiquement quitter Vista avec son propre bouton, que vous trouvez en bas à droite du menu Démarrer, après avoir cliqué sur le petit bouton fléché à coté de l'icône en forme de cadenas. Vista se prépare alors à la fermeture.

Pour éviter de malmener Vista par une extinction intempestive, reprogrammez le bouton marche-arrêt de votre ordinateur portable ou de bureau de manière à ce qu'il n'éteigne pas le PC. Faites qu'il le mette en veille, le nouveau mode d'économie d'énergie de Vista.

Pour modifier le comportement du bouton marche-arrêt, choisissez Démarrer, Panneau de configuration, et sélectionnez la catégorie Système et maintenance. Choisissez Options d'alimentation. La fenêtre qui apparaît propose plusieurs configurations d'alimentation.

Dans le volet de gauche, cliquez sur Choisir l'action des boutons d'alimentation. Vous pouvez faire en sorte que les boutons d'alimentation et de mise en veille mettent l'ordinateur en veille, en veille prolongée, l'arrêtent, ou ne fassent rien (la différence entre la veille et la veille prolongée est décrite au Chapitre 2).

Pour plus de sécurité, cliquez sur Exiger un mot de passe afin que quiconque réveille le PC doive entrer un mot de passe pour accéder à vos données.

Pour accéder rapidement à cette fenêtre, tapez **Options d'alimentation** dans le champ Rechercher du menu Démarrer. Les possesseurs d'ordinateur portable trouveront une option supplémentaire permettant de modifier son comportement lorsqu'ils referment l'écran.

Configurer des périphériques rétifs (choisir un pilote)

Windows est doté d'une kyrielle de pilotes, ces petits programmes qui permettent à Windows de communiquer avec les périphériques que vous connectez à l'ordinateur. Normalement, Vista reconnaît un nouveau matériel, qui fonctionne aussitôt. Parfois, Vista fait une incursion sur l'Internet afin d'y récupérer quelques instructions avant de finir l'installation.

Mais de temps en temps, vous installez un périphérique qui est, soit trop nouveau pour Vista, qui n'a pas encore le pilote approprié, soit trop vieux pour que Vista ait cru bon de s'embarrasser d'un pilote hors d'âge. Ou alors, un équipement relié au PC fonctionne mal, et le Centre d'accueil de Vista couine qu'il faut un nouveau pilote.

Si Vista ne reconnaît ni n'installe automatiquement un nouveau périphérique qui vient d'être connecté, et cela même après avoir redémarré le PC, essayez ce qui suit :

1. **Visitez le site Web du fabricant et téléchargez le plus récent pilote pour Windows Vista.**

   L'adresse du site d'un fabricant figure souvent sur l'emballage, dans le manuel ou dans le CD d'installation. Si vous ne le trouvez pas, recherchez le nom du fabricant sur Google (www.google.fr) et localisez son site Web.

   NdT : Sur un emballage, l'adresse Web d'un fabricant est souvent celle de la maison mère, et le site est en anglais. Essayez l'adresse avec une extension .fr (exemple : www.netgear.fr au lieu de www.netgear.com) pour accéder directement au site francophone. Cette astuce fonctionne souvent mais pas toujours.

   Le site ne propose aucun pilote pour Vista ? Essayez avec celui pour Windows XP ou Windows 2000, car ils conviennent souvent (et n'oubliez pas de soumettre _tous_ les fichiers téléchargés à l'antivirus).

2. **Exécutez le programme d'installation du pilote.**

   Parfois, double-cliquer sur le fichier téléchargé démarre le programme d'installation, qui se charge de tout. Dans ce cas, vous en avez fini. Autrement, passez à l'Étape 3.

   Si le fichier téléchargé arbore une fermeture Éclair, cliquez dessus du bouton droit et choisissez Extraire tout afin de décompresser son contenu dans un nouveau dossier. Ce dernier porte le même nom que le fichier décompressé, ce qui permet de le localiser plus facilement.

3. **Dans le Panneau de configuration, choisissez Matériel et audio puis sélectionnez Gestionnaire de périphériques.**

   Le Gestionnaire de périphériques contient l'inventaire de tous les éléments matériels à l'intérieur de l'ordinateur ou qui sont connectés.

4. **Cliquez sur Action, dans la barre de menus du Gestionnaire de périphériques, et choisissez Ajouter un matériel hérité.**

   L'Assistant Ajout de matériel vous guide à travers les étapes de l'installation de votre nouveau périphérique et, au besoin, installe le nouveau pilote.

> ✔ Évitez les problèmes en procédant à la mise à jour du pilote. Celui qui était dans l'emballage est peut-être déjà ancien. Visitez le site Web du fabricant et téléchargez la dernière version. Il est possible qu'il corrige des problèmes signalés par les premiers utilisateurs.

> ✔ Des problèmes avec un nouveau pilote ? Cliquez sur le bouton Démarrer, choisissez le Panneau de configuration et ouvrez la catégorie Système et maintenance. Cliquez sur Gestionnaire de périphériques puis double-cliquez sur le nom de la pièce incriminée, *Claviers* par exemple. Vista révèle la marque et le modèle de votre matériel. Double-cliquez sur son nom et, dans la fenêtre Propriétés de Périphérique, cliquez sur l'onglet Pilote. Cliquez sur le bouton Version précédente. Windows Vista remplace le nouveau pilote par le précédent.

Nettoyer l'ordinateur

Le nettoyage de l'ordinateur dont il est question dans cette section n'a rien à voir avec les tâches informatiques, comme le nettoyage du disque dur évoqué précédemment. Ici, il est question de chiffons et de produits ménagers, et c'est à vous qu'incombe cette corvée.

Le nettoyage de la souris

Si le pointeur de la souris se déplace par saccades et devient erratique, c'est probablement parce que la souris est encrassée par tout ce qu'elle a récolté lors de ses innombrables allées et venues sur le tapis (lequel peut lui aussi s'encrasser et gêner le bon fonctionnement du mulot). Voici comment décrasser une souris mécanique ou optique :

1. **Retournez la souris et décrassez sa base.**

   La souris doit être bien à plat et tout contre le tapis pour fonctionner correctement.

2. **Examinez le dessous de la souris.**

   Si elle comporte une boule dans un logement, continuez à l'Étape 3.

   Si vous voyez une petite lumière généralement rouge, passez à l'Étape 4.

3. **Nettoyez la boule et les rouleaux de la souris mécanique.**

Pivotez le petit couvercle circulaire et ôtez la boule. Nettoyez soigneusement toutes les saletés qui s'y sont incrustées et soufflez la poussière accumulée dans l'orifice. Utilisez une bombe à air comprimé (en vente dans les boutiques d'informatique et les papeteries). Elle soufflera aussi les miettes qui auraient pu obstruer les minuscules orifices des deux roues à claires-voies placées entre les cellules photoélectriques.

Ôtez toutes les miettes, poussières, cheveux et décrassez les rouleaux. Frottez-les avec un coton-tige imbibé d'alcool jusqu'à ce qu'ils soient parfaitement lisses et brillants, car leur encrassement est à l'origine de la plupart des dysfonctionnements.

Replacez la boule dans son logement puis son couvercle circulaire.

4. **Nettoyez la souris optique.**

   Dans une souris optique, la boule en caoutchouc est remplacée par un minuscule rayon Laser. Comme elle est dépourvue de pièces mobiles, une souris mécanique nécessite peu d'entretien. Il suffit d'ôter de temps en temps les miettes ou cheveux qui peuvent se déposer sur ou autour de la source de lumière.

   Assurez-vous aussi que la souris optique se déplace sur une surface texturée peu brillante. Si votre bureau est en verre ou brillant (bois poli, polyester...) placez la souris sur un tapis.

Si, bien que nettoyée, la souris ne fonctionne toujours pas bien, il faudra peut-être la remplacer. Mais avant d'en arriver là, vérifiez ces points :

- La pile des souris sans fil s'épuise assez rapidement. Vérifiez-la et assurez-vous aussi que la souris est à portée du récepteur connecté à l'ordinateur, généralement dans un port USB.

- Vérifiez les paramètres de la souris : cliquez sur Démarrer, choisissez le Panneau de configuration, allez à la catégorie Matériel et audio et cliquez sur Souris. Voyez si un paramètre ne serait pas de toute évidence erroné.

Nettoyer le moniteur

Ne projetez jamais directement du nettoyant à vitres sur un écran cathodique, car il risque de s'infiltrer dedans, risquant d'abîmer les circuits.

Projetez-le d'abord sur un chiffon doux puis nettoyez l'écran. N'utilisez jamais de papier essuie-tout car il pourrait rayer le verre.

Pour le nettoyage d'un écran plat, utilisez un chiffon doux qui ne peluche pas et imbibé à parts égales d'un mélange d'eau et de vinaigre. Nettoyez aussi le cadre, s'il n'est plus très propre.

Nettoyer le clavier

Secouer le clavier au-dessus de la corbeille à papier n'est pas la meilleure solution. Il est préférable de quitter Windows, d'éteindre l'ordinateur et de débrancher le clavier. S'il s'agit d'un clavier USB, vous pouvez le déconnecter "à chaud", sans même éteindre l'ordinateur.

Emportez-le à l'extérieur et secouez-le vigoureusement pour faire tomber les débris. Si les touches sont crasseuses, projetez un produit de nettoyage ménager sur un chiffon et nettoyez méticuleusement les côtés des touches (comme il y en a plus d'une centaine, la tâche est assez rébarbative).

Rebranchez le clavier et rallumez l'ordinateur. Votre équipement est à présent comme neuf.

Partager l'ordinateur en famille

*V*ista se distingue par son nouveau graphisme très classe, des fonctions de recherche élaborées, un calendrier permettant de gérer son temps et même un magnifique jeu d'échecs. Partant du principe qu'un ordinateur est souvent à la disposition de plusieurs personnes, Microsoft a aussi amélioré la sécurité. La sécurité de tous : Vista envoie plus de signaux de mise en garde qu'il y en dans tout le code de la route.

L'un des points les plus cruciaux de la sécurité est de permettre à plusieurs personnes d'utiliser un même ordinateur sans que les uns puissent farfouiller dans les fichiers des autres.

Comment ? En attribuant à chacun un compte d'utilisateur qui sépare nettement l'actuel utilisateur de l'ordinateur de ceux qui y ont aussi accès. Quand quelqu'un ouvre une session avec son propre compte d'utilisateur, l'ordinateur affiche un Vista fait sur mesure : il retrouve son Bureau avec son arrière-plan personnalisé, ses icônes, ses programmes et bien sûr ses fichiers, mais sans pouvoir accéder aux éléments d'autrui.

Ce chapitre explique comment configurer un compte d'utilisateur pour chaque membre de la famille – ou tout groupe de personnes – et faire en sorte qu'un visiteur puisse relever son courrier électronique et vaquer à quelques menues tâches informatiques.

Les bons comptes font les bons utilisateurs

Windows Vista exige la création d'un compte d'utilisateur pour toutes les personnes utilisant votre PC. Il existe trois sortes de comptes : Administrateur, Standard et Invité. Lorsqu'il s'installe devant l'ordinateur, un utilisateur clique sur son nom de compte, comme à la Figure 13.1.

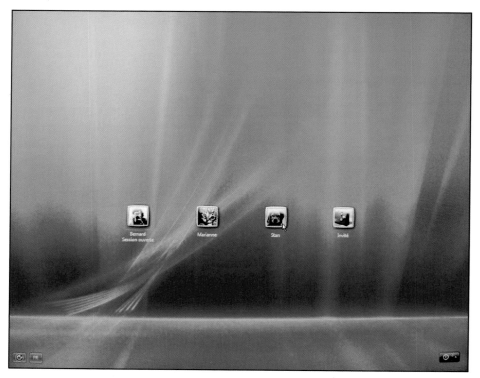

Figure 13.1 : Dans Windows Vista, l'utilisateur clique sur son compte pour accéder à sa zone de travail.

L'intérêt de ces différents types de comptes est que chacun permet ou ne permet pas d'effectuer telle ou telle tâche. Si l'ordinateur était un vaste appartement, le compte Administrateur serait le propriétaire, chaque compte Standard un locataire, et le compte Invité quelqu'un qui voudrait utiliser la salle de bains. Voici l'équivalent de ce petit monde dans l'univers informatique :

- **Administrateur :** Le compte Administrateur contrôle la totalité de l'ordinateur, décidant qui utilise quoi et ce que chacun a le droit d'en faire. C'est généralement le propriétaire de l'ordinateur qui bénéficie de ce droit absolu. Il octroie les comptes à chacun des membres de la famille et use de son droit régalien pour décider selon son bon plaisir ce que chacun a l'insigne privilège de pouvoir faire.

- **Standard :** Les possesseurs d'un compte Standard peuvent utiliser largement l'ordinateur, mais sans pouvoir le modifier significative-ment. Ils ne peuvent pas installer des programmes, mais peuvent les exécuter. Dans Windows XP, ces comptes Standard s'appelaient des "comptes limités".

- **Visiteur :** Les visiteurs peuvent utiliser l'ordinateur, mais ils ne sont pas reconnus par leur nom. Un compte Visiteur ressemble à un compte Standard, mais sans confidentialité : quiconque ouvre une session Visiteur trouve le Bureau tel que le prédécesseur l'a laissé en sortant.

Voici comment les comptes sont généralement répartis :

- Dans une famille, les parents détiennent généralement un compte Administrateur, les enfants des comptes Standard et la baby-sitter ouvre une session avec le compte Invité.

- Dans une collectivité ou une colocation, le propriétaire détient le compte Administrateur, et les autres personnes ont un compte Standard ou Invité, selon le degré de confiance qui leur est accordé (et le désordre qu'ils ont laissé dans la cuisine).

Pour éviter que quelqu'un d'autre ouvre une session avec votre compte d'utilisateur, vous devez le protéger par un mot de passe. Cette formalité est décrite à la section "Mot de passe et sécurité", plus loin dans ce chapitre.

Dans Windows XP, tout nouveau compte que vous créiez était *ipso facto* de type Administrateur, sauf si vous cliquiez sur le bouton d'option Limité. Pour plus de sécurité, Vista inverse la procédure : désormais, tout nouveau compte est Standard. Un compte Administrateur doit être expressément demandé.

S'octroyer un compte Standard

Lorsqu'un programme malveillant parvient à s'introduire dans l'ordinateur, et que la session est ouverte avec un compte Administrateur, ce logiciel bénéficie de tous vos pouvoirs. C'est dangereux car un compte d'administrateur permet de supprimer quasiment n'importe quoi. C'est pourquoi Microsoft suggère de créer deux comptes pour vous-même : l'un Administrateur, l'autre Standard. C'est ce dernier que vous utiliserez pour votre travail quotidien.

En procédant ainsi, Vista vous traite comme n'importe quel utilisateur Standard. Si une activité nuisible s'engage dans l'ordinateur, Vista demande de taper le mot de passe d'un compte Administrateur. Si vous le faites, Vista autorise l'exécution de cette activité. Mais si cette demande d'exécution est inattendue, vous saurez qu'elle est suspecte et vous réagirez en conséquence.

Ce deuxième compte peut certes être une gêne, mais bien faible comparée à la sécurité accrue qu'il apporte.

Configurer ou modifier des comptes d'utilisateurs

En tant que citoyens de seconde zone, les possesseurs de comptes Standard manquent de pouvoir. Ils peuvent exécuter des programmes et modifier l'image de leur compte, par exemple, voire changer leur mot de passe. Mais ce sont les Administrateurs qui détiennent le véritable pouvoir : ils peuvent créer ou supprimer n'importe quel compte, interdisant effectivement à quelqu'un d'utiliser l'ordinateur (voilà pourquoi il ne faut jamais se brouiller avec l'administrateur d'un ordinateur).

En tant qu'Administrateur, vous créerez des comptes d'utilisateurs Standard pour tous ceux avec qui vous partagez l'ordinateur. Ils sont suffisamment puissants pour que l'on ne vienne pas vous enquiquiner à tout boutt de champ, tout en empêchant la suppression accidentelle de fichiers importants et la pagaille que quelqu'un pourrait semer dans l'ordinateur.

Procédez comme suit pour ajouter un autre compte au PC ou modifier un compte existant :

1. **Cliquez sur le bouton Démarrer, choisissez Panneau de configuration et, dans la zone Comptes d'utilisateurs et protection des utilisateurs, choisissez Ajouter ou supprimer des comptes d'utilisateurs.**

   La fenêtre de la Figure 13.2 apparaît.

2. **Créez un nouveau compte, si vous le désirez.**

   Après avoir cliqué sur Créer un nouveau compte, Windows vous laisse choisir entre un compte Standard ou Administrateur.

   Choisissez Standard, sauf si vous avez de bonnes raisons de créer un autre

Figure 13.2 : Le gestionnaire de comptes sert à créer ou modifier des comptes d'utilisateurs.

   compte Administrateur. Tapez le nom du compte puis cliquez sur Créer un compte pour terminer.

   Passez à l'Étape 3 si vous désirez modifier un compte d'utilisateur.

3. **Cliquez sur le compte que vous désirez modifier.**

   Cliquez, soit sur le nom du compte, soit sur sa photo. La page qu'affiche ensuite Vista permet de :

   • **Modifier le nom du compte :** C'est le moment de corriger un coquille ou une faute d'orthographe, ou de choisir un pseudonyme.

   • **Créer un mot de passe :** Chaque compte d'utilisateur devrait en avoir un afin d'éviter qu'il soit squatté par quelqu'un d'autre. C'est ici que vous pouvez le créer ou le modifier.

   • **Supprimer le mot de passe :** Vous ne devriez pas utiliser cette option, mais elle a le mérite d'exister.

   • **Modifier l'image :** N'importe quel possesseur de n'importe quel type de compte peut modifier la photo. Il n'est donc pas nécessaire de le faire dès maintenant.

- **Configurer le contrôle parental :** Le contrôle parental permet de restreindre les activités sur un compte. Vous apprenez quels programmes ont été utilisés par le détenteur du compte et quels sites Web il a visité, listés par date et heure. Cette puissante fonction de flicage et d'interdiction est décrite en détail au Chapitre 10.

- **Modifier le type de compte :** Allez en ce lieu pour promouvoir un utilisateur Standard méritant en Administrateur tout puissant (la flagornerie est parfois payante), ou rétrogradez un Administrateur véreux en utilisateur lambda, c'est-à-dire Standard.

- **Supprimer le compte :** N'utilisez surtout pas cette fonction inconsidérément, car la suppression d'un compte entraînerait la disparition de tous les fichiers de son détenteur. Même la Restauration du système serait incapable de les récupérer.

- **Gérer un autre compte :** Enregistrez les modifications que vous venez de faire et commencez à modifier le compte de quelqu'un d'autre.

4. **Les modifications terminées, fermez la fenêtre en cliquant sur le petit "X", en haut à droite.**

   Les modifications sont immédiatement prises en compte.

Passer rapidement d'un utilisateur à un autre

Windows Vista permet à une famille, une petite communauté ou un petit bureau d'utiliser le même ordinateur. Mieux, l'ordinateur conserve les programmes des uns et des autres ouverts, de sorte que Tatie Danièle peut jouer aux échecs puis quitter la partie un moment afin que Chloé puisse relever son courrier électronique. Quand Tatie Danièle reprend l'ordinateur quelques minutes plus tard, la partie d'échecs est au point où elle était précédemment, au moment où elle s'apprêtait à sacrifier le fou – c'est dingue... – pour sauver la reine.

Appelée "changement rapide d'utilisateur", la permutation entre les utilisateurs est des plus faciles. La touche Windows enfoncée – elle se trouve entre les touches Ctrl et Alt –, appuyez sur la touche L. Le bouton Changer d'utilisateur apparaît immédiatement, permettant de passer la main à quelqu'un d'autre.

Lorsque cette personne a terminé, elle ferme sa session normalement, en cliquant sur la petite flèche près du bouton Arrêt, dans le menu Démarrer, et en choisissant Fermer la session.

✔ Avec toutes ces permutations, vous finissez par vous demander dans quel compte vous vous trouvez. Pour le savoir, ouvrez le menu Démarrer : le nom du détenteur du compte figure en haut à droite. De plus, dans l'écran d'ouverture de Vista, la mention Session ouverte figure sous l'image de chaque utilisateur actuellement connecté.

✔ Ne redémarrez pas le PC pendant que d'autres personnes ont ouvert des sessions, faute de quoi elles perdraient tout leur travail en cours. Vista vous prévient de ce risque, donnant une chance aux autres utilisateurs de sauvegarder leurs fichiers.

✔ La permutation entre les utilisateurs est aussi possible en cliquant sur le bouton Démarrer, puis sur la petite flèche à droite du cadenas, et en choisissant enfin l'option Changer d'utilisateur.

✔ Si vous désirez modifier un paramètre de sécurité pendant que votre enfant est sur l'ordinateur, il n'est pas nécessaire d'activer un compte Administrateur. Modifiez directement le paramètre et, à l'instar de ce qui se serait produit si votre enfant l'avait fait, Vista demande un mot de passe. Tapez celui d'un Administrateur et Vista vous permet de changer la configuration, exactement comme si vous aviez ouvert une session sous votre nom.

✔ La fonction Changement rapide d'utilisateur ralentit les ordinateurs qui manquent de mémoire. Évitez-la si votre PC rame lorsque plusieurs comptes sont ouverts. N'ouvrez qu'un seul compte à la fois, en demandant à la personne qui l'utilise de le fermer lorsqu'elle cesse de travailler sur l'ordinateur.

Modifier l'image d'un compte d'utilisateur

Passons aux choses sérieuses : le changement de la photo un peu mièvre que Windows assigne automatiquement aux comptes d'utilisateur. Elle est choisie aléatoirement parmi des photos d'animaux et d'objets hétéroclites. Il est beaucoup plus gratifiant de remplacer le portrait de chaton

---

Les servitudes des comptes Standard

Les détenteurs de compte Standard accèdent librement à leurs propres fichiers. Mais ils ne peuvent rien faire qui affecterait les autres utilisateurs, comme supprimer des programmes ou modifier des paramètres de l'ordinateur, ni même régler l'horloge. S'ils essayent, Vista gèle l'écran, exigeant un mot de passe d'Administrateur. C'est alors qu'un administrateur doit se déranger – jamais tranquille... – pour accéder à la demande.

Bien que certaines personnes apprécient ce surcroît de sécurité, d'autres ont l'impression d'être inféodés à leur PC. Il existe diverses manières de rendre Vista moins exigeant. Aucune n'est malheureusement la panacée :

- **Accordez un compte Administrateur à tout le monde :** Cette promotion autorise tout le monde à taper le mot de passe que demande l'écran d'alerte. C'est extrêmement risqué car n'importe qui peut faire n'importe quoi, y compris supprimer des comptes d'utilisateurs et tous les fichiers personnels qu'ils contiennent.

- **Désactiver le contrôle du compte d'utilisateur :** Choisissez cette option décrite au Chapitre 10 et Vista cesse d'être aux petits soins. Il n'affiche plus le panneau de demande de permission et ne s'occupe plus de la sécurité.

- **Faire avec :** Vous pouvez considérer que les incessantes interventions des écrans sécuritaires de Vista sont le prix à payer pour vivre à peu près tranquille dans ce qui est devenu une véritable jungle informatique. Définissez vous-même le degré de confort et de sécurité.

Si vous avez désactivé le contrôle du compte d'utilisateur et que vous désirez le rétablir, ouvrez le Panneau de configuration, choisissez la catégorie Comptes d'utilisateurs et protection des utilisateurs, puis Comptes d'utilisateurs et enfin, Activer ou désactiver le contrôle des comptes d'utilisateurs.

---

ou de robot par le portrait des détenteurs de comptes, à commencer par vous.

Pour changer l'image d'un compte, cliquez sur le bouton Démarrer puis sur photo, tout en haut du panneau. Dans la fenêtre qui apparaît, choisissez l'option Modifier votre photo. Vista permet de choisir dans la modeste photothèque que montre la Figure 13.3.

Pour utiliser une photo qui ne figure pas dans la photothèque, cliquez sur le lien Rechercher d'autres images. La fenêtre qui s'ouvre est celle du dossier Images, que Vista utilise notamment pour stocker les photos transférées depuis votre appareil photo numérique. Double-cliquez sur une photo qui vous plaît et Vista la colle aussitôt dans le petit cadre en haut du menu Démarrer.

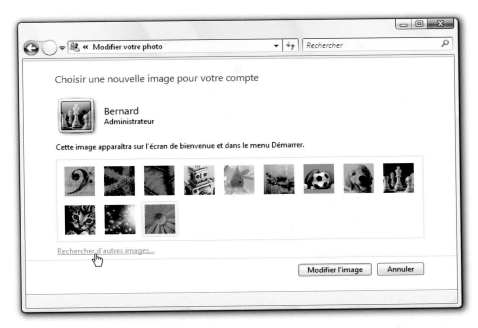

Figure 13.3 : Vista propose ces photos comme images de compte, mais vous pouvez utiliser les vôtres.

Vous désirez une image qui se trouve dans votre appareil photo ou provenant du scanneur ? Voici quelques options supplémentaires :

- ⮑ Vous pouvez récupérer n'importe quelle image sur l'Internet et l'enregistrer dans votre dossier Images pour en faire une image de compte.

- ⮑ Ne vous inquiétez pas si l'image est trop grande ou trop petite. Vista la met automatiquement à la taille d'un timbre-poste afin qu'elle tienne dans le cadre (NdT : En revanche, veillez à ce qu'elle soit carrée, sinon le redimensionnement la déformera).

- ⮑ Tous les utilisateurs, quel que soit leur type de compte – Administrateur, Standard ou Invité – peuvent modifier l'image de leur compte. C'est même une des rares choses qu'un compte Invité puisse changer.

Mot de passe et sécurité

Rien ne sert d'avoir un compte d'utilisateur s'il n'est pas protégé par un mot de passe. Autrement, n'importe qui pourrait profiter d'un moment où vous n'êtes pas là pour fouiller dans l'ordinateur.

Les comptes Administrateurs se doivent d'avoir un mot de passe. Autrement, il serait non seulement possible de fouiller dans l'ordinateur, mais aussi d'y causer des dégâts irrémédiables. A l'apparition du panneau de permission, il suffirait d'appuyer sur Entrée pour que le loup soit dans la bergerie.

Voici comment créer ou modifier un mot de passe :

1. **Ouvrez le menu Démarrer, choisissez Panneau de configuration puis sélectionnez Comptes d'utilisateurs et protection des utilisateurs.**

   La fenêtre des comptes d'utilisateur s'ouvre.

2. **Choisissez Modifier votre mot de passe Windows.**

   Ceux qui n'ont pas encore créé de mot de passe doivent, à la place, choisir Créer un mot de passe pour votre compte.

3. **Choisissez un mot de passe facile à retenir et tapez-le dans le champ Nouveau mot de passe (Figure 13.4). Retapez-le dans le champ Confirmer le nouveau mot de passe. C'est un moyen de détecter une éventuelle faute de frappe.**

   La modification d'un mot de passe s'effectue un peu différemment : la fenêtre affiche un champ Mot de passe actuel dans lequel vous devez, en toute logique, taper d'abord le mot de passe existant.

   Vous trouverez un peu plus loin des conseils pour créer de mots de passe sûrs.

4. **Dans le champ Entrez une indication de mot de passe, tapez un indice qui vous permettra de retrouver le mot de passe si vous l'avez oublié.**

   Veillez à ce qu'il ne soit compréhensible que par vous seul. Ne choisissez pas "Ma couleur de cheveux". Au travail, vous pouvez choisir "La marque de croquettes du chat" ou "Mon metteur en scène préféré". A domicile, choisissez quelque chose que vous seul

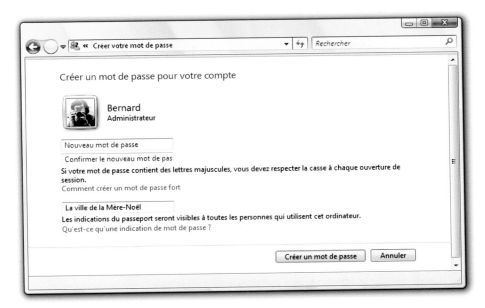

Figure 13.4 : Tapez votre mot de passe.

connaissez, et surtout pas les enfants. N'hésitez pas à modifier le mot de passe de temps en temps. Vous en apprendrez plus sur les mots de passe au Chapitre 2.

5. **De retour dans la fenêtre des comptes d'utilisateurs, cliquez sur Créer un disque de réinitialisation de mot de passe, dans le volet gauche.**

   Ce disque peut être créé sur une disquette, dans une carte mémoire ou dans une clé USB.

Si vous oubliez le mot de passe, le disque de réinitialisation de mot de passe sera votre clé. Windows Vista vous autorisera à choisir un nouveau mot de passe. Mettez le disque en lieu sûr car quiconque le trouve aura accès à votre compte.

La création du disque de réinitialisation de mot de passe ne formate pas le support et ne supprime aucune donnée qui s'y trouverait. Il ajoute uniquement un fichier nommé userkey.psw que Vista utilise pour réinitialiser votre mot de passe.

Voici quelques conseils pour créer de meilleurs mots de passe :

- Mélanger des lettres, des chiffres et des symboles et optez pour une longueur de 7 à 14 caractères. N'utilisez jamais votre nom ou votre nom d'utilisateur. C'est la première chose que les filous essaient lorsqu'ils tentent de s'introduire dans l'ordinateur.

- Ne choisissez pas un nom commun comme "ornithorynque". Pensez à un mot qui ne figure pas dans un dictionnaire. Combinez deux mots pour en faire un troisième (c'est ce que l'on appelle des "mots-valise"). NdT : Ou alors, utilisez un mot dans une langue rare comme l'amharique, le malayalam, le tagalog ou le suisse-allemand du canton d'Appenzell.

- Les majuscules et les minuscules sont différenciées. *PopCorn* n'est pas la même chose que *popcorn*.

Chapitre 14

Relier des ordinateurs en réseau

- -

Dans ce chapitre :

▶ Les composants d'un réseau.

▶ Choisir entre un réseau filaire et un réseau sans fil.

▶ Acheter et installer le matériel.

▶ Configurer un réseau domestique.

▶ Relier deux ordinateurs rapidement et facilement.

▶ Partager une connexion Internet, des fichiers et des imprimantes.

▶ Localiser les autres ordinateurs sur un réseau.

▶ Dépanner un réseau.

- -

*L'*achat d'un deuxième ordinateur pose un problème nouveau : comment deux PC peuvent-ils partager la même connexion Internet et la même imprimante ? Et comment faire migrer les fichiers de l'ancien vers le nouveau PC ?

La solution réside dans un réseau informatique. En reliant les réseaux par un câble, Windows Vista les met en relation les uns avec les autres, leur permettant ainsi d'échanger des données, se connecter à l'Internet et utiliser la même imprimante.

Si les ordinateurs sont relativement éloignés les uns des autres et que vous n'avez pas envie de tirer des câbles dans la cage d'escalier, optez pour le réseau sans fil. Appelé aussi Wi-Fi – qui est une marque déposée –, cette option fait communiquer les ordinateurs grâce à une liaison radio d'une portée d'une centaine de mètres.

Ce chapitre explique différentes manières de relier un groupuscule d'ordinateurs. Mais soyez prévenus : ce domaine est assez compliqué.

Ne vous y aventurez pas sans avoir des droits d'Administrateur, un minimum de culture informatique et les nerfs assez solides, car il peut se passer un certain temps avant que tout fonctionne enfin.

Les composants d'un réseau

Un réseau est un groupe d'ordinateurs reliés entre eux afin qu'ils puissent partager des données. Qu'ils soient d'une grande simplicité ou horriblement compliqués, tous les réseaux ont trois éléments en commun :

- **Une interface de réseau :** Chaque ordinateur d'un réseau doit être équipé de sa propre interface de réseau. Il en existe de deux types : si le réseau est filaire, il s'agit d'une carte de réseau équipée d'une prise pour le câble (sur beaucoup d'ordinateurs de bureau et tous les portables, l'interface est intégrée à la carte mère). S'il s'agit d'un réseau sans fil, cette interface peut être une carte, voire une clé USB, qui sert d'émetteur-récepteur. Il est possible de créer un réseau filaire et sans fil car les deux technologies font bon ménage.

- **Un routeur :** Quand vous ne reliez que deux ordinateurs, chacun est capable d'échanger des données avec l'autre. En revanche, dès qu'ils sont plus nombreux, il leur faut une sorte de plaque tournante : le routeur. Chaque ordinateur est relié à un boîtier qui aiguille les données vers l'ordinateur auquel elles sont destinées.

- **Des câbles ou des émetteurs-récepteurs :** Les données sont acheminées, soit par des câbles de réseau, soit par une liaison hertzienne.

Après avoir connecté les ordinateurs entre eux par des câbles, une liaison sans fil, ou les deux à la fois, Windows Vista se mêle de la partie. S'il est dans ses bons jours, il établit aussitôt les échanges et tout communique. La plupart des réseaux informatiques sont en étoile, comme le montre la Figure 14.1.

La topographie d'un réseau sans fil est fondamentalement identique, mais sans les câbles. Il est possible de mêler un réseau filaire à un réseau Wi-Fi, comme dans la Figure 14.2. Beaucoup de routeurs sont hybrides, à la fois filaires et sans fil, permettant de relier les ordinateurs aussi bien par des câbles Ethernet que par des liaisons hertziennes.

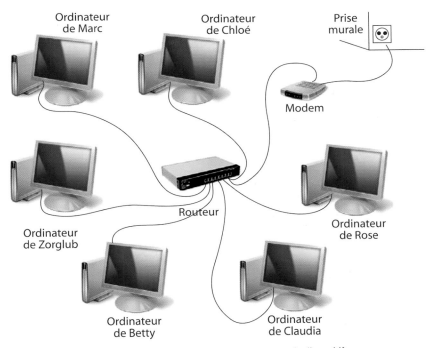

Figure 14.1 : Dans un réseau en étoile, le routeur est au centre du dispositif.

- Windows Vista se débrouille très bien avec les ordinateurs du réseau. Il laisse chacun se connecter à l'Internet, permettant à tous les utilisateurs de surfer sur le Web et d'accéder à leur messagerie sans se gêner les uns les autres. Chaque ordinateur peut aussi se connecter à l'imprimante. Si deux personnes envoient simultanément un document à l'imprimante, Windows met l'un deux en attente en attendant d'être de nouveau disponible.

- Vous ne savez pas si le PC est connecté au réseau ou si d'autres ordinateurs le sont ? Cliquez sur le bouton Démarrer puis sur Réseau. Vista recherche le réseau puis affiche les noms de tous les ordinateurs qui y sont connectés. Pour accéder à l'un d'eux et voir son contenu, double-cliquez sur son nom ou sur son icône. Vista vous permet d'y circuler tout comme si c'était le vôtre.

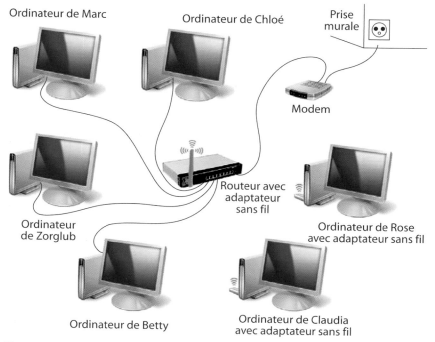

Ordinateur de Marc

Ordinateur de Chloé

Prise murale

Modem

Routeur avec adaptateur sans fil

Ordinateur de Zorglub

Ordinateur de Rose avec adaptateur sans fil

Ordinateur de Betty

Ordinateur de Claudia avec adaptateur sans fil

Figure 14.2 : L'ajout d'un routeur sans fil et d'adaptateurs de réseau sans fil (cartes ou USB) permet de créer un réseau hybride filaire/Wi-Fi.

Configurer un petit réseau

Si vous voulez créer un réseau de plus de cinq ou dix ordinateurs, vous devrez acquérir un livre plus avancé que celui-ci. Le réseau lui-même est assez facile à mettre en place, mais le partage des ressources peut s'avérer très délicat à configurer, notamment si les ordinateurs contiennent des données sensibles. Mais si vous désirez seulement relier quelques ordinateurs chez vous ou dans un petit bureau, le contenu de ce chapitre sera sans doute suffisant.

Trêve de bavardage, voyons comment configurer, étape par étape, un petit réseau peu onéreux. Les sections qui suivent expliquent comment acheter les trois éléments d'un réseau – adaptateurs de réseau, câbles et routeur – pour que l'information puisse circuler entre tous les ordinateurs.

Que choisir ? Filaire ou sans fil ?

Aujourd'hui, le mot Wi-Fi – abrégé de *Wireless Fidelity* – est entré dans le langage courant. Le Wi-Fi a mis fin en grande partie aux fouillis de câbles qui dégoulinaient de la table de l'ordinateur pour se répandre dans toute la maison et dans lesquels on se prenait les pieds. Le réseau sans fil est plus discret et plus élégant. Il repose sur des adaptateurs, en réalité des émetteurs-récepteurs qui convertissent les données en ondes radio à très haute fréquence et inversement.

L'inconvénient du Wi-Fi est l'atténuation du signal selon la distance et les obstacles. Plus elle est importante, plus le débit est ralenti. Si les ondes radio doivent franchir plus de deux murs, les ordinateurs risquent de ne pas pouvoir communiquer. Les réseaux sans fil sont aussi plus longs à réaliser car il faut configurer beaucoup plus de paramètres.

Les réseaux filaires ont un débit supérieur, sont plus efficaces et moins onéreux. Mais s'il n'est pas question qu'un câble traverse le salon et la salle de bains, le Wi-Fi est la meilleure solution. Rappelez-vous que les réseaux filaires et sans fil peuvent coexister.

Pour qu'un réseau sans fil puisse accéder à l'Internet, le routeur doit être équipé d'un point d'accès sans fil incorporé.

Vous trouverez des instructions plus détaillées sur la mise en réseau dans mon livre *PC Mise à niveau et dépannage Pour les Nuls* (NdT : Et aussi dans *Les Réseaux Pour les Nuls* de Doug Lowe, et dans *Créer un réseau sans fil Pour les Nuls,* de Danny Briere, Walter R. Bruce III et Pat Hurley).

Acheter les éléments du réseau

Entrez dans une boutique d'informatique et ressortez-en avec, dans votre besace, les éléments ci-dessous, et vous serez paré pour créer le réseau :

Des câbles Fast Ethernet ou 100BaseT : Achetez un câble pour chaque ordinateur non équipé du Wi-Fi. Exigez du câble Ethernet, dont les prises ressemblent à celles du téléphone, mais un peu plus grosses (les connecteurs de téléphone sont de type RJ-11, ceux du câble Ethernet de type RJ-45). Les câbles Ethernet sont aussi appelés Cat-5 (de catégorie 5) ou TPE (*Twisted Pair Ethernet,* paire torsadée Ethernet). Leur dénomination comporte parfois aussi un chiffre qui quantifie leur débit maximal : 10, 100 ou 1 000. Dans le doute, achetez du câble Fast Ethernet ou 100BaseT.

Quelques immeubles sont précâblés, avec des prises de réseau aux murs, ce qui évite de devoir tirer des câbles à travers les pièces. Si vos ordina-

---

Le moyen le plus facile de relier des ordinateurs

Peut-être voudrez-vous seulement relier deux ordinateurs rapidement et facilement afin de transférer des données de l'un à l'autre. Si tous deux sont équipés d'un port FireWire – c'est le cas de beaucoup d'ordinateurs portables – la configuration est très simple : reliez-les par un câble FireWire, et le réseau est prêt à fonctionner, car Vista détecte aussitôt la connexion.

Pas de port FireWire ? Achetez alors deux cartes réseau (les PC récents sont équipés d'origine d'une prise pour le réseau) ainsi qu'un câble de réseau *croisé,* qui est une variante du câble Ethernet. Assurez-vous au moment de l'achat que le câble est bien croisé (c'est écrit en clair sur l'emballage), car avec un câble droit, la connexion ne pourrait pas s'établir. Reliez les deux ordinateurs et Vista se charge de les faire communiquer. Si l'un des ordinateurs accède à l'Internet, l'autre devrait également bénéficier de la connexion Internet.

Pour connecter deux ordinateurs équipés d'adaptateurs de réseau sans fil, laissez Vista établir la liaison en mode Had-hoc, sur le même canal, avec le même nom de groupe et le même type de sécurité et de mot de passe. Attention : tout cela est compliqué.

---

teurs sont trop éloignés pour envisager le câble, achetez du matériel Wi-Fi, décrit un peu plus loin.

Des adaptateurs réseau : Chaque ordinateur du réseau doit être équipé d'une carte réseau interne ou externe. Sur les ordinateurs récents et bon nombre de portables, la carte est intégrée, avec en plus des fonctionnalités Wi-Fi, ce qui permet de se connecter à n'importe quel réseau, filaire ou non.

Si vous devez acheter des cartes réseau, vérifiez que :

- La carte réseau est équipée d'un connecteur Ethernet 10/100. Elle peut se brancher à un port USB ou être insérée dans un emplacement libre à l'intérieur du PC.

- L'emballage indique qu'elle est Plug and play ("branchez, ça marche") et compatible Windows Vista.

Le routeur : Beaucoup de routeurs sont aujourd'hui Wi-Fi et certains intègrent même un modem. Votre achat dépendra de votre connexion Internet et des cartes réseau :

- Les bénéficiaires d'une connexion à haut débit doivent acheter un routeur (Figure 14.3) équipé de suffisamment de ports pour tous les ordinateurs du réseau. Si vous avez besoin d'une connexion sans fil, peut-être pour vous installer à l'extérieur avec votre portable, achetez un routeur doté d'un accès sans fil. Ceux qui se connectent en bas débit feront une économie en achetant un commutateur, beaucoup moins cher, équipé lui aussi de suffisamment de ports pour tous les ordinateurs. Un commutateur fonctionne exactement comme un routeur, sauf qu'il n'a pas de prise permettant d'y brancher un modem à haut débit (NdT : Il est toutefois possible de brancher le modem ADSL ou câble au port USB d'un des ordinateurs, et brancher la totalité du parc d'ordinateur au commutateur. Cette configuration est efficace et très bon marché.

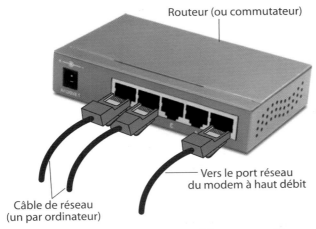

Routeur (ou commutateur)

Vers le port réseau du modem à haut débit

Câble de réseau (un par ordinateur)

Figure 14.3 : Le routeur ou le commutateur doit comporter suffisamment de ports pour chaque câble relié à un ordinateur. Si c'est un routeur, comme sur l'illustration, il doit aussi avoir un port réservé au modem.

- Si tout ou une partie de vos ordinateurs communiquent sans fil, assurez-vous que le routeur possède des capacités Wi-Fi. Si vous utilisez un commutateur, reliez-le à un point d'accès. Ce dernier peut desservir simultanément des dizaines d'ordinateurs Wi-Fi à la fois.

- Acheter la même marque de routeurs Wi-Fi et d'adaptateur de réseau Wi-Fi facilite leur configuration.

Voilà pour la liste d'achat. Il ne vous reste plus qu'à vous précipiter à la boutique informatique.

Installer un réseau filaire

Après avoir acheté les éléments du réseau, vous devrez les relier entre eux. Windows Vista devrait reconnaître automatiquement les nouvelles cartes réseau et les faire joyeusement communiquer :

1. **Éteignez et débranchez tous les ordinateurs de votre futur réseau.**

   Débranchez-les aussi de la prise électrique.

2. **Débranchez tous les périphériques de tous les ordinateurs : moniteurs, imprimantes, modems...**

3. **Installez des adaptateurs de réseau.**

   Insérez les adaptateurs USB dans les ports USB des ordinateurs. Si vous avez acheté des cartes réseau, ôtez le capot de chaque ordinateur puis insérez chaque carte dans le connecteur approprié. Si votre environnement est chargé en électricité statique, touchez le châssis de l'ordinateur afin de la décharger.

   Ne forcez pas une carte qui semble ne pas s'insérer dans le connecteur. Il existe en effet différents types de cartes pour différents types de connecteurs. Peut-être tentez-vous d'insérer une carte inappropriée. Voyez si elle s'insère mieux dans un autre connecteur (reportez-vous à mon livre *PC Mise à niveau et dépannage Pour les Nuls* pour en apprendre plus sur les divers connecteurs).

4. **Remontez les capots des ordinateurs puis tirez des câbles entre le routeur (ou le commutateur) et chaque ordinateur.**

   A moins d'utiliser des adaptateurs sans fil, vous devrez tirer des fils à travers la pièce, en les faisant passer sous les tapis ou contourner les portes. La plupart des routeurs doivent aussi être branchés sur le secteur.

5. **Les abonnés à l'Internet à haut débit doivent brancher leur modem à la prise WAN du routeur.**

   Sur les routeurs, le port WAN (*Wide Area Network,* réseau étendu) est réservé au modem. Les ordinateurs se branchent sur les ports LAN (*Local Area Network,* réseau local), qui sont numérotés.

Les utilisateurs qui se connectent en bas débit peuvent laisser leur modem téléphonique branché à l'ordinateur. Lorsque ce dernier sera allumé et connecté, tous les autres ordinateurs auront accès à l'Internet.

6. **Allumez tous les ordinateurs et leurs périphériques.**

   Rallumez les ordinateurs, les écrans, imprimantes, modems, etc.

7. **Sélectionnez un emplacement pour le réseau.**

   Lorsqu'au démarrage Vista détecte le nouvel équipement de réseau, il demande de préciser son emplacement : au domicile, sur le lieu de travail ou dans un lieu public. Vista adapte automatiquement le niveau de sécurité à l'environnement choisi : sûr chez soi ou au bureau, moins sûr en public.

   Si tout se passe bien, Vista établit aussitôt la communication. Si l'adaptateur de réseau était livré avec un CD d'installation, insérez-le maintenant (si l'installation ne démarre pas automatiquement, double-cliquez sur le fichier Setup pour la lancer).

   Si au contraire tout ne s'est pas bien passé, vous avez sans doute besoin d'un nouveau pilote pour l'adaptateur de réseau, une tâche expliquée au Chapitre 12.

   Vista se débrouille très bien avec les ordinateurs du réseau. Après les avoir correctement connectés et redémarrés, il y a de fortes chances qu'ils communiquent désormais tous entre eux. Autrement, redémarrez-les.

   Gardez ces quelques recommandations à l'esprit lorsque vous configurez votre réseau :

   - Windows Vista partage automatiquement un document avec tous les PC du réseau : le dossier Public ainsi que les sous-dossiers qu'il contient. Tout fichier que vous placez dedans est disponible à tous les utilisateurs de votre PC et aussi à tous ceux sur le réseau. Le partage des fichiers, dossiers, imprimantes et autres éléments est expliqué plus loin dans ce chapitre, à la section "On partage tout."

   - Dans Windows XP, le dossier partagé s'appelait "Documents partagés". Dans Vista, il se nomme "Public", mais les deux ont le même usage : fournir un emplacement accessible à tous les autres utilisateurs, sur le réseau.

- Cliquez sur le menu Démarrer et choisissez Réseau pour voir tous les autres ordinateurs du réseau (Figure 14.4).

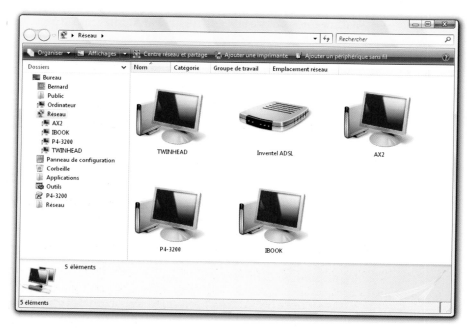

Figure 14.4 : Tous les ordinateurs de ce réseau hybride (filaire et WiFi) et de surcroît hétérogène (trois PC et un iBook d'Apple) sont visibles.

- Si votre PC se connecte à l'Internet en bas débit, par un modem téléphonique, répétez la procédure expliquée au Chapitre 8. Un assistant de Vista configurera le partage de la connexion Internet. Vous devrez faire de même avec tous les autres ordinateurs du réseau.

- Si les PC ne communiquent pas entre eux, assurez-vous que tous utilisent le même nom de groupe, comme l'explique l'encadré "Noms de groupe et Windows XP".

NOTE TECHNIQUE

Noms de groupe et Windows XP

Le nom d'un réseau est appelé "nom de groupe" et, pour quelque obscure raison, Microsoft utilise des noms différents dans les diverses versions de Windows, d'où des problèmes lorsque vous mettez des ordinateurs sous XP et sous Vista en réseau.

Sous Windows XP, les PC utilisent par défaut le nom de groupe MSHOME. Mais sous Vista, c'est le nom de groupe WORKGROUP qui est utilisé. Le résultat ? Placez ces ordinateurs dans un même réseau, et ils seront incapables de se reconnaître. Les PC du groupe MSHOME chercheront en vain ceux du groupe WORKGROUP et réciproquement.

La seule solution consiste à leur donner à tous un même nom de groupe, en procédant ainsi :

1. **Sur un PC sous Vista, cliquez sur le bouton Démarrer, cliquez du bouton droit sur Ordinateur puis choisissez Propriétés.**

   Les informations de base de l'ordinateur apparaissent.

2. **Dans le volet de gauche, cliquez sur Paramètres système avancés.**

   La boîte de dialogue Propriétés du système s'ouvre sur l'onglet Nom de l'ordinateur.

3. **Cliquez sur le bouton Modifier.**

   La boîte de dialogue Modification du nom ou du domaine de l'ordinateur apparaît.

4. **Sous l'option Groupe de travail, remplacez WORKGROUP par MSHOME.**

   L'ordinateur sous Vista rejoint ainsi le même groupe que les autres ordinateurs sous Windows XP.

   Vous pouvez aussi faire l'inverse : renommer WORKGROUP le groupe d'appartenance des ordinateurs sous XP. La procédure est identique, sauf qu'il faut cliquer du bouton droit sur Poste de travail au lieu de Ordinateur, à l'Étape 1, puis cliquer sur l'onglet Nom de l'ordinateur.

   Une recommandation : ne confondez pas le nom de l'ordinateur avec le nom du groupe. Ce sont deux notions fondamentalement différentes.

5. **Cliquez sur OK pour fermer les fenêtres et, lorsque cela vous le sera demandé, cliquez sur le bouton Redémarrer maintenant.**

   Répétez ces étapes pour tous les ordinateurs du réseau en veillant à ce qu'ils aient tous un même nom de groupe.

Se connecter en Wi-Fi

La création d'un réseau domestique sans fil s'effectue en deux phases :

- La première consiste à configurer le point d'accès ou le routeur qui enverra les données vers les PC et en recevra d'eux.

- La seconde est la configuration de Vista sur chacun des PC afin qu'ils puissent détecter le signal puis échanger des informations.

Cette section est consacrée à ces deux délicates tâches.

Configurer un point d'accès ou un routeur sans fil

Le Wi-Fi apporte le même confort que la téléphonie sans fil, mais il est autrement plus compliqué à configurer qu'une connexion filaire. Il s'agit en effet de configurer des petits émetteurs-récepteurs radio branchés à votre ordinateur. Vous devez vous soucier de la force du signal hertzien, trouver le signal approprié et aussi entrer des mots de passe afin d'éviter les gens du voisinage de s'introduire dans votre réseau.

Le transmetteur sans fil, connu sous le nom de WAP (*Wireless Access Point*, point d'accès sans fil), est soit intégré au routeur, soit connecté à l'un de ses ports. Les diverses marques d'équipement sans fil ont hélas développé chacune leur propre programme d'installation, de sorte qu'il est impossible de proposer des instructions étape par étape pour configurer un routeur en particulier.

Toutefois, les logiciels d'installation ont en commun ces trois paramètres :

- **Un nom de réseau :** Ce nom appelé SSID (*Service Set Identifier,* identifiant de l'ensemble des services) identifie votre réseau. Choisissez-en un facile à retenir. Par la suite, lorsque vous vous connecterez au réseau sans fil avec l'un des ordinateurs, c'est ce nom que vous sélectionnerez. Si plusieurs SSID sont affichés, les autres sont sans doute ceux de voisins disposant eux aussi d'un réseau sans fil.

NdT : Les équipements de réseau sans fil sont vendus avec un SSID par défaut, par exemple WANADOO-0123 pour la Livebox ou NETGEAR pour les routeurs de cette marque. Tous les acheteurs d'un même équipement auront donc le même nom de réseau, ce qui peut poser problème lorsqu'ils sont voisins et à portée les uns des autres. C'est pourquoi il est vivement recommandé de toujours personnaliser le SSID de votre réseau.

- **L'infrastructure :** C'est l'une des deux options systématiquement proposées, et que vous devez choisir. L'autre s'appelle Ad-hoc.

- **La sécurité :** Cette option crypte les données envoyées dans les airs. Activez-la en utilisant les paramètres recommandés.

Certains routeurs sont équipés d'un programme d'installation qui permet de modifier ces paramètres. D'autres contiennent un programme incorporé auquel vous accédez avec le navigateur Web de Windows.

Notez sur un bout de papier les trois paramètres que nous venons de citer, car vous devrez les entrer dans les différents ordinateurs du réseau sans fil, une tâche décrite dans la prochaine section.

Paramétrer Vista pour la connexion sans fil

Après avoir configuré le routeur ou le point d'accès pour qu'ils émettent des signaux, vous devez indiquer à Vista comment il peut les recevoir.

Voici comment faire pour vous connecter à un réseau sans fil, que ce soit d'un lieu public (un cybercafé, un hôtel, un aéroport...) ou chez soi :

1. **Activez l'adaptateur réseau, si nécessaire.**

   Sur de nombreux ordinateurs portables, l'adaptateur Wi-Fi est inactif afin d'économiser la batterie. Pour ce faire, cliquez sur le bouton Démarrer, ouvrez le Panneau de configuration, choisissez PC mobile et, dans le Centre de mobilité, cliquez sur le bouton Activation sans fil. Il ne se passe rien ? Dans ce cas, vous devrez étudier attentivement le manuel.

2. **Dans le menu Démarrer, choisissez Connexion.**

   Windows montre tous les réseaux sans fil qui se trouvent à portée et indique la force de leur signal (Figure 14.5). Ne vous étonnez pas de voir plusieurs réseaux en même temps.

   Au moment de se connecter à un réseau sans fil, Vista affiche trois paramètres :

• **Le nom du réseau :**
C'est, comme nous
l'avons expliqué précé-
demment, son SSID.
Comme plusieurs
réseaux sans fil peuvent
émettre dans une même
zone et s'interpénétrer,
leur SSID permet de les
différencier. Choisissez
le SSID de votre routeur
ou de votre point d'accès
ou, en voyage, celui du
réseau sans fil du cyber-
café ou de l'hôtel.

Figure 14.5 : Vista a repéré un réseau à portée de l'ordinateur. Il affiche son nom (le SSID), indique si le réseau est sécurisé et montre la force du signal.

• **Sécurité :** Les réseaux apparaissant avec la mention "Réseau
non sécurisé" n'exigent pas de mot de passe. Cela signifie que
vous pouvez vous y connecter et surfer aussitôt sur le Web
gratuitement, même si vous ne savez pas à qui peut bien appar-
tenir ce réseau. Sans mot de passe, un réseau est ouvert à
n'importe qui. Les réseaux non sécurisés sont parfaits pour une
incursion rapide sur le Web, mais ne sont pas du tout sûrs pour
des achats en ligne. Un réseau sécurisé est en revanche plus sûr
car le mot de passe filtre tous les importuns.

• **Force du signal :** Ce système à barre est comparable à l'indicateur de la qualité de réception d'un téléphone mobile : plus les
barres sont nombreuses, plus le signal est fort. Si deux barres ou
moins sont affichées, la connexion est terriblement sporadique.

Pour revenir à une étape précédente, cliquez sur le bouton fléché
Précédent, en haut à gauche de la fenêtre.

3. **Connectez-vous au réseau de votre choix en cliquant sur son
nom puis sur Connexion.**

Si vous avez repéré le nom (ou SSID) de votre réseau, cliquez
dessus puis sur Connecter. Sinon, passez à l'Étape 6.

4. **Choisissez si vous vous connectez depuis la Maison, le Travail, ou
un Lieu public.**

Au moment de vous connecter, Vista demande si vous vous connectez de chez vous, sur votre lieu de travail ou depuis un lieu public afin de sélectionner le niveau de sécurité approprié, qui est respectivement moyen, fort ou renforcé.

Si vous vous connectez à un réseau non sécurisé, sans mot de passe, Vista vous prévient de cette particularité. Cliquez sur Connexion et vous voilà en ligne.

Mais si vous vous connectez à un réseau sécurisé, Vista exige un mot de passe, comme il l'est expliqué à la prochaine section.

5. **Entrez un mot de passe s'il est exigé, puis cliquez sur Connexion.**

Lorsque vous tentez de vous connecter à une connexion sans fil sécurisée, Vista affiche la boîte de dialogue de la Figure 14.6, où Vista demande le mot de passe.

Ce mot de passe est celui que vous avez entré dans le routeur en configurant votre réseau sans fil.

Figure 14.6 : Entrez le mot de passe du réseau puis cliquez sur Connexion.

Si vous vous connectez au réseau sans fil d'un lieu public, il est possible que la connexion soit payante. Dans ce cas, préparez votre carte bancaire.

Le nom du réseau sans fil n'est pas affiché ? Passez à l'Étape 6.

6. **Connectez-vous à un réseau non listé.**

Si le nom de votre réseau sans fil n'apparaît pas, cela peut être pour deux causes :

- **Un signal trop faible :** A l'instar des stations de radio et des émetteurs de téléphones mobiles, les réseaux sans fil ont une portée limitée. En terrain libre, sans obstacle, le signal Wi-Fi porte à une centaine de mètres, mais en intérieur, les murs, planchers et plafonds réduisent sensiblement la zone couverte.

Dans ce cas, essayez de rapprocher l'ordinateur du point d'accès ou du routeur sans fil. Essayez différents emplacements en cliquant chaque fois sur le bouton Actualiser jusqu'à ce que le réseau apparaisse.

- **Il est masqué :** Pour des raisons de sécurité, certains réseaux sans fil apparaissent avec la mention Sans nom. Cela signifie que vous devez connaître le nom réel du réseau et le taper pour pouvoir vous y connecter. Si vous pensez que c'est là votre problème, passez à l'Étape suivante.

7. **Cliquez sur un réseau sans fil nommé Sans nom puis cliquez sur Connexion.**

   Lorsqu'il vous le sera demandé, entrez le nom du réseau – son SSID – et, si exigé, le mot de passe. Après avoir obtenu ces deux informations, Vista ouvre la connexion.

Une fois connectés, les autres ordinateurs du réseau peuvent tous accéder à l'Internet. Si vous rencontrez toujours des problèmes de connexion, voici quelques conseils qui pourront s'avérer utiles :

- Quand Vista ne parvient pas à établir la connexion au réseau sans fil, il propose deux choix : Diagnostiquer la connexion ou Se connecter à un autre réseau. Ces deux messages peuvent se traduire par : "Rapprochez-vous du point d'accès ou du routeur sans fil."

- Si vous ne parvenez pas vous connecter au réseau désiré, essayez plutôt avec un réseau non sécurisé. Il est parfait pour surfer sur le Web tant que vous ne divulguez pas de renseignements confidentiels (mot de passe, numéro de carte bancaire ou autres informations sensibles).

- À moins de lui avoir spécifié le contraire, Vista mémorise le nom et le mot de passe des réseaux auxquels vous avez réussi à vous connecter précédemment, vous épargnant ainsi la corvée de les taper à nouveau. Le PC s'y reconnectera automatiquement chaque fois qu'il est à portée.

- Les téléphones sans fil et les fours à micro-ondes ont tendance à interférer avec les réseaux sans fil. Évitez que le téléphone sans fil se trouve à proximité du PC et ne réchauffez pas votre quiche lorraine pendant que vous surfez sur le Web.

✔ Si vous tenez à en savoir plus sur les réseaux, je vous recommande la lecture de mon livre *PC Mise à niveau et dépannage Pour les Nuls* (NdT : Et *Les Réseaux Pour les Nuls* et *Créer un réseau sans fil Pour les Nuls,* déjà cités dans ce chapitre).

On partage tout

Même après avoir configuré votre réseau, Vista ne vous permettra pas encore de voir les ordinateurs connectés au réseau ou leurs fichiers. Rien d'étonnant à cela, car une autre mesure de sécurité empêche les ordinateurs de communiquer ou de partager des fichiers sur votre réseau privé. Voici comment rendre Vista un peu moins porté sur la sécurité :

1. **Cliquez sur le bouton Démarrer et choisissez Réseau.**

   Vous verrez sûrement les icônes de tous les ordinateurs connectés au réseau (reportez-vous à la Figure 14.4, précédemment). Pour vous connecter à l'un d'eux, double-cliquez sur son nom ou sur son icône. Vous risquez toutefois d'accéder aux fichiers qui sont sur votre PC, mais à aucun des autres PC tournant sous Vista. Pour voir ces fichiers, passez à l'étape suivante.

   Vous ne voyez aucun des autres PC sous Windows XP du réseau ? Corrigez ce problème en vous reportant à l'encadré "Noms de groupe et Windows XP", précédemment dans ce chapitre.

2. **Cliquez sur le bouton Centre réseau et partage.**

   Ce bouton, visible dans la barre d'outils de la Figure 14.4, vous amène à la fenêtre du Centre réseau et partage (Figure 14.7).

3. **Activez l'option Partage de dossiers publics puis cliquez sur le bouton Appliquer.**

Figure 14.7 : Cliquez sur le bouton Démarrer, puis sur Réseau, puis sur le bouton Centre réseau et partage, pour examiner la connexion au réseau.

Cliquez sur le mot Désactivé et Vista déroule une liste de paramètres à appliquer (voir Figure 14.8). Si vous désirez partager des fichiers, choisissez l'option Activer le partage afin que toute personne avec un accès réseau puisse ouvrir, modifier et créer des fichiers.

Désormais, le dossier Public est accessible par toutes les personnes connectées au réseau. Elles peuvent ouvrir ou modifier des fichiers et en déposer. Pour permettre à ces

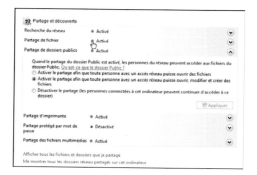

Figure 14.8 : Les paramètres de partage du dossier Public et de ses sous-dossiers.

personnes de copier dans leur PC les fichiers qui se trouvent dans votre dossier Public, choisissez l'option Activer le partage afin que toute personne avec un accès réseau puisse ouvrir des fichiers.

4. **Désactivez le Partage protégé par mot de passe et cliquez sur Appliquer.**

   Il y a là un dernier obstacle : lorsque quelqu'un, sur le réseau, essaie de voir ce qui se trouve dans le dossier Public d'un PC, il doit entrer le nom et le mot de passe d'un compte ouvert sur ce PC. Le nom d'utilisateur et le mot de passe du PC d'où accède cette personne ne sont pas acceptés.

   Bien que ces mesures sécurisent beaucoup le PC, c'est sans doute en faire trop pour un PC familial. Pour les ôter, cliquez sur Activé, à droite de Partage de dossiers publics. Dans le menu de la Figure 14.8, choisissez Désactiver le partage.

5. **Déposez dans le dossier Public de votre PC les fichiers et dossiers à partager.**

   Le plus dur est de trouver ce satané dossier Public que Vista a enfoui dans les profondeurs de son arborescence. Pour le trouver, cliquez sur le bouton Démarrage et choisissez un dossier (Documents fera très bien l'affaire). Ensuite, cliquez sur le mot Dossier, dans la barre de volet bleu clair, en bas à gauche de la fenêtre, pour afficher l'arborescence des dossiers. Parcourez-la ensuite pour trouver le dossier Public, puis cliquez dessus. Son contenu est alors affiché dans le volet de droite.

Si votre PC ne peut voir les autres ordinateurs, ou ces derniers ne peuvent voir votre PC, vérifiez les points suivants :

- Éteignez tous les PC, le routeur et le modem à haut débit. Rallumez ensuite, dans l'ordre suivant et avec un intervalle d'une trentaine de secondes entre chacun d'eux : le modem, puis le routeur, puis chacun des ordinateurs.

- Revoyez toutes les étapes, en vous assurant que le Partage de dossiers publics est activé, et le Partage protégé par mot de passe désactivé.

✓ Assurez-vous que tous les ordinateurs ont le même nom de groupe (reportez-vous à l'encadré "Noms de groupe et Windows XP", précédemment dans ce chapitre).

Pas de Corbeille pour les PC distants

Normalement, tout ce que vous supprimez dans votre PC se retrouve dans la Corbeille, laissant une possibilité de récupérer tel ou tel fichier ou dossier. Mais cela n'est pas le cas lorsque vous travaillez dans le dossier Public ou dans l'un de ses sous-dossiers. Ce que vous supprimez est aussitôt définitivement détruit, sans aucune chance de pouvoir le récupérer. Pensez-y.

Partager une imprimante sur le réseau

Beaucoup de foyers ou de bureaux ont plusieurs ordinateurs, mais une seule imprimante. Afin que tout le monde puisse en profiter, partagez-la en appliquant cette procédure sur l'ordinateur sous Vista auquel l'imprimante est connectée et allumée :

1. **Cliquez sur le bouton Démarrer, choisissez Réseau puis, dans la barre d'outils, cliquez sur Centre réseau et partage.**

   Le Centre réseau et partage apparaît (reportez-vous à la Figure 14.7).

2. **Activez le Partage d'imprimante et cliquez sur Appliquer.**

   A la catégorie Partage d'imprimante, cliquez sur le bouton Désactivé afin de déployer le menu. Choisissez l'option Activer le partage d'imprimante puis cliquez sur Appliquer.

Il faut à présent indiquer aux autres ordinateurs du réseau qu'ils peuvent accéder à l'imprimante :

1. **Cliquez sur le bouton Démarrer, choisissez Panneau de configuration et, dans la catégorie Matériel et audio, choisissez Imprimante.**

La fenêtre Imprimante contient une icône pour chaque imprimante installée (ignorez l'imprimante Microsoft XPS Documents Writer, car ce n'est pas une véritable imprimante).

2. **Cliquez sur le bouton Ajouter une imprimante.**

   La fenêtre du même nom s'ouvre.

3. **Choisissez Ajouter une imprimante réseau, sans fil ou Bluetooth, puis cliquez sur Suivant.**

   Le PC parcourt le réseau à la recherche d'autres imprimantes à partager. Dès qu'il en a trouvé une, cliquez sur son nom puis sur Suivant afin de l'installer. S'il n'en trouve pas, passez à l'Étape 4.

4. **Choisissez L'imprimante recherchée ne figure pas dans la liste puis cliquez sur Parcourir.**

   Cliquer sur Parcourir affiche la liste des ordinateurs du réseau. Double-cliquez sur celui auquel l'imprimante est connectée et Vista affiche son nom.

5. **Double-cliquez sur l'icône de l'imprimante partagée puis cliquez sur Suivant.**

   Vista se connecte à l'imprimante en réseau. Vous devrez peut-être installer son logiciel avant de pouvoir l'utiliser.

Est-il risqué de visiter indûment un ordinateur du réseau ?

Les gens vous disent généralement où se trouvent les fichiers sur le réseau. Mais si personne ne vous a renseigné, ne vous gênez pas pour revêtir votre casque de spéléologue et explorer le dédale des dossiers des ordinateurs distants. Pour ce faire, choisissez Réseau, dans le menu Démarrer. Vous avez des scrupules à entrer dans l'ordinateur d'autrui ? Pas de problème car Windows Vista vous laissera rarement jeter un coup d'œil dans les parties de l'ordinateur distant où vous n'êtes pas censé aller.

En fait, Vista est si maniaque, question sécurité, qu'il vous empêche parfois même de voir ce à quoi vous devriez avoir accès. Si vous tentez d'ouvrir un dossier protégé, vous aurez simplement droit à un message d'accès refusé. Il n'y a ni sirène, ni pitbull ni videur.

Si vous vous retrouvez dans un dossier où vous n'avez manifestement pas à être – celui du coupeur de tête chargé de votre évaluation –, faites-en la remarque à l'administrateur, mais avec beaucoup de tact (autrement, couic !).

Dépanner le réseau

Le paramétrage est la partie la plus ardue de la mise en réseau. Après que les ordinateurs se soient reconnus mutuellement, et connectés à l'Internet, soit directement, soit au travers d'un autre ordinateur, le réseau tourne sans problème. Sauf quand il s'en présente un... Dans ce cas, voici quelques pistes :

- ✔ Assurez-vous que le nom de groupe de chaque ordinateur du réseau est le même. Cliquez du bouton droit sur Ordinateur, dans le menu Démarrer, et choisissez Propriétés. Dans le volet gauche, choisissez Paramètres système avancés, cliquez sur le bouton Modifier puis vérifiez le nom dans Groupe de travail.

- ✔ Éteignez chaque ordinateur (proprement, avec l'option Arrêt du menu Démarrer). Vérifiez les câbles. Si vous n'utilisez pas de routeur, allumez l'ordinateur connecté à l'Internet. Lorsque la connexion Internet est établie, allumez un autre ordinateur, puis un autre.

- ✔ Au besoin, demandez à Windows Vista de vérifier puis réparer la connexion. Dans le menu Démarrer, choisissez Panneau de configuration et sélectionnez Réseau et Internet. Cliquez sur Centre réseau et partage et, dans le volet de gauche, cliquez sur Gérer les connexions réseau. Cliquez du bouton droit sur celle qui ne fonctionne pas et choisissez Diagnostiquer.

- ✔ Dans le menu Démarrer, choisissez Aide et support puis tapez **Dépannage réseau** dans le champ Rechercher de l'aide. Windows est doté de nombreux outils de diagnostic et de réparation du réseau qui vous seront proposés dans l'aide en ligne.

Cinquième partie
Musique, films et souvenirs

"Si je n'ai pas pris de poids, comment se fait-il que cette photo numérique a 3 Mo de plus que la même prise il y a six mois ?"

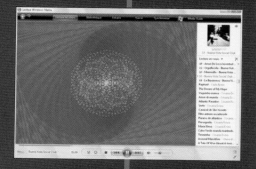

Dans cette partie...

*J*usqu'à présent, ce livre avait abordé les sujets ennuyeux mais indispensables : le paramétrage de l'ordinateur afin qu'il puisse servir à quelque chose. Cette partie du livre le transforme en centre de loisirs permettant :

- De regarder des DVD sur votre PC de bureau ou portable.

- D'écouter vos CD audio en voiture.

- D'organiser un album de photos numériques.

- De monter vos séquences vidéo en quelque chose de regardable.

- De créer des DVD afin de montrer vos films et vos diaporamas.

N'hésitez pas à vous aider de cette partie du livre pour découvrir le côté plaisant de la micro-informatique.

Chapitre 15

Écouter et copier de la musique avec le Lecteur Windows Media

Le Lecteur Windows Media de Vista révèle ce que vous avez dépensé pour votre PC. Sur un ordinateur cher, il fait autant de bruit qu'un home cinema. Mais sur un ordinateur bon marché, la qualité est celle d'une sonnerie de téléphone mobile.

Sa onzième version est parfaite pour lire des CD et des DVD, classer les fichiers de musique et de films et transférer de la musique numérique sur certains lecteurs MP3 mobiles, hormis l'iPod. Si vous en avez un, vous devrez vous en tenir à iTunes (www.apple.com/fr/itunes/).

Chargez le Lecteur Windows Media depuis la zone Tous les programmes, dans le menu Démarrer. Lisez ensuite ce chapitre en vérifiant chacune des fonctionnalités et en essayant les trucs que je propose.

La dernière section présente Windows Media Center, un programme complètement différent du Lecteur Windows Media, qui permet de regarder la télévision sur le PC, à condition que ce dernier ait l'équipement approprié.

La bibliothèque du Lecteur Windows Media

Dès que vous commencez à l'utiliser, le Lecteur Windows Media affiche une liste parfaitement triée de toutes sortes de musiques numériques, d'images, de vidéos et d'émissions de télévision enregistrées. Mais si cette bibliothèque multimédia n'a pas été créée, vous devrez lui demander de la faire en procédant comme suit :

Démarrer le Lecteur Windows Media pour la première fois

La première fois que vous démarrez le Lecteur Windows Media, un écran d'accueil vous demande comment il doit gérer la confidentialité, le stockage, les magasins en ligne et autres paramètres :

✔ **Rapide :** Conçue pour les impatients, cette option charge le Lecteur Media avec les paramètres définis par Microsoft. Il est déclaré comme lecteur par défaut pour tous vos morceaux et vidéos (supplantant les prérogatives de iTunes ou tout autre lecteur de média, si l'un d'eux est installé).

✔ **Personnalisé :** Apprécié des connaisseurs, ce choix permet de peaufiner le comportement du Lecteur Windows Media. Une succession de boîtes de dialogue propose de choisir les types de fichiers audiovisuels que le Lecteur Windows Media est capable de lire, les habitudes d'écoute que vous consentez à transmettre à Microsoft et les magasins en ligne qui vous intéressent. Ne choisissez cette option que si vous avez du temps à consacrer à ces ennuyeuses boîtes de dialogue.

Pour paramétrer le Lecteur Windows Media – que vous l'ayez préalablement configuré en mode Rapide ou Personnalisé – maintenez la touche Alt enfoncée afin de révéler les menus, et choisissez Outils puis Options.

---

1. **Cliquez sur le bouton Bibliothèque et, dans le menu déroulant, choisissez Ajouter à la bibliothèque.**

   Vous pouvez aussi, touche Alt enfoncée, choisir Fichier puis Ajouter à la bibliothèque. Ou appuyer sur la touche F3. Windows propose toujours plusieurs manières d'exécuter une même action.

Le Lecteur Windows Media peut aussi être démarré depuis la barre Lancement rapide, à côté du bouton Démarrer.

2. **Indiquez au Lecteur Windows Media où il doit chercher les fichiers.**

Assurez-vous que l'option Mes dossiers personnels soit cochée, comme à la Figure 15.1. Le Lecteur Windows Media cherchera dans le dossier Musique ainsi que dans le dossier Public (celui qui est accessible à tous les utilisateurs du PC et du réseau, comme l'explique le Chapitre 14).

Figure 15.1 : Choisissez Mes dossiers personnels pour ajouter vos morceaux. L'autre option sert à ajouter les morceaux des autres comptes d'utilisateur.

Pour ajouter de la musique à partir de dossiers Musique appartenant à d'autres comptes d'utilisateur, sur le PC ou le réseau, choisissez l'option Mes dossiers et ceux auxquels je peux accéder. Indiquez ensuite que vous désirez partager ces dossiers en choisissant, dans le menu Bibliothèque, l'option Partage des fichiers multimédia.

Pour ajouter des morceaux provenant d'autres dossiers et lecteurs – voire d'un PC du réseau, d'une mémoire flash (clé USB ou lecteurs MP3) –, cliquez sur le bouton Avancé, puis sur Ajouter, et naviguez jusqu'au dossier ou jusqu'au lecteur.

3. **Cliquez sur le bouton OK pour démarrer la recherche.**

Une barre de progression indique l'avancement du transfert des fichiers. Ceci fait, le Lecteur Windows Media affiche les morceaux classés selon les critères que vous avez choisis : par artiste, album (Figure 15.2), genre, année de sortie, durée ou note.

Après avoir ajouté votre premier lot de morceaux, le programme continue d'enrichir sa bibliothèque de la manière suivante :

✓ **La surveillance des dossiers :** Vista surveille constamment les dossiers Musique, Images et Vidéos, procédant à la mise à jour automatique de Vista chaque fois que vous ajoutez ou supprimez

Figure 15.2 : Cliquez sur Album, dans le volet de gauche, pour voir les jaquettes.

des fichiers (les dossiers à surveiller peuvent être choisis en effectuant les trois étapes précédentes).

✔ **L'ajout d'éléments lus :** Chaque fois que vous écoutez de la musique du PC ou sur l'Internet, Vista ajoute le morceau ou son adresse Internet dans sa bibliothèque afin que vous puissiez le retrouver ultérieurement. Sauf contre-ordre, Vista n'ajoute pas les éléments lus sur les PC du réseau, les clés USB ou les cartes mémoire.

✔ **L'extraction des pistes d'un CD audio :** Quand vous insérez un CD audio dans le lecteur, Vista propose d'en extraire les morceaux, autrement dit les copier dans votre PC, comme l'explique la section "Copier des CD dans le PC". Tout morceau extrait apparaît dans la bibliothèque multimédia (le Lecteur Windows Media ne copie malheureusement pas les films des DVD).

✔ **Télécharger de la musique et des vidéos téléchargées depuis des magasins en ligne :** Le Lecteur Windows Media permet d'acheter de la musique et des vidéos sur les magasins en ligne. La musique achetée est automatiquement stockée dans la bibliothèque, avec les derniers achats.

Répétez les étapes de cette section pour rechercher des fichiers chaque fois que vous en avez envie. Le Lecteur Windows Media ignore ceux qui ont déjà été catalogués et n'ajoute que les nouveaux.

Le Lecteur Windows Media propose quantité d'options, lors de la création d'une bibliothèque. Pour les voir ou les modifier, cliquez sur la petite flèche en bas du bouton Bibliothèque et choisissez Options supplémentaires. C'est là que vous pouvez demander au Lecteur Windows Media de mettre à jour les balises (voir encadré), corriger une erreur dans le nom d'un morceau et effectuer d'autres tâches de maintenance.

Que sont les balises ?

Dans chaque fichier de musique réside un formulaire indiquant le titre du morceau, l'artiste, l'album et autres données du même genre. Ces diverses informations sont appelées "balises" dans le Lecteur Windows Media. Quand vous décidez de trier, d'afficher ou de classer les morceaux, le Lecteur Windows Media lit ces balises (et non le nom du fichier informatique). La plupart des lecteurs de musique mobiles, y compris l'iPod, se basent aussi sur elles. C'est pourquoi il est important de veiller à ce qu'elles soient exactes.

C'est à ce point important que le Lecteur Windows Media visite l'Internet pour récupérer des informations et les répartit automatiquement dans les balises lorsqu'il ajoute le fichier à la bibliothèque.

Beaucoup de gens ne se soucient guère des balises. D'autres les mettent méticuleusement à jour. Si celles de vos morceaux vous conviennent, demandez au Lecteur Windows Media de ne plus s'en occuper : cliquez sur la flèche en bas du bouton Bibliothèque, choisissez Options supplémentaires puis, sous l'onglet Bibliothèque, décochez la case Récupérer des balises supplémentaires sur Internet. Si c'est la pagaille dans vos balises, laissez cette case cochée afin que Lecteur Windows Media puisse y mettre un peu d'ordre.

Pour modifier manuellement les balises d'un morceau, cliquez sur le nom du morceau dans la bibliothèque, et choisissez Éditeur de balises avancé.

Parcourir les bibliothèques

Lorsqu'il est démarré pour la première fois, le Lecteur Windows Media affiche les morceaux d'une manière suffisamment appropriée. Mais il contient en réalité plusieurs bibliothèques, conçues non seulement pour engranger de la musique, mais aussi des photographies, des vidéos et des émissions de télévision enregistrées.

Pour passer d'une bibliothèque à l'autre, cliquez sur le bouton Bibliothèque, dans la barre supérieure du Lecteur Windows Media, comme le montre la Figure 15.3, et choisissez Musique, Photos, Vidéo, Enregistrement(s) ou Autres. Le programme affiche aussitôt les éléments de la catégorie sélectionnée :

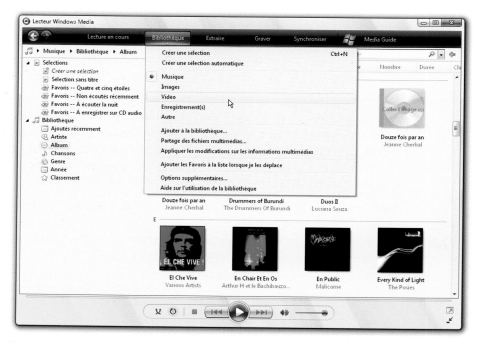

Figure 15.3 : Cliquez sur Bibliothèque et choisissez le type de média que vous désirez parcourir.

✔ **Musique :** Tous les morceaux de musique numérique apparaissent ici. Le Lecteur Windows Media reconnaît la plupart des formats audio dont MP3, WMA et WAV, mais pas les fichiers AAC vendus par iTunes.

✔ **Photos :** Le Lecteur Windows Media peut présenter les photos en diaporama, mais le dossier Images, décrit au Chapitre 16, est plus approprié pour cette tâche.

✔ **Vidéo :** Recherchez ici les séquences que vous avez filmées avec un caméscope ou la fonction vidéo d'un appareil photo numérique, ou téléchargées depuis l'Internet. Le Lecteur Windows Media reconnaît les formats AVI, MPG, WMV, ASF et quelques autres.

✔ **Enregistrement(s) :** Les possesseurs de Vista Édition Familiale ou Vista Édition Intégrale trouveront ici les émissions de télévision enregistrées, si le PC est équipé d'un tuner TV.

✔ **Autres :** Vos sélections apparaissent ici, de même que les sélections automatiquement créées pour les fichiers récemment ajoutés.

Le volet de gauche du Lecteur Windows Media permet de varier l'affichage des fichiers. Par exemple, cliquez sur Artiste pour voir les morceaux classés alphabétiquement par le prénom des artistes.

Dans le même esprit, cliquer sur Genre sépare les éléments en différents types de musique. Au lieu de n'afficher qu'un nom sur lequel cliquer, "blues" par exemple, le Lecteur Windows Media empile leurs couvertures, comme si vous aviez étalé puis empilé les albums sur le plancher du salon pour mieux les trier.

Pour écouter ou voir quoi que ce soit dans le Lecteur Windows Media, cliquez dessus du bouton droit et choisissez Lire. Ou alors, pour écouter tous les morceaux d'un artiste ou d'un genre, cliquez du bouton droit dans une pile et choisissez Lire tout.

Les commandes du Lecteur Windows Media

Le Lecteur Windows Media contient les mêmes commandes de base quel que soit le type de fichier lu, qu'il s'agisse d'un son, d'une vidéo, d'un CD, d'un DVD ou d'un diaporama. La Figure 15.4 montre comment le Lecteur Windows Media tel qu'il est à la page Lecture en cours (à quand le Windows Vista Social Club ?). Les légendes expliquent les fonctions, mais vous pouvez aussi immobiliser la souris sur une commande pour afficher une info-bulle explicative.

Les boutons en bas du Lecteur Windows Media sont similaires à ceux d'un lecteur de cassettes ou de CD. Ils permettent de lire, d'arrêter, de revenir en arrière ou d'avancer rapidement. Cliquez sur l'un des boutons

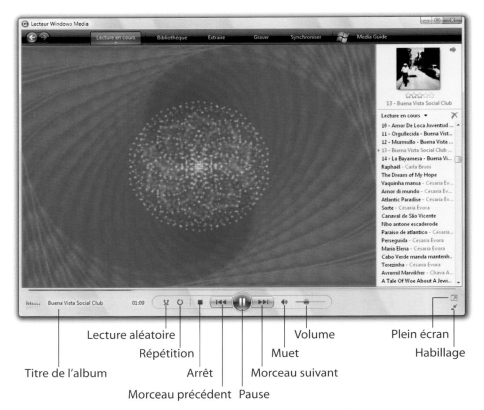

Figure 15.4 : Les boutons du bas fonctionnent comme ceux d'un lecteur de CD.

de la barre d'outils, en haut de la fenêtre, pour exécuter les tâches suivantes :

✔ **Lecture en cours :** Cliquez ici pour obtenir des informations sur le morceau que vous écoutez actuellement dans un magasin en ligne (autrement, sélectionnez un des nombreux effets visuels, comme Rosaces, à la Figure 15.4).

✔ **Bibliothèque :** C'est ici que le Lecteur Windows Media classe vos morceaux, vidéos et sélection. Pour lire un élément listé ici, double-cliquez sur son nom. Pour passer d'une bibliothèque à une autre, cliquez sur le petit bouton fléché placé sous le gros bouton Bibliothèque, dans la barre supérieure.

✔ **Extraire :** Ce bouton sert à copier tout un CD audio ou seulement quelques pistes sur le disque dur. Personnalisez la copie des CD en cliquant, touche Alt enfoncée, sur le menu Outils et en choisissant Options (l'extraction des pistes audio est décrite à la section "Copier des CD dans le PC").

✔ **Graver :** Copiez sur un CD ou un DVD les morceaux stockés dans le disque dur. Reportez-vous à la section "Créer, enregistrer et modifier une sélection".

✔ **Synchroniser :** Copiez votre liste de sélection ou d'autres fichiers dans votre lecteur de MP3 ou autre, une tâche décrite à la section "Copier de la musique dans un lecteur mobile".

Ces différentes commandes seront décrites dans les diverses sections de ce chapitre.

Lire des CD

Pour peu que vous introduisiez correctement un CD audio dans le lecteur – la face imprimée au-dessus –, la lecture d'un CD audio ne pose aucun problème. Le seul élément qui pourrait intriguer est la petite fenêtre de la Figure 15.5, qui apparaît juste après l'insertion.

Toujours désireux de vous plaire, Windows Vista demande ce qu'il doit faire du CD qui vient d'être inséré. Doit-il le lire avec le Lecteur Windows Media ? Doit-il extraire ses pistes et les copier sur le disque dur ? Doit-il le jouer dans Windows Media Center, un autre programme décrit plus loin dans ce chapitre ? L'ouvrir dans Ordinateur et afficher ses dossiers et ses fichiers ?

Figure 15.5 : Quand vous insérez un CD, Windows Vista demande ce qu'il doit faire.

Voici le grand problème de ce panneau : lorsque la case Toujours faire ceci pour CD audio est cochée, et que vous choisissez ensuite une option, Vista la choisira systématiquement par la suite, chaque fois que vous insérerez un CD.

Pour empêcher ce comportement, décochez la case et, après seulement, procédez à votre choix.

Mais si la seule chose qui vous intéresse est de lire des CD, laissez la case cochée et choisissez Lire un CD audio en utilisant Lecteur Windows Media. Ensuite, Vista lira automatiquement tous les CD de musique insérés dans le lecteur du PC.

➤ Vous n'avez pas le temps de choisir ? Appuyez sur la touche Échap pour fermer le panneau (juqu'à la prochaine insertion d'un CD).

➤ Quand vous insérez un CD audio, ne choisissez pas l'option Ouvrir le dossier pour afficher les fichiers. Vous n'obtiendriez qu'une liste de fichiers inutilisables nommés Track01, Track02 et ainsi de suite. Windows Vista ne vous permettra pas de copier des morceaux de cette manière. Vous devez utiliser la commande Extraire du Lecteur Windows Media.

Si Vista affiche par erreur les fichiers du CD au lieu de les lire, cliquez sur le bouton Démarrer puis sur Programmes par défaut. Cliquez sur Modifier les paramètres de la lecture automatique. Ensuite, dans le menu déroulant CD audio, choisissez Lire un CD audio en utilisant Lecteur Windows Media. Ou alors, pour voir le panneau de la Figure 15.5 chaque fois que vous insérez un CD, choisissez Toujours me demander.

Appuyez sur la touche F7 pour rendre le Lecteur Windows Media muet et téléphoner tranquillement pendant ce temps.

Lire des DVD

Le Lecteur Windows Media sait aussi lire des DVD, ce qui permet de transformer un ordinateur portable en lecteur de DVD portable. Emportez vos DVD préférés, des écouteurs, et regardez les films qui vous plaisent au cours d'un long vol international.

Bien que le Lecteur Windows Media lise, grave et copie des CD audio, il ne peut copier un film en DVD sur votre disque dur, ni dupliquer un DVD.

Désactiver la protection contre la copie du Lecteur Windows Media

Pensez à désactiver la protection contre la copie afin d'éviter de sérieux problèmes ultérieurement. Appuyez sur Alt pour accéder au menu, cliquez sur Outils et choisissez Options. Cliquez ensuite sur l'onglet Extraire de la musique.

Décochez ensuite la case Protéger la musique contre la copie. Ceci empêche Microsoft d'ajouter des DRM (*Digital Rights Management*, gestionnaire de droits numériques), une fonctionnalité qui empêche de lire la musique sur d'autres ordinateurs et certains lecteurs MP3.

Bien que la protection du droit d'auteur des artistes soit primordiale, il ne faut pas qu'elle entrave votre propre droit à la copie privée.

Pendant que vous y êtes, déroulez le menu Format et remplacez Audio Windows Media par MP3. Vous serez ainsi certain que les morceaux extraits seront lisibles sur la grande majorité des lecteurs de musique mobiles, y compris l'iPod.

Quand vous insérez un DVD dans le lecteur, le Lecteur Windows Media affiche un panneau qui ressemble beaucoup à celui de la Figure 15.5, qui vous demandait ce que Vista doit faire. Pour éviter son apparition, cochez la case Toujours faire ceci pour films DVD, puis choisissez Lire un film DVD en utilisant Lecteur Windows Media. Le DVD s'ouvre ensuite sur son écran d'accueil.

Le Lecteur Windows Media fonctionne un peu comme votre lecteur de DVD de salon, la souris servant de télécommande.

Pour lire un DVD en plein écran, maintenez la touche Alt enfoncée et appuyez sur Entrée (la même combinaison de touches rétablit le mode fenêtré). Placez le pointeur de la souris hors de l'écran, et le panneau de commande disparaît. Ramenez le pointeur dans l'écran, et le panneau est de retour.

Voir des vidéos et des émissions de télévision

En plus des caméscopes, de nombreux appareils photos numériques et des téléphones mobiles peuvent aussi enregistrer des séquences vidéo. Le Lecteur Windows Media montre aussi les vidéos enregistrées par le programme Movie Maker, décrit au Chapitre 16.

Oui, le Lecteur Windows Media vous espionne

Le Lecteur Windows Media s'intéresse beaucoup à vos habitudes. L'interminable Déclaration de confidentialité en ligne se réduit à cela : le Lecteur Windows Media signale à Microsoft tous les morceaux, fichiers ou films que vous lisez, ce qui donne la chair de poule à certains. Mais, si Microsoft ne parvient pas à savoir ce que vous écoutez, le Lecteur Windows Media ne peut pas se connecter à l'Internet et récupérer les informations concernant l'artiste et son œuvre.

Inutile de lire la suite de cet encadré si cela ne vous gêne pas que Microsoft s'intéresse à vos CD. Dans le cas contraire, choisissez votre niveau de protection : appuyez sur Alt pour accéder aux menus, choisissez Outils puis Options, puis cliquez sur l'onglet Confidentialité. Voici un descriptif des commandes qui hérissent le plus les défenseurs des libertés privées :

- **Afficher les informations sur le média à partir d'Internet :** Si cette case est cochée, le Lecteur Windows Media indique à Microsoft quel CD ou DVD vous lisez et récupère tout un tas d'infos à afficher sur votre écran : la jaquette du CD, les titres des morceaux, le nom de l'artiste, etc.

- **Mettre à jour la musique en prenant des informations à partir d'Internet :** Microsoft examine vos fichiers et, s'il en trouve un qu'il connaît, il remplit les balises avec les informations correctes (pour en savoir plus sur les balises, reportez-vous à l'encadré "Que sont les balises ?").

- **Envoyer un ID de lecteur unique aux fournisseurs de contenu :** Connue sous le nom d'ECD (Extraction de Connaissances à partir de Données) en marketing, cette option permet à d'autres entreprises de suivre à la trace votre utilisation du Lecteur Windows Media. Pour ne pas vous retrouver dans une base de données, laissez cette case décochée.

- **Cookies :** À l'instar de plusieurs autres programmes de Vista, le Lecteur Windows Media trace votre activité grâce à de petits fichiers appelés "cookies".

- **Enregistrer l'historique des fichiers et des URL dans le lecteur :** Pour votre commodité, le Lecteur Windows Media conserve, dans le menu Fichier, la liste des noms des morceaux récemment lus. Décochez cette case afin que votre entourage – surtout professionnel – ne puisse pas voir la liste des titres de musique et de vidéo récemment lus.

La lecture d'une vidéo ne diffère guère de la lecture d'un fichier audio. Commencez par cliquer sur le bouton Bibliothèque et choisissez Vidéos. Double-cliquez sur la vidéo que vous désirez visionner et appréciez le spectacle (Figure 15.6).

Le Lecteur Windows Media permet de visionner des vidéos à différentes tailles. La touche Alt enfoncée, appuyez sur Entrée pour la regarder en plein écran (c'est comme pour un DVD). La même combinaison de touches rétablit l'affichage à la taille originale.

✔ Pour que la vidéo s'adapte d'elle-même aux dimensions du Lecteur Windows Media, choisissez Taille vidéo, dans le menu Affichage, et sélectionnez Ajuster la vidéo au lecteur lors du redimensionnement.

✔ Quand vous téléchargez des vidéos depuis l'Internet, assurez-vous que le fichier est dans un format reconnu par le Lecteur Windows Media. Il est en

Figure 15.6 : Double-cliquez sur le nom de fichier d'une vidéo pour la regarder avec le Lecteur Windows Media.

effet incapable de lire des fichiers aux formats QuickTime ou Real-Video. Ces formats concurrents exigent un lecteur spécifique, téléchargeable depuis le site d'Apple (www.apple.com/fr/quicktime/) ou de Real (http://france.real.com/). Veillez à télécharger la version gratuite (ces sites mettent toujours la version payante en avant).

✔ Certains sites n'envoient la vidéo qu'en flux continu vers l'ordinateur, ce qui empêche le téléchargement du fichier. Mais essayez quand même : après avoir regardé la vidéo, déroulez le menu Fichier du Lecteur Windows Media. Si l'option Enregistrer est en grisé, le site Web interdit l'enregistrement de la vidéo.

✔ La vitesse de la connexion joue un rôle déterminant dans la qualité de la vidéo. Si vous vous connectez en bas débit, choisissez la version pour modem 56K (NdT : 56 kilobits par seconde). Les abonnés à l'Internet à haut débit peuvent choisir les versions 100 ou 300K et plus. L'ordinateur ne risque rien si vous ne choisissez pas la bonne option. L'image sera seulement beaucoup moins bonne.

✔ Le Lecteur Windows Media peut aussi visionner les émissions de télévision enregistrées avec Windows Media Center (reportez-vous à la section qui lui est consacrée, à la fin de ce chapitre).

Lire des fichiers MP3 et WMA

Le Lecteur Windows Media sait lire plusieurs types de fichiers de musique numérisée. Ils ont un point commun : lorsque vous demandez au Lecteur Windows Media de lire un album ou un morceau, il le place dans la liste Lecture en cours, c'est-à-dire une liste d'éléments mis en attente, lus les uns après les autres.

Pour lire un morceau présent dans la Bibliothèque du Lecteur Windows Media – ou un fichier audio dans n'importe quel dossier du PC –, cliquez dessus et choisissez Lire. Il est aussitôt joué et son titre ajouté à la liste Lecture en cours.

- ✔ Pour écouter la totalité d'un album de la Bibliothèque du Lecteur Windows Media, cliquez du bouton droit dans la catégorie Artiste de l'album et choisissez Lire.

- ✔ Vous désirez écouter plusieurs fichiers et albums les uns après les autres ? Cliquez du bouton droit dans le premier d'entre eux et choisissez Lire. Cliquez du bouton droit sur le suivant et choisissez Ajouter à la sélection. Répétez autant de fois que vous le désirez. Tous les albums et les morceaux figurent désormais dans liste Lecture en cours.

- ✔ Aucune musique intéressante dans la bibliothèque ? Pour l'agrémenter, copiez vos CD préférés dans le PC, en extrayant les pistes audio. Nous y reviendrons plus tard, à la section "Copier des CD dans le PC".

Écouter des stations de radio Internet

Le Lecteur Windows Media n'offre plus de bouton permettant d'accéder aux stations radio par Internet, bien qu'il soit possible d'acheter des droits d'écoute dans certains magasins en ligne comme URGE, aux Etats-Unis. Vous trouverez toutefois des stations radio gratuites à ces emplacements, sur le Web :

- ✔ Allez sur Google (`www.google.fr`), faites une recherche sur les mots "radio Internet" et voyez ce que vous trouvez. Si vous en trouvez qui émettent en MP3 ou en WMA (*Windows Media Audio*), allez sur le site et cliquez sur bouton Écouter (ou tout bouton apparenté).

✔ Vous trouverez un vaste répertoire des radios, mais aussi des télévisions, vidéos, musiques et podcasts sur le site comfm (www.comfm.com/).

✔ Téléchargez et installez un exemplaire de Winamp (www.winamp.com), un lecteur MP3 permettant d'écouter des milliers de radios gratuites au travers du site Shoutcast (www.shoutcast.com).

Créer, enregistrer et modifier des sélections

Une "sélection" est tout simplement une liste de lecture, dans un ordre défini, de morceaux ou de vidéos. Ah oui ? Et encore ? Eh bien, c'est surtout par ce qu'elles permettent de faire que les sélections sont intéressantes. Vous pourrez par exemple faire votre programmation de morceaux préférés et l'enregistrer. Elle sera toujours disponible d'un seul clic.

Vous pouvez créer des sélections thématiques pour un romantique dîner aux chandelles – non, vous n'y mettrez pas *La danse des canards* –, ou pour un trajet en voiture particulièrement long.

Procédez comme suit pour créer une sélection :

1. **Déroulez le menu du bouton Bibliothèque.**

   Double-cliquer sur le bouton révèle aussi le menu déroulant, de même que cliquer sur la flèche qui se trouve juste dessous.

2. **Dans le menu déroulant, choisissez Créer une sélection.**

   Un volet de sélection apparaît à droite du Lecteur Windows Media, comme le montre la Figure 15.7

3. **Cliquez du bouton droit sur l'album ou le morceau à ajouter à la Sélection sans titre (ou faites glisser les morceaux et déposez-les sur le volet de la sélection, à droite).**

   Malheureusement, le Lecteur Windows Media n'est pas suffisamment intuitif pour vous présenter une liste d'albums ou de morceaux à sélectionner. Pour voir ceux de votre collection, cliquez sur le bouton Bibliothèque. Si vous ne les trouvez toujours pas, cliquez sur le bouton et, dans le menu déroulant, choisissez Musique.

Figure 15.7 : Choisissez des morceaux et faites-les glisser jusque sur le volet de droite, à l'emplacement désiré.

Enfin, demandez au Lecteur Windows Media d'afficher tous les morceaux en choisissant Chansons, dans le volet de gauche, ainsi que le montre la Figure 15.7.

Faites des glisser-déposer des albums ou des morceaux dans le volet de droite. Parfois, il est plus rapide de cliquer du bouton droit et choisir Ajouter à la sélection. Le Lecteur Windows Media commence à jouer dès l'ajout du premier morceau.

Les morceaux de la sélection, dans la liste de droite, sont lus dans l'ordre, c'est-à-dire de haut en bas.

4. **Peaufinez la sélection en modifiant l'ordre ou en supprimant des morceaux.**

Vous avez ajouté un morceau par erreur ? Cliquez dessus du bouton droit et choisissez Supprimer de la liste. Réordonnez la liste à votre convenance en faisant glisser des éléments vers le haut ou vers le bas.

5. **Si vous êtes content de votre sélection, cliquez sur le bouton Enregistrer la sélection, en bas à droite. Nommez-la dans Nom de la sélection et appuyez sur Entrée.**

   Le Lecteur Windows Media liste la nouvelle sélection dans la catégorie Sélection, prête à être réécoutée d'un seul double-clic.

Après avoir enregistré une sélection, vous pouvez la graver sur CD, également d'un seul clic, comme l'explique l'astuce suivante.

Réalisez vos propres compilations thématiques ("Musique latino, yapaplusbô", ou "2 heures 43 de bonheur") puis gravez-les sur un CD que vous écouterez dans votre île déserte aux Seychelles ou bloqué sur le périph' à la Porte de Bagnolet. Pour ce faire, après avoir inséré un CD vierge dans le lecteur, cliquez sur le bouton Graver. Choisissez ensuite la sélection que vous venez de concocter et cliquez sur le bouton Démarrer la gravure.

Pour modifier une sélection créée précédemment, cliquez du bouton dessus, dans la catégorie Sélections, et choisissez Modifier dans le volet Liste.

Copier des CD dans le PC

Contrairement aux versions antérieures du Lecteur Windows Media, celle-ci peut créer des fichiers MP3, un standard dans le domaine de la musique numérisée. Mais, à moins de lui indiquer expressément qu'il doit enregistrer au format MP3, le Lecteur Windows Media produit des fichiers au format WMA inutilisables par l'iPod et beaucoup d'autres appareils similaires.

Afin que le Lecteur Windows Media puisse créer des fichiers MP3, beaucoup plus largement reconnus que le WMA, appuyez sur la touche Alt pour accéder à la barre de menus, choisissez Outils, puis Options et cliquez sur l'onglet Extraire de la musique. Déroulez le menu Format et remplacez WMA par MP3. Tirez ensuite la glissière Qualité du son jusqu'à 128, 192 ou 256 pour avoir une meilleure qualité audio.

Procédez comme suit pour copier des CD sur le disque dur du PC :

1. **Ouvrez le Lecteur Windows Media, insérez un CD audio puis cliquez sur le bouton Extraire.**

Vous devrez appuyer sur le bouton en façade du lecteur pour que le tiroir s'éjecte.

Le Lecteur Windows Media se connecte à l'Internet, identifie votre CD et inscrit le nom de l'album, le nom de l'artiste et les titres des morceaux. Le programme commence ensuite à copier les morceaux dans le PC et lister leur titre dans la Bibliothèque. C'est fait.

Si le Lecteur Windows Media ne trouve pas les morceaux automatiquement, passez à l'Étape 2.

2. **Au besoin, cliquez sur Rechercher les informations sur l'album.**

Si le Lecteur Windows Media revient bredouille – ce qui est fréquent s'il n'est pas connecté à l'Internet –, remplissez les champs vous-même : cliquez du bouton droit sur la première piste et choisissez Rechercher les informations sur l'album. Choisissez ensuite Entrer les informations pour le CD que vous avez gravé.

Enfin, remplissez le formulaire du Lecteur Windows Media demandant des informations sur le morceau et l'artiste.

Voici quelques recommandations pour l'extraction des CD vers l'ordinateur :

✏ Normalement, le Lecteur Windows Media copie chaque morceau sur le CD. Pour que *La danse des canards* ne vienne pas troubler votre compilation "soirée romantique", décochez sa case. Si le Lecteur Windows Media est déjà en train de copier le morceau dans le PC, vous le supprimerez ultérieurement : dans la Bibliothèque, cliquez du bouton droit sur la chanson inopportune et, dans le menu, choisissez Supprimer.

✏ Certaines maisons d'édition ajoutent une protection contre la copie à leurs CD afin d'empêcher leur copie dans le PC. Si vous avez acheté un de ces CD, maintenez la touche Majuscule enfoncée quelques secondes avant d'insérer le CD, et aussi quelques secondes après l'avoir introduit. Cette manipulation empêche parfois la protection de fonctionner.

✏ N'utilisez pas l'ordinateur pendant l'extraction. N'y touchez plus et laisser mouliner. D'autres programmes risqueraient en effet de le distraire de sa tâche et d'interférer avec la musique.

 ⤟ Le Lecteur Windows Media place automatiquement les CD extraits
dans le dossier Musique. Vous y accédez en choisissant Musique,
dans le menu Démarrer.

Les paramètres de qualité de l'extraction

Un Cd audio contient une colossale quantité de données, à tel point que l'intégrale des Rolling Stones ne
tiendrait sans doute pas dans votre disque dur. Afin que la taille des fichiers des morceaux soit raisonna-
blement gérable, les programmes d'extraction comme le Lecteur Windows Media compressent les données à environ un dixième de leur encombrement normal. Cette compression s'effectuant au détriment
de la qualité, la grande question est de savoir quelle perte de qualité vous êtes prêt à admettre.

La réponse est : quand cette perte devient perceptible. C'est une notion subjective qui fait débat parmi
les mélomanes. Beaucoup de gens sont incapables de faire la différence entre un CD d'origine et un son
extrait à 128 kilobits par seconde. C'est pourquoi 128 Kbps est la valeur par défaut, dans le Lecteur Windows Media. De plus, les morceaux extraits sont généralement écoutés sur l'ordinateur ou avec des lecteurs mobiles, qui sont loin d'être de la haute-fidélité. Un son à 96 Kbps est alors suffisant.

Si vous êtes prêt à sacrifier un peu d'espace disque pour une meilleure qualité, augmentez-la un petit
peu : appuyez sur Alt pour révéler la barre de menus, choisissez Outils, Options puis cliquez sur l'onglet
Extraire de la musique. Tirez le curseur de la glissière Qualité du son vers la droite (Qualité optimale).
Pour obtenir des fichiers de musique sans aucune perte de qualité, déroulez le menu Format, choisissez
WAV (sans perte) et préparez-vous à des fichiers extrêmement volumineux.

Graver des CD de musique

Pour créer un CD de musique avec vos morceaux préférés, créez une
sélection en mettant les morceaux dans l'ordre où ils doivent être lus.
Gravez-la ensuite sur un CD comme l'explique la section "Créer, enregistrer et modifier des sélections", précédemment dans ce chapitre.

Mais comment ferez-vous pour dupliquer un CD afin de l'écouter dans la
voiture sans craindre de rayer accidentellement l'original, ou pour laisser
vos enfants l'écouter bien qu'ils ne soient pas très soigneux ?

Malheureusement, ni le Lecteur Windows Media, ni Windows Vista ne
proposent de commande de duplication. Vous devez user d'un petit
subterfuge pour contourner le problème et créer un CD dont le contenu
est la copie conforme de l'original :

1. **Extrayez le CD audio vers le disque dur.**

2. **Insérez un CD vierge dans le graveur.**

3. **Cliquez sur le bouton Bibliothèque et choisissez l'option Album afin de voir le CD enregistré sur le disque dur.**

4. **Cliquez du bouton droit dans l'album de la bibliothèque et choisissez Ajouter à la sélection à graver.**

   Ou alors, cliquez du bouton droit dans la sélection contenant les morceaux à graver sur le CD et choisissez Ajouter à la sélection à graver.

5. **Cliquez sur le bouton Démarrer la gravure.**

Le Lecteur Windows Media a compressé tous les morceaux lors de leur enregistrement sur le disque dur, d'où une perte de qualité audio. Les retransférer sur un autre CD ne rendra pas la qualité perdue. Pour obtenir des copies rigoureusement à l'identique d'un CD audio, vous devrez acheter un logiciel de gravure.

Copier des morceaux dans un lecteur mobile

Le Lecteur Windows Media ne fonctionne pas avec la plupart des lecteurs de musique mobiles, dont le très répandu iPod. Il est clairement optimisé pour transférer des fichiers WMA et non les fichiers MP3 utilisés par la plupart des lecteurs mobiles. Beaucoup de gens n'utilisent pas le Lecteur Windows Media, s'en tenant au logiciel de transfert livré avec leur appareil. Mais si vous tenez à utiliser le Lecteur Windows Media, voici comment faire :

1. **Connectez le lecteur MP3 à l'ordinateur.**

   Cette connexion s'effectue généralement à l'aide du câble USB fourni avec l'appareil.

2. **Démarrez le Lecteur Windows Media.**

   Il peut à présent se passer plusieurs choses, selon le modèle de lecteur MP3 et sa fabrication.

   Si le Lecteur Windows Media reconnaît votre lecteur MP3, un volet Liste à synchroniser apparaît à droite.

Si le lecteur MP3 a été configuré pour une synchronisation automatique, le Lecteur Windows Media copie consciencieusement tous les morceaux – et les vidéos, si le lecteur les accepte – de la bibliothèque vers le lecteur MP3. L'opération est assez rapide pour quelques centaines de fichiers, mais si votre lecteur peut en héberger des milliers, vous devrez patienter pendant quelques minutes.

Si le lecteur MP3 est configuré pour la synchronisation manuelle, cliquez sur Terminer. Vous devrez indiquer au Lecteur Windows Media quels morceaux il doit copier, comme l'explique l'Étape suivante.

3. **Choisissez les morceaux à copier dans le lecteur MP3.**

Vous avez le choix entre deux moyens :

- **Lire de la musique aléatoirement :** Située dans le volet de synchronisation, cette option rapide et facile demande au Lecteur Windows Media de copier des morceaux choisis au hasard dans la liste de synchronisation. C'est génial pour remplir le lecteur MP3 en vitesse, mais vous ne savez pas ce qui se trouvera dedans.

- **Sélection :** Créez une sélection – une liste de morceaux – à placer dans le lecteur MP3. Vous en avez déjà concocté une ? Cliquez du bouton droit dessus et choisissez Ajouter à 'synchroniser'. Le Lecteur Windows Media ajoute les morceaux de la sélection à la liste de ceux destinés au lecteur MP3.

4. **Cliquez sur le bouton Démarrer la synchronisation.**

Le Lecteur Windows Media copie les morceaux vers le lecteur de musique mobile. L'opération peut durer de quelques secondes à quelques minutes.

Si le Lecteur Windows Media ne parvient pas à trouver le lecteur MP3, cliquez sur le bouton Synchroniser, dans la barre supérieure, et choisissez Actualiser la liste des appareils. Le Lecteur Windows Media fera ainsi une autre tentative.

Pour modifier la manière dont le Lecteur Windows Media envoie les fichiers à un appareil, appuyez sur Alt pour accéder aux menus. Ensuite, choisissez Outils, puis Options et cliquez sur l'onglet Appareils mobiles. Double-cliquez sur le nom du lecteur MP3 afin d'accéder à ses propriétés. Certains offrent d'innombrables options ; d'autres quelques-unes seulement.

Certains lecteurs mobiles exigent une mise à jour de leur microprogramme pour pouvoir communiquer avec le Lecteur Windows Media. Téléchargez-le depuis le site Web du fabricant. Il est démarré comme n'importe quel programme, sauf qu'au lieu d'installer un logiciel dans l'ordinateur, il l'installe directement dans l'appareil mobile.

Acheter de la musique et des films en ligne

La version 11 du Lecteur Windows Media a été conçue pour établir des partenariats commerciaux avec des vendeurs de médias sur l'Internet, comme URGE et MTV Networks aux États-Unis.

Procédez comme suit pour atteindre les boutiques en ligne (la connexion à l'Internet doit bien sûr être établie) :

1. **Cliquez sur le bouton Media Guide, à droite dans la barre supérieure.**

   Le Lecteur Windows Media ouvre la page du site Windowsmedia.com.

2. **Cliquez sur le lien Online Music Stores ("magasins de musique en ligne").**

   La page qui apparaît contient des publicités vers plusieurs magasins, mais aucun lien.

3. **Pour accéder à des liens vers des magasins en ligne, cliquez sur Magasins de musique, dans la colonne de gauche du site.**

   La page contient une longue liste de magasins, classés par pays.

4. **Cliquez sur le lien d'un pays ou faites défiler la page jusqu'au pays qui vous intéresse.**

   À la rubrique France, plus d'une dizaine de magasins de musique en ligne sont proposés.

5. **Cliquez sur le lien pointant vers le magasin de votre choix.**

Le site choisi s'ouvre dans le Lecteur Windows Media, comme le montre la Figure 15.8.

Figure 15.8 : Les magasins de musique en ligne proposent des milliers de titres, même les plus récents.

Chaque magasin ayant ses propres techniques de vente, il est impossible d'indiquer une procédure précise. En règle générale, tous les sites permettent d'écouter un extrait de quelques dizaines de secondes d'un morceau, ce qui est un excellent moyen de juger de sa qualité. En moyenne, une chanson est vendue entre un et deux euros.

Si le morceau vous plaît, vous le placez dans le panier ; si par la suite, vous changez d'avis, vous pouvez à tout moment le supprimer (comme si, dans un magasin réel, vous le rapportiez au rayon). Enfin, au moment de passer en caisse, le décompte de vos achats est affiché. Préparez votre carte bancaire, payez et téléchargez. Parfois, un bouton "achat express" permet de télécharger immédiatement un morceau.

Pensez à sauvegarder sur des CD ou des DVD (ou en faire une copie – pas un simple déplacement – sur un disque dur externe) la musique que vous achetez en ligne.

Ce n'est pas le Lecteur Windows Media qui ouvre mes fichiers !

Ce n'est pas Microsoft qui vous l'apprendra : le Lecteur Windows Media n'est pas le seul lecteur de musiques et de vidéos. En fait, vous devrez aussi télécharger QuickTime (`www.apple.com/fr/quick-time/`) pour pouvoir visionner les vidéos enregistrées au format MOV, nombreuses sur l'Internet. De plus, beaucoup de sons et de vidéo sont enregistrés aux formats RealAudio ou RealVideo (`www.real.com`).

Et ce n'est pas fini : des gens utilisent aussi Winamp (`www.winamp.com`) pour écouter la musique ainsi qu'une grande variété de radios en ligne, et regarder des vidéos. En raison de tous ces formats concurrents, il est souvent indispensable d'installer plusieurs lecteurs multimédia. Malheureusement, ces lecteurs ne se font pas de cadeau au niveau des formats par défaut, chacun essayant d'en accaparer un maximum.

Vista tente de mettre de l'ordre dans cette foire d'empoigne avec sa nouvelle fonction Programmes par défaut. Pour indiquer à chaque lecteur le format de fichier qu'il doit ouvrir, cliquez sur le bouton Démarrer puis sur Programmes par défaut. Une fenêtre apparaît, vous laissant choisir quels programmes doivent lire vos CD, DVD, photos, vidéo, sons, etc.

Windows Media Center

Windows Media Center fut à l'origine une version spéciale de Windows conçue pour être visionnée sur un écran de télévision et manipulé avec une télécommande. À vrai dire, ses menus surdimensionnés et ses commandes simples semblent ne pas avoir leur place dans Vista. Comme Windows Media Center fait en partie double usage avec le Lecteur Windows Media, vous trouverez sans doute ce dernier plus commode.

Mais, si vous tenez à découvrir cette curiosité qu'est Windows Media Center, notamment pour regarder des émissions de télévision et les enregistrer, sachez qu'il vous faudra :

✔ **Windows Édition Familiale ou Vista Édition intégrale :** Les versions Édition Familiale Basique et Entreprise ne sont pas dotées des Windows Media Center.

✏ **Un tuner TV :** Un téléviseur n'est pas indispensable pour regarder les émissions et les enregistrer. En revanche, votre PC doit être équipé d'un tuner TV. C'est une carte, voire une clé USB, qui permet de recevoir et choisir les chaînes. L'idéal est un tuner équipé d'une télécommande, mais Windows Media Center fonctionne aussi à la souris et au clavier.

✏ **Une prise d'antenne :** À l'instar de celui d'un téléviseur, le tuner ne peut capter des chaînes que s'il reçoit un signal hertzien ou par câble. Au pire, si vous n'avez pas de prise à proximité, vous pouvez brancher une antenne "oreilles de lapin" amplifiée, mais la qualité de l'image sera moins bonne.

✏ **Une carte graphique avec sortie TV :** La télévision passe bien sur un écran d'ordinateur, mais pour la voir sur un vrai poste de télévision, le tuner TV doit être équipé d'une prise pour la télévision. La plupart des tuners ont une sortie S-Video, composite et parfois des prises coaxiales, ces trois types de connecteurs étant les plus courants sur les téléviseurs.

Démarré sur un ordinateur correctement équipé, Windows Media Center devrait tout détecter : le tuner, le signal vidéo et le moniteur. Pour faire un essai, cliquez sur Démarrer, Tous les programmes, puis choisissez Windows Media Center.

Si Windows Media Center ne trouve pas tous les éléments, le tuner exigera sans doute un nouveau pilote compatible Vista, téléchargeable depuis le site du fabricant.

Appuyer sur la touche F8 rend Windows Media Center muet. Rappelons que le Lecteur Windows Media, lui, est réduit au silence par la touche F7.

Les menus de Windows Media Center

Windows Media Center offre bien plus d'options qu'un magnétoscope. Voici quelques explications du menu que montre la Figure 15.9 :

✏ **Télévision + films :** Ce menu comporte plusieurs options, accéder aux chaînes, enregistrer une émission ou un film, lire un DVD ou configurer le téléviseur. La télé prête, vous pouvez rechercher des émissions avec le guide télé.

Démarrer Windows Media Center pour la première fois

Ne démarrez pas Windows Media Center si vous n'avez pas une bonne vingtaine de minutes de libre, car il lui faut tout ce temps. Il commence en effet par analyser le PC à la recherche d'une connexion Internet et d'un réseau local domestique, puis il vous pose bon nombre de questions. Microsoft exige que vous approuviez ses clauses de confidentialité, qui s'étalent sur près d'une centaine de pages en petits caractères.

Windows Media Center demande votre code postal et sélectionne les canaux. Après avoir téléchargé la liste des émissions à venir, il termine en vous laissant sélectionner le type de moniteur, les enceintes et comment tout ceci est connecté. Ces paramètres sont surtout importants pour les gens qui relient leur ordinateur au téléviseur.

Quand il a enfin terminé, Windows Media Center affiche une sorte de "guide télé" dans lequel vous choisirez les émissions que vous regarderez ou enregistrerez.

Figure 15.9 : Windows Media Center est un véritable centre de loisirs multimédia permettant de regarder et enregistrer la télévision, d'écouter de la musique et visionner des vidéos.

✔ **Musique :** Windows Media Center est capable de lire les fichiers de musique. Mais, là où le Lecteur Windows Media regorge d'options, Windows Media Center n'offre que quelques choix. L'option Audiothèque affiche les albums qui sont dans le dossier Musique ; cliquez sur l'un d'eux pour l'écouter. L'option Radio ne se connecte pas à des radios sur Internet, mais capte les stations FM du voisinage.

✔ **Outils :** Vous trouverez ici les paramètres permettant de tout régler, de la réception du signal télé à l'affichage de vos albums par Windows Media Center.

✔ **Images + vidéos :** Comme prévu, Windows Media Center affiche les photos qui se trouvent dans le dossier Images et les films présents dans le dossier Vidéos.

✔ **Tâches :** Les commandes qui se trouvent ici permettent de graver des CD de toute votre collection de musiques et des DVD des émissions enregistrées, mais bien sûr sans supprimer les publicités.

Pour passer d'un menu à un autre, utilisez la télécommande livrée avec le tuner TV. Vous n'en avez pas ? Dans ce cas, cliquez sur une option. Le clic du bouton droit affiche les menus. Les boutons fléchés du clavier fonctionnent très bien pour naviguer parmi les options.

Pour revenir à un menu précédent, utilisez la touche Arrière de la télécommande, ou cliquez sur le bouton Précédent, en haut à gauche de Windows Media Center.

Tirer le meilleur de Windows Media Center

Du fait que Windows Media Center doublonne les fonctions du Lecteur Windows Media, vous ne l'utiliserez peut-être pas beaucoup. Il est toutefois commode dans ces cas :

✔ **Une Xbox branchée au téléviseur :** La console de jeu de Microsoft est prévue pour être branchée au téléviseur. Mais connectée à un réseau, la Xbox 360 peut se connecter à Windows Media Center et accéder à l'audiothèque, aux photos et aux films.

✔ **Le PC est branché au téléviseur :** Peu de gens sont disposés à placer une encombrante et bruyante unité centrale près du téléviseur. Mais si votre PC fait partie de votre home cinema, Windows Media Center sera un excellent centre de contrôle.

✔ **Facilité d'accès :** Les menus simples et surdimensionnés ne satisferont pas le féru de hautes technologies. Mais si vous recherchez des menus faciles à lire et n'exécutez que des tâches élémentaires, vous préférerez Windows Media Center au Lecteur Windows Media.

✔ **Tuner TV :** Si votre PC est équipé d'un tuner TV, il a sans doute été livré avec un logiciel d'enregistrement et de visionnage des émissions. Mais si vous trouvez Windows Media Center plus commode, n'hésitez pas à l'utiliser.

Photos et films

Ce chapitre expose la relation de plus en plus étroite entre Windows, les appareils photos numériques et les caméscopes, aussi bien numériques qu'analogiques. Vous découvrirez comment transférer des photos numériques et des films dans l'ordinateur, éliminer ce qui est raté, montrer le reste à la famille, l'envoyer par courrier électronique à vos correspondants lointains, et enregistrer le tout à un emplacement où photos et films seront faciles à retrouver.

Un mot encore : après avoir commencé à créer un album de famille dans l'ordinateur, ne manquez pas de tout sauvegarder dans les règles, comme le décrit le Chapitre 12. Ce chapitre explique comment le graver sur un CD ou un DVD. Vos souvenirs de famille sont en effet irremplaçables.

La boîte à chaussures numérique

Jusqu'à présent, vous entassiez peut-être vos photos dans des boîtes à chaussures. Désormais, vous les classerez dans des dossiers informatiques. Désireux de ne pas manquer la révolution de l'imagerie numérique, les programmeurs de chez Microsoft ont transformé le dossier Images de Windows en un album de famille informatisé. Après y avoir déversé toutes vos photos numériques Vista permet de créer à la volée des diaporamas, des écrans de veille et des papiers peints, et aussi de retoucher les images.

Cette section explique comment connecter l'appareil photo numérique à l'ordinateur et y transférer les photos pour les visionner.

Windows ne trouve pas mon appareil photo !

Bien que Windows Vista détecte l'appareil photo dès qu'il est connecté à l'ordinateur, il arrive que le contact ne s'établisse pas spontanément : Vista n'affiche pas le menu d'importation des photos ou encore, un autre programme tente de le supplanter. Dans ce cas, débrancher l'appareil et attendez quelques secondes avant de le reconnecter.

Si cela ne donne toujours rien, suivez ces étapes :

1. **Cliquez sur Démarrer, choisissez Programmes par défaut et cliquez sur Modifier les paramètres de la lecture automatique.**

2. **Faites défiler jusqu'à la rubrique Périphériques.**

   Elle se trouve tout en bas de la fenêtre.

3. **Choisissez votre appareil photo et, dans le menu déroulant, sélectionnez Importer les images en utilisant Windows. Cliquez ensuite sur Enregistrer.**

Si Windows Vista persiste à ne pas reconnaître l'appareil photo, cela signifie que Vista a besoin d'un logiciel pour le mettre en communication avec lui. S'il n'a pas été livré avec l'appareil, visitez le site Web du fabricant afin de le télécharger.

Transférer les photos dans l'ordinateur

La plupart des appareils photos numériques sont livrés avec un logiciel de transfert – ou plus exactement, de copie – qui achemine les fichiers d'image vers l'ordinateur. Mais vous pouvez vous en passer car un programme intégré à Windows est capable de trouver les photos dans quasiment n'importe quelle marque et modèle d'appareil, et les récupérer. Voici comment :

1. **Branchez le câble de liaison à l'ordinateur.**

   La plupart des appareils photos numériques sont livrés avec deux câbles : l'un qui se branche au téléviseur afin de visionner les images, l'autre qui se branche à l'ordinateur. Vous aurez besoin de l'autre, celui qui, connecté à l'ordinateur, sert à y transférer les images.

   Le câble se branche généralement au port USB de l'ordinateur (il est à l'arrière de l'ordinateur, mais d'autres ont un ou deux ports USB en façade). À l'autre extrémité, la forme du minuscule connecteur varie selon les marques d'appareil.

2. **Mettez l'appareil photo en marche, si ce n'est déjà fait, et attendez que Windows Vista le détecte.**

   Quand vous branchez l'appareil pour la première fois, Vista signale sa présence par une petite info-bulle dans la zone de notification en bas à droite de l'écran, près de l'horloge.

Si Vista ne reconnaît pas votre appareil photo, assurez-vous qu'il est en mode Affichage, qui permet de visionner les photos sur l'écran de contrôle, plutôt qu'en mode Prise de vue. Là encore, réessayez en débranchant le câble pendant quelques secondes de l'ordinateur, puis en le rebranchant.

Figure 16.1 : Choisissez l'unique option présentée afin que Vista transfère automatiquement les photos de l'appareil vers le PC.

3. **Dans la fenêtre Exécution automatique que montre la Figure 16.1, choisissez Importer les images en utilisant Windows.**

En principe, la fenêtre de la Figure 16.1 n'apparaît qu'à la première connexion de l'appareil photo. Veillez à ce que soit cochée la case

trouvent dans chaque dossier, mais ils comportent en plus une commode rangée de boutons pour afficher, envoyer par courrier électronique et imprimer les photos. Cliquez sur le bouton Affichages pour trouver la glissière qui permet notamment d'afficher les miniatures en trois tailles.

Si le dossier Images est trop encombré pour visionner facilement les photos, démarrez le nouveau programme d'archivage de Windows : cliquez sur le bouton Démarrer, choisissez Tous les programmes puis Galerie de photos Windows.

La Galerie de photos Windows (Figure 16.4) propose diverses manières de trier rapidement des milliers de photos en cliquant sur les mots, des dates ou des notations, dans le Volet de navigation, à gauche. Double-cliquez sur la miniature d'une photo pour la voir en grand, puis revenez à la Galerie de photos Windows en cliquant sur la flèche Précédent.

Cliquer sur les termes suivants, dans le Volet de navigation, permet de trier les photos de plusieurs manières :

- **Toutes les images et vidéos :** Cliquez sur cette option pour voir toutes les photos et les vidéos, triées chronologiquement par années de prises de vue ou de transfert dans le PC. Deux sous-catégories ne montrent que les images, ou que les vidéos. Si vous repérez l'image ou la vidéo que vous recherchiez, double-cliquez sur leur miniature pour les visionner.

- **Récemment importé :** Cette option permet d'accéder commodément aux images que vous venez juste d'importer dans l'ordinateur.

- **Balises** : Vous souvenez-vous de la balise que vous aviez tapée lors de l'importation des photos, à la Figure 16.2 ? Ces balises sont répertoriées dans cette rubrique du Volet de navigation. Cliquez sur l'une d'elles, et seules sont affichées les photos qui la contiennent. Vous pouvez ajouter des tags à la volée : sélectionnez les photos de Tatie Danièle (vous pouvez en sélectionner plusieurs à la fois en cliquant dessus, touche Ctrl enfoncée) puis, dans le Volet d'informations à gauche, cliquez sur Ajouter des balises. Tapez ensuite **Tatie Danièle** pour baliser les photos avec ce nom.

- **Date de la prise :** Cette option permet de ne voir que les photos prises un certain jour, mois ou année. Par exemple, cliquez sur

Gravure de CD ou DVD

Envoi par courrier électronique

Céation d'une vidéo

Impression

Photo sélectionnée

Affichage du volet d'informations

Ouvrir

Réglages et recadrage

Volet d'informations

Barre d'outils

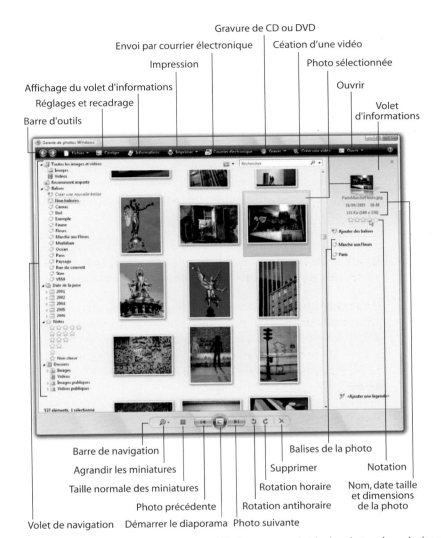

Barre de navigation

Balises de la photo

Agrandir les miniatures

Supprimer

Notation

Taille normale des miniatures

Rotation horaire

Nom, date taille et dimensions de la photo

Photo précédente

Rotation antihoraire

Volet de navigation   Démarrer le diaporama Photo suivante

Figure 16.4 : La nouvelle Galerie de photos Windows permet de trier les photos chronologiquement, par sujet ou par une notation personnelle.

2004 puis, la touche Ctrl enfoncée, cliquez sur la balise Chien pour voir toutes les photos de chiens prises en 2004.

↙ **Notes :** Vous êtes vraiment fier d'une photo ? Ou pas tant que ça ? La touche Ctrl enfoncée, appuyez sur la touche **1**, **2**, **3**, **4** ou, si elle est géniale, **5** pour noter vos photos. Vous pourrez ainsi n'afficher que celles correspondant à la note sélectionnée dans le volet de gauche. Une photo peut aussi être notée en cliquant sur l'une des étoiles dans le volet d'information, comme à la Figure 16.4.

> ✔ **Dossiers :** Cliquez dans l'un des dossiers figurant dans cette rubrique pour voir les photos et/ou les vidéos qu'ils contiennent. Pour ajouter un dossier à cette liste, cliquez du bouton droit sur le mot Dossiers, choisissez Ajouter un dossier à la Galerie, puis parcourez le disque dur à sa recherche.

En choisissant les critères de dates, de balises et de note, vous dénicherez rapidement et efficacement la ou les photos que vous cherchiez. Ces quelques conseils augmenteront vos chances de localiser l'image que vous cherchez :

> ✔ Une photo est floue ou mal cadrée ? Cliquez dessus du bouton droit et choisissez Supprimer. Il est plus facile de trouver une belle image dans une photothèque débarrassée des photos ratées.

> ✔ Assignez plusieurs balises à une photo. Par exemple, créez une balise par personne, pour une photo de groupe. Vous pourrez ainsi faire des recherches nominatives.

> ✔ Double-cliquez sur une miniature pour afficher la photo en grand. La fenêtre dans laquelle elle s'ouvre contient des outils de correction, d'impression, d'envoi par courrier électronique, et le Volet d'information reste affiché. Nous reviendrons sur ces boutons à la section "Corriger les photos", un peu plus loin.

> ✔ Vous voulez utiliser une photo comme arrière-plan du Bureau ? Cliquez du bouton dessus et choisissez Définir en tant que papier peint du bureau. La photo est aussitôt placée sur le Bureau.

> ✔ Immobilisez le pointeur de la souris sur une miniature pour voir en une version agrandie, de même que son nom de fichier, sa note, les balises, la date de prise de vue, taille du fichier et les dimensions de l'image.

Visionner un diaporama

Le mode Pellicule des dossiers d'image de Windows XP offrait un semblant de diaporama qui affichait une photo après une autre. Dans

Une photothèque bien classée

Il est tentant de créer, dans le dossier Images, un sous-dossier nommé Nouvelles photos et d'y stocker toutes les images à venir. Mais ce système montrera vite ses limites. L'outil d'importation de Vista fait heureusement du bon travail en nommant chaque série de photos après la date et la balise. Les conseils suivants vous permettront de classer plus efficacement vos photos, et donc de les retrouver plus vite :

- Affectez quelques balises généralistes comme Maison, Voyage ou Vacances. Il vous sera ainsi possible de commencer une recherche par toutes les photos faites chez vous, ou toutes celles prises en voyage, ou toutes les photos de vacances.

- Windows assigne la balise créée lors de l'importation à tout le lot de photos importées. Accordez-vous immédiatement un peu de temps pour ajouter des balises plus spécifiques à chacune des photos.

- Si vous êtes passionné de photo, envisagez l'achat d'un gestionnaire de photos plus sophistiqué, comme ACDSee (http://fr.acdsee.com/).

Vista, ce diaporama est autrement mieux fait, avec en prime une quinzaine de types de présentations.

Faites preuve d'originalité, pour visionner vos photos, en recourant à l'une de ces deux techniques :

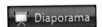

- Dans le dossier Images, cliquez sur le bouton Diaporama, dans la barre d'outils.

- Dans la Galerie de photos Windows, cliquez sur le gros bouton Lire le diaporama, en bas au milieu (ou appuyez sur F11).

L'écran s'assombrit aussitôt et la première image apparaît en plein cadre. Elle s'estompe tandis que la suivante apparaît par un effet de fondu-enchaîné.

Vous n'avez pas droit à ce diaporama sophistiqué ? C'est sans doute parce que Vista ou votre PC ne fait pas l'affaire : soit vous utilisez la version Édition Familiale Basique où ce diaporama n'existe pas, soit le PC n'est pas suffisamment puissant.

Cliquez sur le bouton Thèmes, à gauche des commandes de diaporama, pour choisir une autre présentation différente. Par exemple, le thème Classique fait simplement se succéder les images tandis que le thème

Album donne l'apparence d'un traditionnel album en carton. Le terme Tourner retourne la photo pour présenter la suivante, et le thème Voyage empile les photos inclinées dans un sens, puis dans un autre, sur un papier orné de flammes d'oblitération postales.

Le bouton Diaporama crée rapidement un diaporama. Mais si vous envisagez d'en graver sur un CD ou un DVD pour épater vos proches, reportez-vous au deux dernières sections de ce chapitre. Vous y apprendrez comment créer et enregistrer des diaporamas avec Movie Maker et DVD Maker, deux programmes livrés avec Vista.

Voici quelques conseils pour améliorer vos diaporamas :

✏ Avant de commencer le diaporama, pivotez toutes les photos qui sont couchées sur le côté.

✏ Le diaporama comportera toutes les photos du dossier courant et aussi de ses sous-dossiers.

✏ Pour ne limiter le diaporama qu'au dossier courant, sélectionnez une partie des photos qui s'y trouvent – en maintenant la touche Ctrl enfoncée – puis cliquez sur le bouton Diaporama.

✏ Un diaporama peut être transformé en écran de veille : cliquez du bouton droit sur le Bureau, choisissez Personnaliser, cliquez sur Écran de veille et, dans le menu déroulant du même nom, choisissez Photos. Cliquez sur le bouton Paramètres, si vous le désirez, pour choisir un type de diaporama, ou filtrer les photos affichées par balise, note et dossier.

✏ N'hésitez pas à sonoriser un diaporama en faisant jouer un morceau par le Lecteur Windows Media, comme l'explique le Chapitre 15, juste avant le spectacle. Ou, si vous avez rapporté un CD de musique de vos vacances à Tahiti, insérez-le dans le lecteur et laissez la musique pendant tout le diaporama.

Corriger les photos

Windows Vista contient quelques outils de correction des photos : suppression de l'effet de yeux rouges des portraits faits au flash, amélioration des photos surexposées, recadrage des images... Bizarrement, Vista cache ces outils dans la Galerie de photos Windows. Pour corriger vos photos, vous devrez donc cliquer sur le bouton Démarrer, choisir Tous les programmes et sélectionner Galerie de photos Windows.

 Sélectionnez la photo à problèmes en cliquant dessus puis cliquez sur le bouton Corriger, dans la barre d'outils de la Galerie de photos Windows. Les prochaines sections expliquent comment utiliser les outils de correction, visibles à la Figure 16.5.

Les corrections ne sont pas irréversibles. Si vous avez fait une erreur, cliquez sur le bouton Annuler, en bas de la Galerie de photos Windows. Si vous ne remarquez la bévue que quelques jours plus tard, cliquez sur la photo en question, cliquez sur le bouton Corriger, et vous verrez qu'en bas à droite, le bouton Rétablir est accessible. Cliquez dessus et Vista pourra rétablir la photo originale.

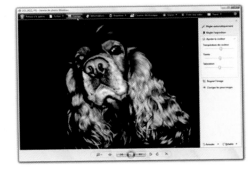

Figure 16.5 : Cliquez sur le bouton Corriger, dans la barre d'outils de la Galerie de photos Windows, pour accéder aux outils de correction visibles dans le volet de droite.

 Veillez à corriger les photos avant de les imprimer ou les envoyer à un service d'impression. Un petit recadrage et quelques réglages amélioreront l'image avant de la coucher sur papier.

Régler l'exposition et la couleur

L'image que capte votre appareil photo n'est pas toujours aussi bien restituée à l'écran que vous l'auriez désiré. Pour lui redonner un peu plus de "pêche", la Galerie de photos Windows offre de quoi régler la couleur et rattraper une image surexposée ou sous-exposée, un problème classique dû à un éclairement trop fort, ou au contraire trop faible.

Voici comment rattraper l'exposition d'une photo :

1. **Ouvrez la Galerie de photos Windows, cliquez sur la photo ratée puis, dans la barre d'outils, sur le bouton Corriger.**

    Les outils de correction apparaissent dans un volet à droite de l'image (voir Figure 16.5).

2. **Cliquez sur Régler automatiquement.**

Vista analyse l'image et applique les réglages qui, selon lui, s'imposent : aussi étonnant que cela puisse paraître, le résultat est souvent satisfaisant. Mais parfois, il est pire ou alors, la correction est insuffisante. Vous devrez alors passer à l'Étape 3.

3. **Cliquez sur Régler l'exposition puis ajustez les curseurs Luminosité et Contraste.**

   Le réglage automatique fausse toujours quelque peu les paramètres d'exposition. Les curseurs des glissières Luminosité et Contraste sont normalement centrés, mais après l'application de la commande Régler automatiquement, l'un ou l'autre peut être décentré. Réglez la luminosité et le contraste. Si la photo n'est pas encore satisfaisante, passez à l'Étape 4.

4. **Cliquez sur Ajuster la couleur. Réglez les paramètres Température de couleur, Teinte et Saturation.**

   NdT : Réglez le curseur Température de couleur si la photo semble globalement trop orangée, verdâtre ou bleutée. Vous pouvez aussi, en l'utilisant délicatement, renforcer une impression de crépuscule ou une ambiance intimiste. La glissière Teinte décale la totalité du spectre chromatique. Vous aurez peu l'occasion de l'utiliser. La glissière Saturation règle l'intensité des couleurs : vers la droite, les couleurs plus vives ; calée à gauche, l'image est privée de couleur et apparaît en noir et blanc (réglez de nouveau le contraste et la luminosité pour obtenir un beau noir et blanc).

5. **Enregistrez ou annulez vos modifications.**

   Si vous estimez que la photo est corrigée, enregistrez vos interventions en cliquant sur le bouton Retour à la galerie, à gauche dans la barre d'outils, ou en fermant la Galerie de photos Windows.

   Mais si la photo est encore pire qu'avant, renoncez aux modifications les unes après les autres en cliquant à chaque fois sur le bouton Annuler, ou rétablissez la photo originale en cliquant sur la petite flèche à droite de Annuler et, dans le menu, choisissez Annuler tout.

   NdT : Si la retouche et la correction des photos vous intéressent, reportez-vous au livre *Photoshop Elements 4 Pour les Nuls*. Il est entièrement consacré à Photoshop Elements, un logiciel puissant et d'un prix abordable.

Rogner les photos

Rogner les photos, c'est les recadrer. A vrai dire, le recadrage commence dès la prise de vue, lorsque vous recherchez le point de vue et orientez l'appareil afin d'obtenir une bonne image.

Mais, de retour chez vous, vous constatez que la composition de l'image n'est pas aussi bonne que vous le pensiez : un pied ou un bras dépasse dans l'image, un poteau ou un pylône gâche le paysage.

Un recadrage peut remédier à ces défauts. Vous ne retiendrez que la partie intéressante d'une image et éliminerez le reste. Ces trois étapes expliquent comment faire pour recadrer un sujet pris d'un peu trop loin et donner ainsi plus de force à l'image.

1. **Ouvrez la Galerie de photos Windows, cliquez sur la photo à recadrer puis, dans la barre d'outils, cliquez sur le bouton Corriger.**

2. **Cliquez sur l'outil Rogner l'image, déroulez le menu Proportions et choisissez un format de papier.**

   L'outil Rogner l'image place un cadre dans l'image, comme le montre la Figure 16.6. Tout ce qui se trouve à l'extérieur sera supprimé.

3. **Réglez le recadrage.**

   Vista centre le cadre, ce qui est rarement la meilleure solution. Repositionnez-le en cliquant dedans et en le tirant, bouton de la souris enfoncé. Réglez ensuite les dimensions du cadre : en tirant un coin, la proportion est maintenue. En tirant un côté, la proportion n'est plus respectée (le bouton Proportion affiche alors Personnalisé).

   Pour recadrer en fonction de différents formats de papiers, déroulez le menu Proportion et choisissez-en un. Cliquez sur le bouton Faire pivoter l'image pour obtenir un cadrage, soit en hauteur, soit en largeur.

Figure 16.6 : Choisissez une proportion puis réglez les dimensions du cadre. Ici, la proportion 4 × 3 est appropriée au tirage sur un papier de 10 x 15 cm.

N'OUBLIEZ PAS

Évitez de centrer le sujet. Pour qu'une photo soit plus forte, il est conseillé de respecter la règle des tiers : imaginez que la photo soit divisée par des lignes aux tiers de la hauteur et aux tiers de la largeur (voir Figure 16.7). Tout élément positionné à l'intersection de ces lignes attire plus le regard que placé ailleurs.

Figure 16.7 : La règle des tiers est une des bases de la composition graphique.

4. **Cliquez sur le bouton Appliquer pour recadrer l'image.**

Tout ce qui est à l'extérieur du cadre est éliminé, comme l'illustre la Figure 16.8. Remarquez le positionnement de deux colombes respectant la règle des tiers. De plus un peu "d'air" a été ménagé à gauche, dans la direction du vol, afin que les colombes ne donnent pas l'impression de se heurter au bord de l'image.

Figure 16.8 : Après avoir cliqué sur Appliquer, l'image est recadrée.

Si vous désirez faire des essais, sachez que cliquer sur Annuler rétablit l'image originale. En revanche, si le nouveau cadrage vous plaît, cliquez sur le bouton Aller à la Galerie pour l'enregistrer et revoir toutes vos photos.

Rogner une image est commode pour réaliser les photos qui illustreront vos comptes d'utilisateurs. Choisissez la proportion Carrée, cadrez le portrait bien serré puis, après avoir enregistré l'image, intégrez-la à un compte d'utilisateur comme l'explique le Chapitre 13.

Corriger les yeux rouges

La lumière du flash est si soudaine et intense que les pupilles n'ont pas le temps de se contracter. Au lieu d'être noires, sur la photo, elles sont d'un rouge soutenu car la lumière se reflète sur le réseau sanguin de la rétine.

L'outil Corriger les yeux rouges de la Galerie de photos Windows remplace le rouge par des nuances de gris foncé et de noir plus esthétiques, apportant ainsi une solution élégante à un problème qui a hanté des générations de photographes de réceptions.

1. **Ouvrez la Galerie de photos Windows, double-cliquez sur la photo où il y a des yeux rouges puis cliquez sur le bouton Corriger.**

Zoomez sur les yeux rouges en cliquant sur le bouton en forme de loupe, dans la barre de navigation en bas de la fenêtre.

2. **Cliquez sur Corriger les yeux rouges, tirez un rectangle autour de la pupille et relâchez le bouton.**

Dès que le bouton est relâché, le rouge des pupilles est remplacé par des nuances de gris presque noir (NdT : cette commande corrige les yeux rouges, mais moins bien, voire pas du tout, les yeux verts ou or des animaux de compagnie).

Pivoter une photo

Quand une photo est tirée sur papier, peu importe son sens : il suffit de pivoter le tirage pour regarder une photo en hauteur. Sur l'écran d'un ordinateur, une photo cadrée en hauteur est généralement couchée. Vista pourra cependant la remettre d'aplomb.

Il suffit pour cela de cliquer dessus du bouton droit. Dans le menu contextuel, choisissez Faire pivoter vers la droite ou Faire pivoter à gauche, et le tour est joué.

Pour pivoter une photo dans la Galerie de photos Windows, cliquez sur une icône de rotation dans le sens antihoraire ou horaire, dans la barre de navigation.

Envoyer des photos par courrier électronique

Les fichiers des photos numériques sont particulièrement volumineux alors que le courrier électronique ne peut acheminer que des fichiers de petite taille. Un fichier trop gros encombre inutilement la boîte de réception du destinataire et parfois, quand il dépasse le maximum autorisé par votre fournisseur d'accès Internet, le message est tout simplement refusé. Pour résoudre ce problème, Windows Vista propose fort opportunément de redimensionner les photos que vous envoyez. Voici comment exploiter cette fonctionnalité :

Graver des photos numériques sur un CD ou un DVD

Ne perdez pas tous vos souvenirs numériques faute de les avoir sauvegardés. Achetez sans tarder un lot de CD ou de DVD vierges compatibles avec votre lecteur (les types de CD et de DVD sont décrits au Chapitre 4).

Procédez ensuite comme suit pour copier tout le contenu de votre dossier Images sur un CD ou un DVD vierge :

1. **Ouvrez le dossier Images depuis le menu Démarrer puis cliquez sur le bouton Graver.**

   Vista vous invite à insérer un disque vierge dans le lecteur de CD.

2. **Insérez un CD ou un DVD vierge dans le graveur de CD.**

   Le graveur de CD est aussi un lecteur de CD (mais l'inverse n'est pas toujours vrai). Un DVD peut stocker jusqu'à cinq fois plus de données qu'un CD. C'est pourquoi vous privilégierez ce support. Si vous n'avez pas de DVD sous la main, quelques CD devraient faire l'affaire.

3. **Nommez le disque sur le point d'être gravé puis cliquez sur Suivant.**

   Tapez la date d'aujourd'hui suivie des mots "Sauvegarde photos". La gravure commence aussitôt.

La place manque sur le CD ou le DVD pour sauvegarder toutes les photos ? Windows Vista n'est hélas pas assez intelligent pour demander l'insertion d'un deuxième disque. Il se contente d'annoncer benoîtement qu'il n'y a plus assez le place et cesse de graver. Dans ce cas, optez pour le programme Centre de sauvegarde, qui saura répartir vos sauvegardes sur plusieurs disques.

---

1. **Cliquez du bouton droit sur la ou les photos sélectionnées puis, dans le menu contextuel, choisissez Envoyer vers, puis Destinataire.**

   Ou, si vous regardez des photos dans le dossier Images ou dans la Galerie de photos Windows, cliquez sur le bouton Courrier électronique, dans la barre supérieure.

   Windows affiche la fenêtre de la Figure 16.9, qui propose de réduire la taille des images envoyées par courrier. Acceptez l'offre.

2. **Cliquez sur le bouton Joindre.**

   Windows redimensionne les photos à envoyer, ouvre la messagerie par défaut – Microsoft Mail, ou encore Microsoft Outlook – et les joint au message.

3. **Indiquez l'adresse électronique du destinataire puis cliquez sur Envoyer.**

   Pour en savoir plus sur le courrier électronique, lisez la description de Mail au Chapitre 9.

4. **Cliquez sur le bouton Envoyer.**

   Windows Mail envoie le message au destinataire, avec les photos qui y sont jointes.

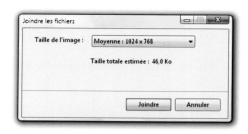

Figure 16.9 : Pour la plupart des destinataires, choisissez une taille Moyenne.

Imprimer les photos

L'assistant d'impression de photos de Windows Vista propose presque autant d'options de tirage qu'une boutique photo : format, brillant ou mat, avec ou sans bord, etc.

Pour obtenir de beaux tirages, vous devez utiliser une imprimante photo ainsi que du beau – et onéreux – papier photo. Demandez à voir des échantillons d'impression avant d'acheter une imprimante, puis achetez le papier photo recommandé pour cette marque.

Avant d'imprimer vos photos, corrigez les couleurs et recadrez-les.

Voici comment faire migrer vos images de l'écran vers le papier :

1. **Ouvrez le dossier Images à partir du menu Démarrer, puis sélectionnez les photos à imprimer.**

   Vous ne voulez en imprimer qu'une seule ? Cliquez dessus. Pour en sélectionner et donc en imprimer plusieurs à la fois, cliquez dessus touche Ctrl enfoncée.

2. **Demandez à Vista d'imprimer les photos.**

   L'impression peut être lancée de deux manières :

   • En cliquant sur le bouton Imprimer, dans la barre d'outils du dossier. Il y en a un dans le dossier Images et ses sous-dossiers, de même que dans la Galerie de photos Windows.

• En cliquant du bouton droit sur les photos sélectionnées et en choisissant Imprimer, dans le menu contextuel.

Quelle que soit la technique adoptée, la fenêtre Imprimer les images apparaît (Figure 16.10).

Figure 16.10 : Choisissez la disposition des photos sur le papier, puis cliquez sur le bouton Imprimer.

3. Choisissez l'imprimante, le format de papier et la disposition ainsi que le nombre d'exemplaires à tirer.

La fenêtre Imprimer les images permet de régler plusieurs paramètres (si vous ne faites rien, Vista imprime chaque photo sur une seule feuille au format A4) :

• **Imprimante :** Vista affiche l'imprimante par défaut. Si vous en avez plusieurs, dont une imprimante photo, sélectionnez-la dans la liste.

- **Format de papier :** La liste déroulante contient plusieurs formats usuels, dont le format A4.

- **Disposition :** Choisissez dans le volet de droite comment Vista doit disposer les photos sur le papier : sur des pages entières, deux ou quatre par page, voire neuf photos au format Wallet (celui des cartes bancaires). D'autres dispositions sont possibles. Chaque fois que vous en choisissez une, l'assistant montre un aperçu (voir Figure 16.10).

- **Copies de chaque image :** Vous pouvez imprimer de 1 à 99 exemplaires de chaque image.

4. **Insérez du papier photo dans l'imprimante puis cliquez sur Imprimer.**

   Respectez scrupuleusement les instructions fournies sur l'emballage de la ramette de papier. Le côté traité doit être correctement orienté sous peine d'imprimer au dos du papier, ce qui serait un énorme gâchis.

   Cliquez sur Imprimer, et Vista envoie les photos à l'imprimante.

La plupart des labos tirent vos photos sur un meilleur papier et avec une encre de meilleure qualité que votre imprimante. Étant donné le coût de ces consommables, le labo est souvent moins cher qu'imprimer vous-même. Étudiez leurs tarifs et demandez sur quel support ils préfèrent recevoir les photos : sur CD, carte mémoire, voire par Internet.

Créer, monter et visionner des films numériques et des diaporamas

Les étagères des vidéastes amateurs croulent sous les cassettes de films de vacances, d'événements sportifs et de bains de bébé. Movie Maker, un logiciel de vidéo livré avec Vista, permet de transformer ces rangées de cassettes en films montés et présentables. Vous pouvez aussi monter les émissions enregistrées avec le Media Center décrit au Chapitre 15 : faites par exemple une compil style "Culture Pub" et gravez-la sur un DVD.

Le polyvalent Movie Maker considère les diaporamas comme des films, permettant d'arranger les photos dans l'ordre qui vous plaît, de ménager des transitions entre chacune d'elles, d'ajouter une bande sonore, et de graver le chef-d'œuvre sur un DVD.

La version pour Vista de Movie Maker fonctionne à peu près comme celle pour XP. Seules quelques appellations changent dans des menus. La grande amélioration est la possibilité – tant attendue – de pouvoir lire le film avec un lecteur de DVD de salon.

Le volet Tâches de Movie Maker (voir Figure 16.11) vous guide à travers les trois étapes de la création d'un film : l'importation de la vidéo et/ou des photos, leur montage, et l'enregistrement de votre création sur le disque dur, un CD ou un DVD. Vous pouvez aussi l'envoyer par courrier électronique ou la réintégrer dans le caméscope afin de l'enregistrer sur bande magnétique.

Volet Collections

Volet Tâches

Fenêtre d'aperçu

Table de montage séquentiel

Figure 16.11 : Le volet Tâches vous guide lors de la collecte des éléments,

Voici les trois étapes de la création d'un film :

1. L'importation.

Il s'agit de la collecte des matériaux bruts. Vous copierez sur le disque dur les scènes filmées avec le caméscope, qui apparaîtront dans Movie Maker sous forme de clips séparés. Ajoutez d'autres vidéos, des émissions de télévision enregistrées, des fichiers de musique, des photos numériques, bref tout ce dont vous avez besoin pour le film.

2. **Le montage.**

Montez les clips vidéo, la musique et les images fixes pour en faire un film digne de ce nom. Faites glisser vos meilleurs clips sur la Table de montage séquentiel dans l'ordre où ils doivent apparaître, et placez des transitions entre certaines séquences. Ajouter aussi une bande sonore, et aussi un titrage de début et de fin.

3. **La diffusion.**

Le montage terminé, Movie Maker produit un film terminé, prêt à être enregistré dans votre ordinateur, gravé sur un CD ou un DVD ou réintroduit dans votre caméscope.

La création d'un film exige beaucoup de place libre sur le disque dur. Prévoyez 2,5 giga-octets pour un court-métrage de 15 minutes. Si la place manque, vous avez deux possibilités : créer des films plus courts ou ajouter un second disque dur de grande capacité à l'ordinateur.

Vous êtes pressé ? Le mode Vidéo automatique de Movie Maker, décrit dans l'encadré, analyse vos séquences puis en fait rapidement un film tout simple. C'est un bon moyen de s'initier au logiciel.

Étape 1 : Importer la vidéo, les photos et la musique

Si vous avez déjà importé des séquences vidéo de votre caméscope numérique, passez directement à l'Étape 4 car vous avez pris de l'avance.

Mais si vous êtes sur le point de le faire, vous avez un peu de pain sur la planche. Pour que Movie Maker puisse monter vos vidéos, vous devez d'abord les copier dans l'ordinateur à l'aide d'un câble. La plupart des caméscopes se connectent au port FireWire ou USB 2.0 (le premier, parfois appelé du nom de sa norme, IEEE-1394, fonctionne le mieux).

Si votre ordinateur n'est pas équipé d'un port FireWire, installez une carte d'extension FireWire, qui est de surcroît bon marché. J'explique

---

Laisser Movie Maker créer automatiquement une vidéo

Si vous n'avez pas envie d'apprendre à utiliser Movie Maker et que vous désirez seulement créer rapidement un film, demandez à la fonction Vidéo automatique de s'en charger. Après avoir importé les scènes et/ou les photos, choisissez Vidéo automatique, dans le menu Outils. Sélectionnez un style de vidéo, qu'il s'agisse de simples coupures et fondus, d'une vidéo musicale tape-à-l'œil, d'un film "ancien" ou d'un montage nerveux, pour les scènes comportant des filés et des zooms.

Movie Maker effectue le montage des séquences et/ou des photos. Il les analyse à la recherche de panoramiques et de zooms intéressants, repère les plans bougés ou flous, et finit par en faire un film prêt à être visionné. Bien que cette fonction ne soit pas parfaite, c'est un moyen étonnamment rapide pour obtenir des films présentables à partir d'un ensemble de scènes vidéo.

---

comment faire dans mon livre *PC Mise à niveau et dépannage Pour les Nuls*.

Votre caméscope est un ancien modèle analogique ? Il est parfaitement possible de transférer les films dans Windows Vista en recourant à une carte d'acquisition vidéo installée dans l'ordinateur.

Quand vous importez de la vidéo par le port FireWire, ou IEEE-1394, il suffit d'utiliser le câble approprié. Au travers de ce seul câble, Vista récupère le son et la vidéo et contrôle aussi la caméra.

Procédez comme suit pour importer de la vidéo numérique dans l'ordinateur :

1. **Démarrez Movie Maker, connectez le caméscope numérique à l'ordinateur et, si cela vous est demandé, cliquez sur Importer la vidéo.**

   Si c'est la première fois que vous branchez le caméscope numérique, Windows Vista le reconnaît et propose aussitôt d'importer les vidéos qui s'y trouvent. Pour que Vista le détecte, vous devrez peut-être configurer le caméscope dans le mode où il visionne les vidéos, et non en mode d'enregistrement.

   Mais, si vous aviez déjà branché le caméscope précédemment, Vista affiche immédiatement une fenêtre Importation. Si elle n'apparaît pas, démarrez Movie Maker et choisissez Fichier, puis Importer à partir de la caméra vidéo numérique.

2. **Tapez un nom pour la scène, choisissez le format vidéo et cliquez sur Suivant.**

Commencez par nommer la vidéo en fonction du sujet (vacances à Trifouillis-les-Oies, mariage, moto-cross ou moto-crottes...).

Choisissez ensuite l'un des trois formats dans lequel vos films seront stockés dans le dossier Vidéos :

- **Format de périphérique vidéo (AVI) :** C'est la meilleure option si l'ordinateur est équipé d'un disque dur de grande capacité. La totalité de la vidéo est copiée en un seul fichier sans aucune perte de qualité. Comptez 13 giga-octets par heure de film.

- **Fichier vidéo Windows Media (un fichier par scène) :** Cette option est approprié pour les disques durs plus modestes. La totalité de la vidéo est copiée et compressée dans un fichier de seulement 2 Go par heure.

- **Vidéo Windows - Windows Media (fichier unique) :** Cette option enregistre chaque scène dans un fichier distinct, ce qui facilite leur gestion. Vous pouvez notamment supprimer les mauvaises scènes pour économiser de la place.

Bien que les deux premières options enregistrent les séquences importées dans un seul fichier, Vista sait cependant où commence et se termine chacune d'elles. Quand le fichier est ouvert dans Movie Maker, les séquences sont effectivement affichées séparément.

3. **Choisissez l'importation de la totalité de la bande ou seulement des parties. A la fin du processus, cliquez sur OK.**

Vista propose deux façons d'importer la vidéo :

- **Importer la bande vidéo complète sur mon ordinateur :** Cette option importe la totalité des vidéos. Ce choix est surtout approprié pour ceux qui enregistrent chaque série de prises de vue sur une bande différente.

- **Importer uniquement des parties de la bande vidéo sur mon ordinateur :** Choisissez cette option pour importer rapidement quelques parties de la bande. Vista affiche une fenêtre de lecture avec des boutons de commande. Effectuez une avance rapide jusqu'au début de la séquence désirée, cliquez sur le bouton Lancer Importation de vidéo, enregistrez un bout de scène, puis cliquez sur Arrêter l'importation de la vidéo. Répétez cette manipulation jusqu'à ce que vous ayez obtenu toutes les scènes voulues, puis cliquez sur Terminer.

L'ordinateur doit fonctionner en continu pendant la récupération des séquences, car il a besoin d'un maximum de puissance de calcul pour produire des séquences fluides. N'utilisez aucun autre programme pendant qu'il mouline et n'en profitez pas pour aller sur le Web.

Vista stocke les séquences dans le dossier Vidéos, que vous pouvez examiner à partir du menu Démarrer, en cliquant du bouton droit sur votre nom d'utilisateur et en ouvrant le dossier Vidéos.

4. **Ouvrez Movie Maker, s'il ne l'est pas encore.**

Vous le trouverez bien évidemment dans Tous les programmes, après avoir cliqué sur le bouton Démarrer.

Si Windows Vista recommande de mettre la résolution d'écran à 1024 × 768 ou plus, faites-le (j'explique pourquoi au Chapitre 11). Elle offre plus de place pour effectuer les montages vidéo.

Une fois ouvert, Movie Maker montre tous les clips qui y étaient restés après votre dernier projet. Pour redémarrer de zéro, choisissez Nouveau projet, dans le menu Fichier. Supprimez ensuite tous les clips subsistant dans le volet Collections en cliquant n'importe où dans ce volet, en choisissant Sélectionner tout, dans le menu Édition et en appuyant ensuite sur la touche Suppr. Cette opération ne supprime pas les fichiers de ces clips, car les éléments du volet Collections ne sont que des copies.

5. **Collectez les vidéos, photos, musique et sons à incorporer dans votre vidéo.**

La tâche Importer, la première du volet Tâches, permet de réunir tous les matériaux désirés pour la vidéo. Ne vous souciez pas d'en collecter plus qu'il n'en faut, car ces éléments ne sont que des copies. La tâche Importer sert à recueillir les matériaux suivants :

- **Depuis la caméra vidéo numérique :** Cette option démarre le programme d'importation de vidéos évoqué précédemment dans cette section.

- **Vidéos :** Choisissez cette tâche pour importer des vidéos déjà stockées dans le disque dur.

- **Images :** Cette tâche sert à ajouter des photos numériques dans la zone de travail, prêtes à être intégrées à un diaporama ou dans un film.

- **Audio ou musique :** Movie Maker accepte plusieurs sources audio, permettant ainsi de mixer les bruits d'ambiance captés par le caméscope avec votre voix qui commente et de la musique. En fait, beaucoup de films sont nettement meilleurs en remplaçant le souffle du vent, en bruit de fond, par de la musique (l'extraction de musique à partir d'un CD audio est expliquée au Chapitre 15).

Au terme de cette étape, Movie Maker héberge toutes les vidéos, photos et musiques dont vous avez besoin pour votre film. A la prochaine étape, nous monterons et mixerons tous ces éléments pour obtenir le produit fini.

Étape 2 : Monter le film

Après avoir importé les vidéos, sons et photos, vous êtes prêt à assembler tout cela pour en faire un film, en éliminant au passage les séquences ratées et en coupant les meilleures prises aux bons endroits. Si vous n'êtes pas trop méticuleux, il ne vous faudra que quelques minutes. Mais si vous êtes un admirateur de Federico Fellini ou de Wim Wenders, vous passerez des jours, voire des semaines, a peaufiner le découpage, ménager des transitions et synchroniser les éléments sonores.

Vos interventions n'abîment pas du tout les vidéos originales enregistrées sur le disque dur. Vous ne travaillez que sur des copies et de plus, vous avez toujours l'original sur la bande du caméscope.

Pendant que vous travaillez sur le film, visionnez-le au fur et à mesure en cliquant sur le bouton Lecture, sous la fenêtre d'aperçu.

Les étapes suivantes montrent comment monter un film :

1. **Familiarisez-vous avec les vidéos et les images, dans l'espace de travail.**

   Examinez le volet Collection de Movie Maker, où se trouvent les clips vidéo, photos et fichiers audio importés. Chaque scène est un clip distinct, affichée dans l'ordre où elle a été tournée.

   Une fenêtre d'aperçu se trouve à droite. Double-cliquez sur un clip pour le visionner dans cette fenêtre.

   Tout en bas s'étend la Table de montage séquentiel, un espace de travail où les clips se succèdent tels qu'ils ont été placés.

2. **Faites glisser les vidéos ou les photos du volet Collection jusque sur la Table de montage séquentiel, dans l'ordre où elles doivent être montrées.**

   Après avoir disposé les séquences de manière à obtenir une narration, la Table de montage séquentiel se présente comme à la Figure 16.12. Remarquez qu'un élément qui y est déposé ne disparaît pas du volet Collection. Il peut ainsi être réutilisé plusieurs fois, à volonté.

   Ajoutez éventuellement du son et des transitions.

3. **Enregistrez le projet.**

   Dans le menu Fichier, choisissez Enregistrer le projet. Faites-le dès à présent afin de ne pas perdre votre travail ; ainsi, tous les éléments importés et placés dans la Table de montage séquentiel seront à l'abri. Vous pourrez les recharger en cas d'incident, en choisissant Fichier, Ouvrir un projet, et repartir de ce point.

   Enregistrez votre projet chaque fois que vous venez de terminer une opération décisive, longue ou délicate.

4. **Affichez la Chronologie afin de monter les clips et le son, si vous le désirez.**

   Pour monter les clips et la bande sonore, cliquez sur le bouton Table de montage séquentiel et, dans le menu, choisissez Chronologie. Le volet inférieur change complètement, comme le montre la Figure 16.13. Au lieu de montrer les clips dans des emplacements carrés, il les affiche sur une ligne de temps, en fonction de leur

Figure 16.12 : Tirez les clips et déposez-les sur la Table de montage séquentiel dans l'ordre où ils doivent apparaître dans le film.

durée. Si une séquence est un peu trop longue, ou s'il faut supprimer des images au début ou à la fin d'une scène, c'est dans la Chronologie que vous le ferez.

Pour raccourcir la durée d'un clip, cliquez dessus puis cliquez sur la ligne verticale au début du clip. Le pointeur de la souris se transforme en flèche à deux pointes, visible dans la Figure 16.13. Tout en tirant cette ligne – qui s'apparente à une tête de lecture – vers l'intérieur, gardez un œil sur la fenêtre d'aperçu. Elle se met en effet à jour selon la position de la tête de lecture. Dès que vous avez atteint le point où le clip doit commencer, relâchez le bouton de la souris.

Movie Maker coupe promptement ce qui précède le nouveau début du clip. De même, tirer la tête de lecture vers l'intérieur du clip, depuis la fin, permet de couper ce qui est en trop. Répétez ces manipulations jusqu'à ce que vous n'ayez conservé que les bonnes parties.

Figure 16.13 : La chronologie montre la durée des clips et permet de les couper et les monter.

Vous avez trop coupé ? Choisissez Annuler Découper un clip, dans la barre de menus.

Cliquez sur les loupes avec le signe "plus" et "moins" pour zoomer en avant et en arrière, dans la Chronologie. Une représentation agrandie permet de travailler avec une plus grande précision, et sélectionner, par exemple, le moment précis où la batte de base-ball frappe la balle.

Pour intégrer de la musique, tirez un fichier audio jusque dans la piste Audio/musique du volet Chronologie. Movie Maker la mixe avec les images filmées par le caméscope. Cliquez du bouton droit dans la bande sonore pour modifier le volume. De même, tirez les photos qui doivent apparaître dans le film et déposez-les aux emplacements appropriés, dans la Chronologie. Réglez la durée des photos en les tirant par un de leurs bords, comme pour les clips.

5. Cliquez sur le bouton Chronologie, rétablissez le mode Table de montage séquentiel et ajoutez des transitions.

Les transitions améliorent le passage d'un clip à un autre. L'un peu s'estomper tandis que l'autre apparaît, par un effet de fondu-enchaîné. Ou alors, le clip à venir pousse hors de l'écran le clip qui s'achève.

Pour produire cet effet, ainsi que beaucoup d'autres, cliquez sur Transitions, dans la rubrique Modifier du volet Tâches. Double-cliquez sur l'une des transitions proposées, et la fenêtre d'aperçu montre son effet. Si l'une vous convient, faites-la glisser jusque sur le bouton situé entre deux clips, dans la Chronologie. Cliquez sur le bouton Lire pour juger la transition dans la fenêtre d'aperçu. Sinon, remplacez-la par une autre ou supprimez-la (pour ce faire, cliquez dessus du bouton droit et choisissez Supprimer).

Quand vous serez satisfait de vos clips, transitions et bande sonore, demandez à Movie Maker d'assembler vos séquences. Nous verrons comment à la prochaine section, "Enregistrer le film ou le diaporama".

Movie Maker offre plein d'autres fonctionnalités intéressantes. La rubrique Titre et générique permet de placer un titre au début du film et de le terminer par un générique de fin où vous êtes à la fois le producteur, le metteur en scène, le cameraman et le chef machiniste.

Les dizaines de transitions que propose Movie Maker sont plus adaptées aux diaporamas qu'aux films. Utilisées mal à propos – à l'instar d'un excès de zooms et de panoramiques – entre vos séquences, elles nuisent à la narration et donnent à vos films un aspect "amateur", dans le sens péjoratif de ce terme.

Étape 3 : Enregistrer le film ou le diaporama

Le montage terminé, cliquez sur le bouton Publier un film, dans la barre d'outils de Movie Maker. Divers emplacements de stockage sont proposés :

  ✏ **Cet ordinateur :** Cette option produit un fichier peu volumineux adapté à la lecture sur votre PC.

> ✔ **DVD :** Cliquez sur cette option pour démarrer le programme Windows DVD Maker et graver votre DVD. Cette option est mise en pratique plus loin dans ce chapitre.

> ✔ **CD-R inscriptible :** Cette option produit un fichier peu volumineux qui tiendra sur un CD.

> ✔ **Courrier électronique :** Le film est réduit à un format "timbre-poste", mais il pourra ainsi être envoyé à vos amis.

> ✔ **Caméra vidéo numérique :** Cette option envoie le film sur la bande vierge de la caméra numérique. C'est la meilleure solution de sauvegarde pour des films très longs, qui ne tiendraient pas même sur un DVD.

Après avoir choisi une option et cliqué sur Suivant, Windows confectionne votre film, choisissant la taille de fichier et la qualité appropriées à la destination sélectionnée. Rappelez-vous de ces recommandations lors de l'enregistrement final :

> ✔ La publication de films et de diaporamas peut être très longue. Windows doit en effet arranger tous vos clips, créer les transitions et la bande sonore, et tout compresser dans un seul fichier.

> ✔ Les dimensions d'image et la meilleure qualité sont réservées aux films destinés au caméscope numérique, car il est capable d'enregistrer énormément d'informations sur sa bande.

> ✔ Les films enregistrés pour le courrier électronique et la publication sur le Web ont la qualité la plus faible. Autrement, ils seraient trop longs à télécharger par la plupart des gens.

> ✔ Si votre film est court, Windows pourra enregistrer une version de haute qualité sur un CD. La plupart des films ne tiennent toutefois pas sur un CD.

Graver un film ou un diaporama avec DVD Maker

Windows DVD Maker fait ce qu'aucune version antérieure de Windows ne permettait de faire : la gravure de DVD lisibles par un lecteur de salon.

Auparavant, les utilisateurs de Windows devaient acheter un logiciel de gravure de DVD, ou espérer qu'il était déjà installé sur leur nouveau PC.

Remarque : N'utilisez pas DVD Maker si vous voulez copier ou sauvegarder des fichiers sur un DVD vierge. Copiez plutôt les dossiers ou les fichiers directement sur le DVD, comme l'explique le Chapitre 4.

Procédez comme suit pour graver un film ou un diaporama sur un DVD qui pourra être lu avec un lecteur de salon et regardé sur le téléviseur :

1. **Si nécessaire, démarrez Windows DVD Maker.**

   Movie Maker démarre automatiquement Windows DVD Maker, ce qui vous amène d'office à l'Étape 3. Mais si vous créez un diaporama ou si vous gravez une vidéo terminée, démarrez vous-même DVD Maker en le choisissant dans la zone Tous les programmes du menu Démarrer.

2. **Cliquez sur Choisissez des photos et des vidéos, puis sur Ajouter des éléments. Sélectionnez vos films et images, puis cliquez sur Suivant.**

   La page d'accueil contenant le bouton Choisissez des photos et des vidéos n'apparaît plus si vous avez désactivé la case Ne plus afficher cette page. Dans ce cas, cliquez sur Ajouter des éléments.

   Si vous avez sélectionné un diaporama, c'est là votre dernière chance de pouvoir redéfinir l'ordre des vues, en les faisant glisser et en les déposant aux emplacements désirés.

3. **Personnalisez le menu d'ouverture, si vous le désirez.**

   Consacrez quelques minutes à fignoler le menu d'ouverture. Il apparaît avant d'avoir démarré la lecture d'un film ou d'un diaporama. DVD Maker propose ces trois options :

   • **Texte de menu :** Cliquez sur ce bouton pour choisir le titre du film ou diaporama, de même que les options qui doivent figurer dans le menu. Ou alors, tenez-vous-en aux deux options par défaut de tous les DVD : Lecture et Scènes.

   • **Menu Personnaliser :** Conçu spécifiquement pour les diaporamas, cette option permet de choisir la musique d'accompagnement, la durée d'affichage des photos et les transitions.

- **Styles de menus :** Ce menu déroulant contient des arrière-plans empruntés à Movie Maker, destinés à agrémenter le graphisme (j'aime beaucoup le Mur vidéo et Photographies, pour les diaporamas).

4. **Cliquez sur Graver.**

   Vous pouvez abandonner l'ordinateur pendant quelques heures, car DVD Maker prend son temps, et pas qu'un peu !

   Quand il a terminé, DVD Maker éjecte le DVD prêt à être étiqueté avec un feutre indélébile – NdT : ou, si vous êtes soigneux, avec une étiquette imprimée et collée avec une machine spéciale – puis inséré dans le lecteur de DVD de salon afin de regarder votre impérissable chef-d'œuvre sur le téléviseur.

Créer et graver un diaporama sur un DVD

Vista propose deux façons de graver des diaporamas sur des DVD, chacune avec ses avantages et ses inconvénients :

- **Avec Movie Maker :** Un diaporama est fondamentalement un film. C'est pourquoi Movie Maker les gère si bien. La maîtrise de toutes les commandes du programme exige toutefois du temps et de la pratique. Mais si vous aimez contrôler étroitement la création d'un projet, créez le diaporama comme l'explique la section "Créer, monter et visionner des films numériques et des diaporamas ".

- **Avec DVD Maker :** C'est le meilleur choix si vous voulez créer facilement et rapidement un diaporama. Ajoutez des transitions, choisissez la musique d'accompagnement et gravez le tout sur un DVD comme l'explique la section "Graver un film ou un diaporama avec DVD Maker ".

C'est surtout au niveau des transitions que ces deux programmes diffèrent. Celles de Movie Maker sont diversifiées et élaborées tandis que DVD Maker applique partout une seule et même transition (seule la transition Aléatoire apporte un peu de variété).

Sixième partie

À l'aide !

"Visiblement l'aide de Windows Vista n'a pas été assez rapide !"

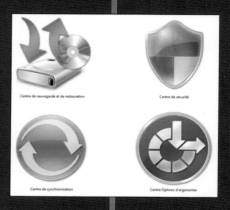

Dans cette partie...

Windows Vista est capable de faire des centaines de choses de dizaines de manières. Ce qui signifie que plusieurs milliers de choses peuvent se détraquer à un moment ou à un autre.

Certains problèmes sont faciles à corriger, à condition bien sûr de savoir comment. Par exemple, un clic mal placé dans le Bureau et hop ! Toutes les icônes disparaissent soudain. Un clic bien placé les ramène heureusement.

D'autres problèmes sont beaucoup plus complexes, exigeant le recours à un spécialiste pour diagnostiquer le mal, y remédier et vous envoyer la facture en conséquence.

Cette partie du livre vous aide à faire la part des choses entre les gros problèmes et les petits pépins. Vous apprendrez à réparer quelques dysfonctionnements en quelques clics. Vous apprendrez aussi comment résoudre un problème qui se pose à bon nombre de nouveaux venus à Vista : comment copier les données de votre ancien PC vers le nouveau.

Rien que des misères

I l y a des jours comme ça où rien ne va. L'ordinateur gronde comme le chien qui attend sa gamelle, ou alors Vista se traîne. À d'autres moments il se détraque pour de bon : des programmes se bloquent, des menus ne se rétractent plus ou alors, à peine allumé, Vista affiche un message d'erreur peu amène.

Beaucoup de ces problèmes qui paraissent graves sont résolus assez simplement. Peut-être trouverez-vous la solution au vôtre dans ces pages.

Vista demande sans cesse la permission !

En ce qui concerne la sécurité, Windows XP était assez facile à vivre. Pour peu que vous possédiez un compte Administrateur – c'était le cas de la plupart des gens – il ne se faisait pas remarquer. En revanche, les détenteurs de comptes plus restreints, comme Limité ou Invité, étaient souvent invités à s'adresser à l'administrateur de l'ordinateur.

Mais avec Vista, même les comptes Administrateurs sont harcelés par des messages, souvent pour les actions les plus inoffensives. Plus sécurisé – voire sécuritaire – que XP, Vista a tendance à élever murs et barbelés à tous moments. Chaque utilisateur a fait connaissance avec l'agaçant message "Windows a besoin de votre autorisation pour continuer".

Les détenteurs d'un compte Standard voient s'afficher un message légèrement différent qui leur demande de s'adresser au détenteur d'un compte Administrateur afin qu'il tape un mot de passe.

Lassés par les incessantes apparitions de ce message, les gens finissent par cliquer sur Continuer sans même y réfléchir, au risque de donner leur accord pour l'intrusion d'un malfaisant espiogiciel dans leur ordinateur.

Quand Vista demande une permission, vous devez systématiquement vous interroger sur sa pertinence. Cette demande résulte-t-elle d'une action de ma part ? Si oui, cliquez sur Continuer, permettant à Vista d'exécuter la commande. Mais si le message tombe comme un cheveu dans la soupe, alors que vous n'avez rien fait de spécial, cliquez sur Annuler. Vous empêcherez ainsi des cochoncetés de s'introduire dans votre PC.

Si vous n'avez pas de temps à perdre avec ce message, et que votre PC est efficacement protégé par un pare-feu et un virus à jour, vous trouverez au Chapitre 10 la manipulation qui le désactive.

Retour dans le futur avec la Restauration du système

Quand Windows est bien mal en point, ne serait-il pas agréable de revenir en arrière, à une époque où il fonctionnait parfaitement ? À l'instar de XP, Windows Vista est doté d'une fonction de voyage dans le temps : la Restauration du système.

En voici le principe : de temps en temps, Windows prend une sorte d'instantané, appelé "point de restauration", qui mémorise les paramètres les plus importants et les enregistre en notant la date. Quand votre ordinateur fait des siennes, demandez à la Restauration du système de revenir à un point de restauration où tout allait bien.

La Restauration du système n'efface aucun de vos fichiers ni aucun de vos courriers électroniques. En revanche, il faudra peut-être réinstaller certains logiciels installés entre-temps. La Restauration du système est réversible : vous pouvez annuler le dernier point de restauration ou en essayer un autre.

Procédez comme suit pour renvoyer le système à un point de restauration antérieur :

1. **Enregistrez tous les fichiers ouverts, fermez tous les programmes et chargez la Restauration du système.**

   Choisissez Démarrer, puis Tous les programmes et baladez-vous dans les menus : Accessoires, Outils système et enfin Restauration du système. Cliquez dessus.

2. **Cliquez sur Suivant pour appliquer la Restauration recommandée.**

   Windows XP vous proposait de déterminer vous-même le point de restauration à appliquer. En revanche, Vista présume que vous avez démarré cette commande parce que quelque chose vient de se produire. C'est pourquoi il recommande le point de restauration le plus récent.

   Si vous démarrez cette étape une seconde fois, parce que le point de restauration recommandé par Vista n'a pas réussi à rétablir la situation, cliquez sur le bouton Choisir un autre point de restauration, puis sur Suivant. Vous accéderez ainsi à la liste des derniers points de restauration, classés par dates. Choisissez celui d'une date où l'ordinateur ne posait aucun problème.

3. **Assurez-vous vraiment que tous les fichiers ouverts ont été enregistrés puis cliquez sur Terminer.**

   L'ordinateur grommelle un moment – il a horreur d'être rattrapé par son passé, mais c'est vous son seigneur et maître – puis il redémarre en utilisant les paramètres d'antan qui, espérons-le, ramèneront l'ordinateur à de meilleurs sentiments.

Si actuellement votre ordinateur tourne à merveille, ne manquez pas de créer vous-même un point de restauration : à l'Étape 2, cliquez sur le lien Ouvrez protection système. Dans la fenêtre Propriétés système, cliquez sur le bouton Créer, tout en bas.

Donnez un nom évocateur à ce point de restauration, comme "Juste avant d'installer FSX" (les connaisseurs auront reconnu Flight

Simulator X). Vous saurez ainsi quel point de restauration choisir si les choses – l'ordinateur... – tournent mal.

Voici quelques recommandations :

✔ Avant d'installer un programme ou un nouvel équipement informatique, commencez par créer un point de restauration, pour le cas où l'installation tournerait au désastre. De même créez un point de restauration après coup, lorsque vous vous êtes assuré que tout fonctionne bien. Revenir à ce point préservera ainsi ce qui a été correctement installé (la création de points de restauration est expliquée au Chapitre 12).

✔ Plusieurs points de restauration peuvent être enregistrés, selon la taille du disque dur. Vous devriez avoir de la place pour une dizaine de points. Vista supprime les plus anciens afin de libérer de la place pour les nouveaux. C'est pourquoi vous avez intérêt à en créer fréquemment.

✔ Si vous restaurez l'ordinateur à un point antérieur à l'installation de tel ou tel matériel ou logiciel, ces derniers risquent de ne pas fonctionner correctement. Dans ce cas, réinstallez-les. De même, comme l'explique l'encadré "Supprimer des points de restauration infectés", veillez à supprimer les points de restauration existants si votre ordinateur a contracté un virus. L'activation d'un point de restauration vérolé peut en effet réinfecter l'ordinateur.

Récupérer des fichiers faussés ou supprimés

Quiconque utilise un ordinateur a un jour connu l'horreur des nombreuses heures de travail fichues en l'air, parce que des fichiers ont été supprimés par mégarde, ou que d'autres ont été modifiés pour les améliorer, mais qu'en fait, l'intervention n'a fait qu'y semer la pagaille.

La restauration du système ne sera ici d'aucun secours, car elle mémorise les paramètres du PC, mais pas les fichiers. Vista offre toutefois, non seulement le moyen de récupérer des fichiers perdus, mais aussi de restaurer leurs anciennes versions, deux fonctionnalités décrites dans cette section.

Supprimer des points de restauration infectés

Si un virus s'est introduit dans l'ordinateur, supprimez tous les points de restauration avant de le désinfecter avec un antivirus. Voici ce qu'il faut faire :

1. **Cliquez sur Démarrer, puis cliquez du bouton droit sur Ordinateur et choisissez Propriétés.**

2. **Dans le volet des tâches, à gauche, cliquez sur Protection du système.**

3. **À la rubrique Points de restauration automatiques, décochez toutes les cases qui s'y trouvent.**

4. **Dans la boîte d'alerte qui vous prévient que tous les points de restauration seront supprimés, cliquez sur le bouton Désactiver la restauration du système.**

5. **Cliquez sur OK pour fermer la fenêtre et redémarrez l'ordinateur.**

6. **Après la mise à jour de l'antivirus avec les dernières définitions de virus, lancez une analyse et une désinfection de tout l'ordinateur.**

7. **L'ordinateur étant sain, répétez les Étapes 1 à 3, sauf qu'à l'Étape 3, vous cocherez la case Disque local (C:) (Système). Cliquez sur OK.**

Ceci fait, créez un nouveau point de restauration nommé "Après désinfection". Vous disposerez ainsi d'un point de restauration sûr, à l'avenir.

Récupérer des fichiers supprimés par mégarde

 Vista ne supprime pas réellement un fichier, mais si vous avez commandé de le faire. Il le place dans la Corbeille, qui est un dossier système particulier représenté sur le Bureau par une icône. Ouvrez la Corbeille, et vous y trouverez tout ce que vous avez supprimé ces dernières semaines. Cliquez sur le fichier à récupérer puis, dans la barre d'outils de la Corbeille, cliquez sur le bouton Restaurer cet élément. Il retourne aussitôt là où il était auparavant.

La Corbeille est évoquée au Chapitre 2.

Récupérer des versions précédentes de fichiers et de dossiers

Ne vous est-il jamais arrivé de modifier un fichier, l'enregistrer et vous rendre compte que l'original était bien meilleur ? Vous n'avez jamais eu envie de reprendre à zéro un document que vous aviez commencé à modifier en début de semaine ? Une nouvelle fonctionnalité de Vista permet de récupérer des documents qui, voici quelque temps, pouvaient être considérés comme perdus.

Vista inventorie à présent ce qui se trouve relégué dans ses oubliettes, et vous offre de quoi leur mettre le grappin dessus et les ramener au grand jour.

Pour découvrir et récupérer une ancienne version d'un de vos fichiers, cliquez du bouton droit dessus et choisissez Restaurer les versions précédentes. Dans la fenêtre qui apparaît, Vista répertorie toutes les versions antérieures disponibles, comme le montre la Figure 17.1.

Vista liste les versions précédentes, ce qui nous amène à la grande question : laquelle choisir ? Pour jeter un rapide coup d'œil sur une version antérieure, cliquez sur son nom puis sur Ouvrir. Vous verrez alors si le fichier que vous avez extrait des insondables profondeurs infernales de Vista est le bon.

Figure 17.1 : Vista mémorise les versions précédentes de vos fichiers. En cas d'incident, vous pouvez les récupérer.

Si cette version récupérée s'avère meilleure que l'actuelle version, cliquez sur le bouton Restaurer. Vista vous prévient que la restauration de l'ancien fichier supprimera le fichier existant. Après que vous avez approuvé la suppression, Vista le remplace par la version restaurée.

Si vous n'êtes pas certain que l'ancienne version est meilleure que la nouvelle, une solution sûre consiste à cliquer plutôt sur le bouton Copier. Vista vous permettra de placer la version restaurée dans un autre dossier ; vous pourrez ainsi comparer les deux avant de choisir lequel vous garderez.

Mot de passe oublié ?

Si Vista refuse obstinément votre mot de passe au moment d'ouvrir une session, vous ne vous retrouvez pas pour autant sur le paillasson de l'ordinateur. Vérifier ces points avant de pousser un long hululement de désespoir :

- **Vérifiez la touche de verrouillage des majuscules :** Les mots de passe de Vista sont sensibles à la casse. Ce terme d'imprimerie ne signifie pas que les caractères sont en verre, mais que la différence est faite entre les majuscules et les minuscules. De ce fait, "Laisse-MoiPasser" et "laissemoipasser" sont deux mots de passe différents. Si le témoin de verrouillage des majuscules est allumé, appuyez sur la touche de verrouillage afin de la désactiver, puis tapez de nouveau le mot de passe.

- **Utilisez le disque réinitialisation de mot de passe.** La création de ce disque est expliquée au Chapitre 13. Si vous ne vous souvenez plus de votre mot de passe, insérez ce disque et Vista vous laissera rentrer dans votre compte d'utilisateur, où vous pourrez promptement recréer un mot de passe plus facile à retenir (et n'oubliez pas de créer un nouveau disque de réinitialisation).

- **Laisser un autre utilisateur réinitialiser votre mot de passe :** Quiconque possède un compte Administrateur sur le PC peut réinitialiser votre mot de passe. Demandez à cette personne ("À moi Comte, deux mots !") d'ouvrir le Panneau de configuration, de choisir la catégorie Comptes d'utilisateurs et protection des utilisateurs et de cliquer sur Comptes d'utilisateurs. Là, il cliquera sur le lien Gérer un autre compte, cliquera sur le nom de votre compte et choisira Supprimer le mot de passe, vous permettant ainsi d'ouvrir une session.

Si aucune de ces options ne fonctionne, vous n'êtes malheureusement pas sorti de l'auberge (et encore moins entré dans l'ordinateur). Comparez la valeur de vos données au coût facturé par un spécialiste de la récupération des mots de passe (NdT : d'où l'intérêt des sauvegardes : si tout a été mis à l'abri, de préférence quotidiennement, vous envisagerez une réinstallation complète de Vista).

Mon dossier (ou le Bureau) n'affiche pas tous les fichiers

Quand vous ouvrez un dossier – et le Bureau en est un – vous vous attendez à voir tout ce qu'il contient. Mais s'il manque des éléments, voire tous les éléments, vérifiez ces deux points avant de déprimer grave :

- **Utilisez l'outil Rechercher :** Dès que vous tapez quelque chose dans le champ Rechercher, en haut à droite de chaque dossier, Vista affiche tout ce qui correspond à la saisie en filtrant tout le reste. Si un dossier n'affiche pas tout ce qu'il est censé contenir, assurez-vous que le champ Rechercher est vide.

- **Assurez-vous que le Bureau ne masque pas tout.** Vista s'efforce toujours de présenter un écran net, bien rangé. Et comme certaines personnes aiment un Bureau vide, Vista se fait un plaisir de s'en charger. Mais ce n'est pas pour autant qu'il range tout le fatras là où il devrait être. Il se contente seulement de tout ôter de la vue. Pour être sûr que rien dans votre Bureau n'est caché, cliquez dessus du bouton droit et, dans le menu, choisissez Affichage. Si l'option Afficher les icônes du Bureau n'est pas cochée, choisissez-la afin que Vista la coche.

Si tout est vraiment parti d'un dossier, tentez de récupérer une version antérieure de ce dossier à l'aide de la manipulation expliquée dans la section "Récupérer des versions précédentes de fichiers et de dossiers", précédemment dans ce chapitre. Car Vista ne mémorise pas seulement les anciennes versions des fichiers, mais aussi les vies antérieures des dossiers.

Ma souris ne va pas bien

Parfois, la souris ne fonctionne pas très bien. D'autres fois, son pointeur saute à l'écran comme une puce en folie. Voici quelques points à vérifier :

- Si le pointeur de la souris n'apparaît pas après le démarrage de Windows, assurez-vous qu'elle est branchée au port USB de l'ordinateur. Si votre souris est ancienne, et qu'elle se branche sur un port PS/2 circulaire, vous devrez redémarrer le PC pour redonner vie au mulot.

✏ Pour redémarrer le PC lorsque la souris ne fonctionne pas, vous devrez le faire au clavier : enfoncez simultanément les touches Ctrl, Alt et Suppr. Appuyez ensuite sur la touche Tab jusqu'à ce que le petit bouton fléché, en bas à droite, soit illuminé. Appuyez sur Entrée pour déployer le menu, remontez jusqu'à l'option Arrêter à l'aide de la touche Flèche haut et appuyez sur Entrée. Le PC redémarre.

✏ Si le pointeur est visible mais qu'il ne bouge pas, c'est peut-être parce que Windows confond la marque de la souris avec une autre. Vous pouvez obliger Vista à reconnaître la bonne souris en suivant les instructions pour l'ajout de matériel, à Étape 11. Si votre souris est sans fil, vérifiez l'état de la pile.

✏ Un pointeur erratique est révélateur d'une souris encrassée. Reportez-vous au Chapitre 12 pour savoir comment la nettoyer.

✏ Si la souris fonctionnait bien mais que maintenant, les boutons semblent inversés, c'est probablement parce que quelqu'un – un gaucher – les a permutés dans le Panneau de configuration. Rouvrez ce panneau, trouvez les paramètres de la souris et changez sa configuration. Le réglage de la souris pour les gauchers est expliqué au Chapitre 11.

✏ NdT : Si vous n'avez pas installé le logiciel livré avec certaines souris, Vista installe un pilote de souris générique. Il en résulte parfois des effets curieux, comme le défilement à toute allure parmi toutes les options d'un menu. Pour calmer le rongeur fou, appuyez sur la touche Tab et le défilement s'arrête aussitôt sur une option.

Mes doubles-clics sont maintenant des clics simples

Dans son effort pour faciliter la vie de l'utilisateur, Windows Vista permet aux gens de choisir si un dossier ou un fichier doit être ouvert par un double-clic ou par un clic simple.

Voici comment ce choix s'effectue :

1. **Ouvrez un dossier (n'importe lequel ; le dossier Documents, dans le menu Démarrer convient très bien).**

2. **Cliquez sur le bouton Organiser et choisissez Options des dossiers et de recherche.**

3. **Choisissez votre préférence de clic dans la rubrique Cliquer sur les éléments de la manière suivante.**

4. **Cliquez sur OK afin d'enregistrer votre préférence.**

Pour rétablir le double-clic et d'autres comportements standards de Vista, cliquez simplement sur le bouton Paramètres par défaut, dans la boîte de dialogue Options de dossiers.

Mon programme est bloqué !

Il arrive qu'un programme se bloque, ne laissant aucune possibilité de cliquer sur le bouton Fermer. La manipulation suivante extirpera le programme de la mémoire vive de l'ordinateur et le fera disparaître de l'écran :

1. **Enfoncez simultanément les trois touches Ctrl, Alt et Suppr.**

    Cet ensemble de touches rappelle Vista à l'ordre lorsqu'il navigue sur des flots déchaînés. Mais s'il ne réagit pas, il ne reste plus qu'une seule solution : la force brute. Maintenez le bouton d'allumage du PC enfoncé pendant cinq à six secondes, et il s'éteint. Attendez quelques secondes, le temps de laisser les courants de fuite disparaître et le disque dur s'arrêter complètement, puis redémarrez le PC pour si Vista est de meilleure humeur.

2. **Si Vista a réagi aux trois touches, choisissez Ouvrir le gestionnaire de tâches.**

    Les autres options permettent de verrouiller l'ordinateur – une mesure de sécurité lorsque vous quittez le bureau pour la pause café –, de changer d'utilisateur, de fermer la session ou de modifier le mot de passe.

3. **Au besoin, cliquez sur l'onglet Applications, puis sur le nom du programme bloqué.**

4. **Cliquez sur le bouton Fin de tâche et Windows Vista chasse le programme rétif.**

Si l'ordinateur a du mal à se remettre de ce traitement, jouez la prudence en le redémarrant à partir du menu Démarrer.

Utiliser des vieux programmes avec Vista

Beaucoup de programmeurs conçoivent leur programme en fonction d'une version spécifique de Windows. Quand une nouvelle version voit le jour quelques années plus tard, certains programmes ne s'accommodent pas de ce nouvel environnement et refusent de fonctionner.

Si un ancien programme ou jeu vidéo refuse de fonctionner sous Windows Vista, rien n'est peut-être perdu si le mode de compatibilité veut bien vous aider. Il fait croire au programme récalcitrant qu'il tourne sous son environnement favori, c'est-à-dire l'ancienne version de Windows.

Procédez comme suit si un ancien logiciel renâcle à être installé sous Windows Vista :

1. **Cliquez du bouton droit sur l'icône du programme (NdT : celle du logiciel lui-même, pas sur une icône de raccourci) et choisissez Propriétés.**

2. **Dans la boîte de dialogue Propriétés, cliquez sur l'onglet Compatibilité.**

3. **À la rubrique Mode de compatibilité, cochez la case Exécuter ce programme en mode de compatibilité pour.**

4. **Sélectionnez le programme dans la liste déroulante, comme le montre la Figure 17.2.**

   Vérifiez sur le disque d'installation, sur le manuel, voire sur l'Internet, à quelle version de Windows le programme était destiné.

5. **Cliquez sur OK puis démarrez le programme pour voir s'il s'exécute normalement.**

Les menus sont introuvables

Un brin facétieux, Vista cache les menus auxquels les utilisateurs étaient habitués depuis des années. Pour les faire apparaître, appuyez sur la touche Alt. Pour que Vista les affiche en permanence, cliquez sur le bouton Organiser, choisissez Options des dossiers et de recherche, cliquez sur l'onglet Affichage et cochez la case Toujours afficher les menus.

Figure 17.2 : Un mode de compatibilité sert à faire croire à un ancien programme qu'il tourne sous une ancienne version de Windows.

Mon ordinateur est planté

De temps en temps, Windows rend son tablier et prend le chemin des écoliers, laissant l'ordinateur bloqué ou, en jargon informatique, "planté". Il ne se passe plus rien, les clics n'ont plus aucun effet, ni d'ailleurs l'appui sur quelque touche que ce soit. Ou alors, pire, il réagit par un bip à chaque appui sur une touche. Pour un beau plantage, c'est un beau plantage.

Quand plus rien ne se produit à l'écran, hormis peut-être le pointeur de la souris qui consent à bouger, essayez ces trois manipulations dans l'ordre suivant :

🖝 **Solution 1 :** Appuyez deux fois sur la touche Échap.

Ça marche rarement, mais sait-on jamais...

✏ **Solution 2 :** Appuyez simultanément sur les touches Ctrl, Alt et Suppr, et choisissez Ouvrir le gestionnaire de tâches.

Avec un peu de chances, le Gestionnaire s'ouvre. Il répertorie sous l'onglet Programmes tous les programmes en cours, y compris ceux qui ne répondent plus. Cliquez sur le nom de celui qui fait des misères puis sur le bouton Fin de tâche. Tout le travail non enregistré est perdu, mais vous vous y attendiez. Ou alors, si vous voulez quitter le Gestionnaire de tâches sans rien faire, appuyez sur Échap pour retourner dans Windows.

Si la situation n'est toujours pas débloquée, appuyez de nouveau sur Ctrl+Alt+Suppr mais cette fois, cliquez à proximité du petit bouton rouge, en bas à droite de l'écran, très exactement sur la flèche (comme dans la marge). L'ordinateur devrait s'arrêter et redémarrer, puis tourner – espérons-le – dans de meilleures conditions.

✏ **Solution 3 :** Si la solution précédente est sans effet, appuyez sur le bouton de réinitialisation de l'ordinateur, s'il en possède un. Si la boîte de dialogue Éteindre apparaît, choisissez Redémarrer.

✏ **Solution 4 :** Si même le bouton de réinitialisation ne donne rien (beaucoup d'ordinateurs n'en ont plus), éteignez le PC en sur le bouton de mise en marche. Cette action affiche généralement la boîte de dialogue Éteindre, où vous cliquerez sur Redémarrer.

✏ **Solution 5 :** En maintenant le bouton d'arrêt de l'ordinateur pendant quelques secondes, il finit souvent par redémarrer.

L'imprimante ne fonctionne pas bien

En cas de dysfonctionnement de l'imprimante, commencez par le plus évident : vérifier si elle est branchée à la prise électrique. Incroyable mais vrai, cette étape résout la moitié des problèmes d'imprimantes. Ensuite, assurez-vous que le câble d'imprimante est suffisamment enfoncé aussi bien du côté de l'imprimante que de celui de l'ordinateur. Vérifiez enfin s'il y a suffisamment de papier dans l'imprimante et s'il n'y a pas de bourrage.

Essayez ensuite d'imprimer à partir de différents programmes comme le Bloc-notes ou WordPad, pour voir si le problème réside au niveau de l'imprimante, de Vista ou d'un logiciel. Ces tests devraient permettre de découvrir le fauteur de troubles.

Pour un test rapide de l'imprimante, cliquez sur le bouton Démarrer, sur Panneau de configuration, puis sélectionnez la catégorie Matériel et audio. Cliquez du bouton droit sur l'icône de l'imprimante, choisissez Propriétés puis cliquez sur le bouton Imprimer une page de test. Si l'imprimante sort une jolie page de test, c'est sans doute le logiciel qui a un problème, pas l'imprimante ni Windows Vista.

Vous trouverez plus d'informations sur les imprimantes, y compris leur dépannage, au Chapitre 7.

Des messages étranges et inattendus

Dans la vie courante, la plupart des messages d'erreur sont faciles à comprendre. Si l'horloge du magnétoscope clignote, cela signifie qu'elle n'a pas été mise à l'heure. Un couinement dans la voiture, quand une porte est ouverte, indique que les phares sont encore allumés. Le regard noir d'une épouse laisse à penser qu'un anniversaire a été oublié (mais comment se souvenir de tout ?).

Les messages d'erreurs de Windows, eux, semblent avoir été écrits par des technocrates obtus. Ils décrivent rarement la cause du problème et surtout, ne proposent pas grand-chose pour le résoudre.

Dans ce chapitre, nous ferons le tour de quelques messages courants.

L'activation de Windows

Quand vous utiliserez votre exemplaire de Vista nouvellement installé, il est probable que vous voyez apparaître de temps en temps un message décomptant les jours qu'il vous reste pour activer Vista. L'activation est un enregistrement fait auprès de Microsoft, soit en ligne par le Web, soit, si vous n'avez pas de connexion Internet, en téléphonant à Microsoft ou en lui écrivant. Il sert à éviter les copies illicites en associant, dans la banque de données de Microsoft, chaque exemplaire de Vista à un seul et unique ordinateur.

Si l'activation n'est pas faite dans les délais – deux semaines environ – Vista s'arrête de fonctionner. Pour certains ordinateurs où le logiciel est préinstallé par le fabricant, elle n'est pas indispensable.

Lorsque l'activation vient d'être faite, Vista affiche le message de la Figure 18.1.

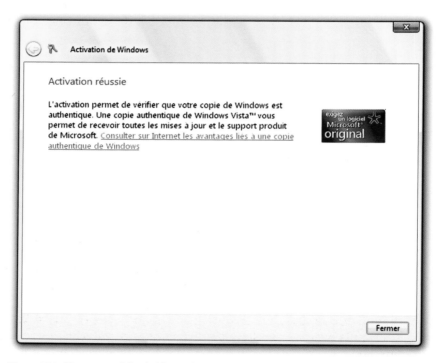

Figure 18.1 : Votre exemplaire de Vista a été déclaré à Microsoft.

Vérifiez la sécurité de votre ordinateur

Signification : La Figure 18.2 apparaît lorsque Vista détecte une sécurité insuffisante.

Figure 18.2 : Un problème de sécurité mérite votre attention.

Cause probable : Le pare-feu n'est pas activé. Un message similaire apparaît aussi lorsque le logiciel antivirus ne fonctionne pas, ou quand le programme Windows Defender ou Windows Update est désactivé, ou encore si les paramètres de sécurité d'Internet Explorer sont trop faibles, ou si le Contrôle des comptes d'utilisateurs – la fonction qui affiche les incessantes demandes de permissions – est arrêté.

 Solution : Cliquez dans le phylactère pour prendre connaissance des détails du problème. Si le phylactère a déjà disparu, cliquez sur l'icône qui subsiste dans la zone de notification. Windows expose le problème et propose des solutions qui ont par ailleurs été évoquées au Chapitre 10.

Voulez-vous installer (ou exécuter) ce fichier ?

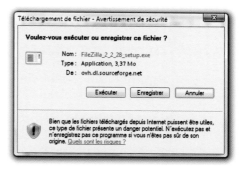

Figure 18.3 : Ce logiciel est-il sûr ?

Signification : Êtes-vous sûr que le fichier est dépourvu de virus, d'espiogiciels et autres parasites nuisibles ?

Cause probable : Vous êtes sur le point de télécharger un logiciel ou de l'ouvrir et de l'exécuter directement depuis son site.

Solution : Si vous êtes sûr que le fichier est sain – notamment parce qu'il provient du site d'un éditeur réputé, internationalement connu, ou que vous connaissez bien –, cliquez sur Enregistrer et stockez-le sur votre disque dur. Analysez-le ensuite avec un antivirus (on n'est jamais trop sûr)) puis exécutez-le depuis votre PC. Ou, si vous avez une confiance absolue – un redoutable défaut sur le Web – cliquez sur Ouvrir pour l'exécuter directement depuis son site. Au moindre doute, cliquez sur Annuler. La sécurité informatique est évoquée au Chapitre 10.

Voulez-vous enregistrer les modifications ?

Signification : Le travail en cours n'est pas enregistré.

Cause probable : Vous tentez de quitter un programme, de fermer la session ou de redémarrer le PC alors que vous n'avez pas enregistré ce que vous étiez en train de faire.

Solution : Le nom du programme incriminé, le Bloc-notes en l'occurrence, figure dans la barre de titre. Trouvez-le sur le Bureau, ou cliquez sur son nom dans la Barre des tâches s'il a été réduit, et enregistrez votre travail. Vous êtes vraiment très très pressé de finir et d'éteindre l'ordinateur ? Appuyez sur Ctrl+S et l'enregistrement sera fait. En revanche, si le travail n'a pas du tout été enregistré depuis que vous avez ouvert le programme, vous verrez apparaître la boîte de dialogue Enregistrer sous.

Figure 18.4 : Vous ne voulez quand même pas perdre le travail que vous venez de faire ?

Installation de matériel

Signification : Vista vient de détecter du matériel.

Cause probable : Vous venez de brancher un nouvel équipement dans un des ports USB de l'ordinateur.

Solution : Demandez toujours de rechercher un pilote. Sans lui, le matériel ne fonctionnerait pas ou mal. Si Vista n'en trouve pas un, vous devrez l'installer manuellement, une tâche un peu ingrate expliquée au Chapitre 12.

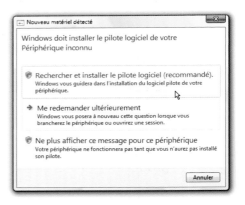

Figure 18.5 : Y a-t-il un pilote dans les parages ?

Dans certains cas, Vista possède un exemplaire du pilote – souvent générique – et l'installe automatiquement, sans afficher cette boîte de dialogue. Il signale néanmoins par une info-bulle dans la zone de notification que le périphérique est en cours d'installation.

L'éditeur ne peut pas être vérifié

Signification : Windows ne peut pas vérifier si le logiciel que vous vous apprêtez à installer a réellement été créé par l'éditeur dont il se prévaut.

Cause probable : Le système de signature numérique de Microsoft est une sorte d'étiquette. Windows compare la signature du logiciel avec celle de l'éditeur supposé. Si elles concordent,

Figure 18.6 : Vista ne connaît pas cet éditeur de logiciels.

c'est parfait. Sinon prudence car le logiciel peut tenter de vous leurrer. Le plus souvent le message de la Figure 18.6 apparaît tout simplement parce que l'éditeur n'a que faire du système de signature numérique, laissant Windows dans l'expectative.

Solution : Les petits éditeurs ne s'encombrent pas de la signature numérique en raison des délais de test, de la part de Microsoft, et de la redevance à payer. Si ce message mentionne un éditeur honorable, il y a peu de risque. Mais s'il apparaît alors que vous voulez installer un logiciel d'un éditeur très connu, qui signe sans doute numériquement ses produits, méfiance. Le logiciel essaie peut-être de vous tromper.

Windows ne parvient pas à ouvrir ce fichier

Signification : Ce message apparaît lorsque Windows ne sait pas avec quel programme il doit ouvrir le fichier.

Cause probable : Windows se base sur l'extension du fichier – les caractères après le point – pour identifier le programme auquel il est associé. Par exemple

Figure 18.7 : Windows ne sait pas du tout avec quel logiciel il doit ouvrir ce fichier.

quand un fichier a une extension `.txt` (comme "texte") Windows sait qu'il doit l'ouvrir avec le Bloc-notes. Mais si une extension n'a pas été associée à un programme, Windows ne sait pas que faire.

Solution : Si vous savez quel programme a créé le mystérieux fichier, choisissez l'option Sélectionner un programme dans la Liste des programmes installés, et sélectionnez le programme en question. Cochez ensuite la case Toujours utiliser ce programme pour ouvrir ce type de fichier.

Si vous avez un doute, choisissez l'option Utiliser le service Web pour trouver le programme approprié. Windows cherchera sur l'Internet et suggérera plusieurs logiciels qui lui semblent appropriés. L'association des fichiers aux programmes est exposée au Chapitre 5.

Vous n'avez pas le droit d'accéder à ce dossier

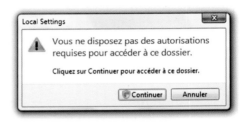

Signification : Vista vous interdit de voir ce que contient le dossier que vous tentez d'ouvrir. Le nom du dossier, en l'occurrence Local Settings "paramètres locaux", un dossier système de Windows, est mentionné dans la barre de titre.

Figure 18.8 : Seuls les administrateurs ont le droit d'ouvrir ce dossier.

Causes probables : Le propriétaire de l'ordinateur ne vous a pas donné la permission. Ou encore, comme ici, le système de protection de Vista monte la garde.

Solution : Seul un utilisateur ayant un compte Administrateur – générale-ment le propriétaire de l'ordinateur – peut octroyer l'accès à certains dossiers.

Chapitre 19

Migrer d'un ancien ordinateur
vers un nouveau

Dans ce chapitre :

▷ Copier les fichiers de l'ancien PC et les installer dans le nouveau.

▷ Utiliser le programme Transfert de fichiers et paramètres Windows.

▷ Transférer des fichiers par un câble, le réseau, une clé USB, des CD ou des DVD.

▷ Se débarrasser de l'ancien ordinateur.

uand vous déballez chez vous le tout nouvel ordinateur prééquipé avec Vista, il lui manque l'élément le plus important : les fichiers de l'ancien ordinateur. Comment transférer les données d'un PC vers un autre sans rien perdre ? Microsoft a résolu ce problème avec un camion de déménagement virtuel : le programme Transfert de fichiers et paramètres Windows.

Il récolte non seulement les données dans l'ancien ordinateur, mais aussi les paramètres de bon nombre de vos programmes préférés : vos sites Web favoris par exemple, ainsi que vos courriers d'Outlook Express. Il parvient même à récupérer vos paramètres de messagerie, ce qui vous épargne la corvée de reconfigurer la nouvelle.

Tout le monde n'a pas besoin du programme Transfert de fichiers et paramètres Windows. Si vous procédez à la mise à niveau d'un ordinateur sous Windows XP, le transfert des fichiers et des paramètres s'effectue automatiquement au cours de l'installation de Windows XP. Rien n'a à être transféré, puisque tout se passe dans le même ordinateur et vous pourrez vous dispenser de lire ce chapitre.

En revanche, si vous deviez copier des informations d'un PC vers un autre, ces pages vous expliqueront comment procéder.

Remarque : le programme Transfert de fichiers et paramètres Windows ne fonctionne pas avec des versions anciennes de Windows, comme 95, 98 et Me.

Préparer le déménagement vers le nouveau PC

La réussite d'un déménagement dépend de la préparation. Ici, au lieu de tout ranger dans des cartons et les fermer avec du ruban adhésif, vous devrez exécuter deux tâches avant de faire appel au programme Transfert de fichiers et paramètres Windows :

- Choisir la technique de transfert entre les deux PC.

- Installer les programmes de l'ancien PC dans le nouveau.

Les techniques de transfert de données

Les ordinateurs sont parfaits pour copier des données, ce qui suscite d'ailleurs l'inquiétude des industries du divertissement. Les techniques de copie ne manquent pas.

Par exemple, le programme Transfert de fichiers et paramètres Windows propose pas moins de quatre moyens de copier les données vers le nouveau PC, qui se différencient par la difficulté de mise en œuvre et la vitesse de la migration. Vous avez le choix entre :

- **Le câble de transfert USB-USB :** Tous les PC ayant au moins un port USB, le câble de transfert USB-USB est la solution la plus simple. Il se caractérise par la présence, à chaque extrémité, de connecteurs USB mâles de type A, une sorte d'olive au milieu (voir Figure 19.1), et mesure généralement deux à trois mètres. Son prix est d'environ 50 euros.

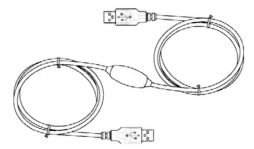

Figure 19.1 : Un câble USB-USB se reconnaît à ses deux prises USB mâles et au renflement au milieu.

- **Le réseau :** Vista peut acheminer les données par le réseau, si vous en avez établi un entre les deux PC. La création d'un réseau, expliquée au Chapitre 14, exige cependant beaucoup plus de travail que le branchement d'un câble.

- **Les DVD ou les CD :** Si l'ancien PC est équipé d'un graveur de CD ou de DVD, et le nouveau d'un lecteur de CD ou de DVD, vous graverez les données sur un ou plusieurs disques. Préparez-vous toutefois à une longue durée de travail car cette technique est la plus lente et la plus fastidieuse. À moins de ne transférer qu'un faible volume de fichiers, elle est à éviter.

- **Le disque dur externe :** D'un coût qui ne cesse de baisser – il existe des modèles intéressants, d'une contenance de 200 à 300 giga-octets, à moins de 150 euros –, le disque dur externe est idéal pour le transfert des données d'un PC à un autre. La plupart se branchent à la fois au secteur et à une prise USB. Un iPod vide peut aussi faire office de disque dur externe, si vous savez comment y stocker des données.

Si les PC sont trop éloignés pour envisager un transfert par câble, le disque dur externe est la solution la plus rationnelle. Optez pour un modèle dont la contenance est à peu près identique ou supérieure à celle du disque dur du PC de destination. Après le transfert, vous utiliserez le disque dur externe pour vos sauvegardes quotidiennes, une tâche indispensable, vivement recommandée, expliquée au Chapitre 12.

Installer les programmes de l'ancien PC dans le nouveau

Vista est capable de transférer non seulement les données que vous avez créées – textes, courriers électroniques, photos... – mais aussi les paramètres des programmes, ceux de votre messagerie par exemple, ou encore la liste de vos sites Web favoris.

Par contre, Vista ne peut pas copier les programmes eux-mêmes. Vous devrez donc les réinstaller dans le nouveau PC *avant* de démarrer le logiciel Transfert de fichiers et paramètres Windows. C'est logique : les programmes doivent être prêts, à destination, à recevoir les paramètres entrants.

Pour installer les anciens programmes, retrouvez leurs CD d'installation ainsi que leurs codes. Ils figurent généralement sur le boîtier des CD ou collés dans le manuel. Si vous avez acheté des programmes en ligne, vous devriez avoir conservé les codes. Imprimez-les. Si vous ne les avez pas, vous devriez pouvoir les récupérer sur le site Web de l'éditeur.

Copier le programme Transfert de fichiers et paramètres Windows dans l'ancien PC

Le programme Transfert de fichiers et paramètres Windows ne se trouve pas dans Windows XP, mais ce n'est pas un problème si l'ancien PC est équipé d'un lecteur de DVD : insérez-y le DVD d'installation de Vista. L'écran d'accueil affiche une option Transférer les fichiers et les paramètres vers un autre ordinateur. Sélectionnez-la et le programme Transfert de fichiers et paramètres Windows apparaît aussitôt.

Mais, si le PC sous XP est si ancien qu'il n'a pas de lecteur de DVD, installez le programme Transfert de fichiers et paramètres Windows en procédant ainsi :

1. **Ouvrez le programme Transfert de fichiers et paramètres Windows sur le PC sous Vista et cliquez sur Suivant.**

   Cliquez sur Démarrer puis cloisissez Tous les programmes, Accessoires, Outils système puis Transfert de fichiers et paramètres Windows. Si des programmes sont ouverts, le programme les liste et demande de les fermer. Cliquez alors sur le bouton Tout fermer.

2. **Choisissez Démarrer un nouveau transfert.**

   Vista demande si vous avez démarré le programme sur l'ancien PC ou sur le nouveau.

3. **Cliquez sur Mon nouvel ordinateur.**

   Vista demande si vous possédez un câble de transfert.

4. **Cliquez sur Non, afficher d'autres options.**

   Choisissez cette option même si vous possédez un câble de transfert USB-USB.

5. **Cliquez sur Non, je dois l'installer maintenant.**

   Vista propose de copier le programme Windows Easy Transfer sur un CD, un lecteur flash USB (ou clé USB), un disque dur externe ou dans un dossier réseau partagé.

6. **Faites votre choix, et Vista crée une copie du programme exécutable sur l'ancien PC.**

Le programme est stocké dans un dossier nommé MigWiz (NdT : abréviation de *Migration Wizard,* assistant de migration). Pour l'exécuter sur un ordinateur sous Windows XP, ouvrez ce dossier, puis double-cliquez sur le fichier migwiz ou migwiz.exe.

Transférer les données par un câble

Le programme Transfert de fichiers et paramètres Windows ne nécessite parfois que peu d'étapes ou au contraire plusieurs, selon la technique de migration choisie. Vous devez d'abord lui indiquer comment transférer les données : par un câble, le réseau ou des disques. Vous devrez ensuite indiquer à Vista ce que vous désirez transférer : seulement ce qui se trouve dans votre compte d'utilisateur, ou alors dans tous les comptes, ou encore dans un compte en particulier ; ou aussi, quelques fichiers importants seulement.

Après avoir fourni tous ces renseignements, le programme se met au travail, récoltant ce qu'il doit transférer et l'acheminant aux emplacements adéquats dans le nouveau PC sous Vista.

La prochaine section explique comment procéder au transfert avec le programme Transfert de fichiers et paramètres Windows *via* un câble USB-USB, un réseau ou des supports de stockage comme les CD, DVD ou clés USB.

Veillez à ouvrir une session avec un compte Administrateur, car les comptes limités n'ont pas le droit de copier des fichiers. Vous pouvez à tout moment revenir à l'écran précédent en cliquant sur le bouton fléché en haut à gauche.

1. **Démarrez les deux PC et ouvrez une session sur chacun d'eux.**

   Si vous envisagez d'utiliser un câble de transfert, installez son logiciel dans le PC sous Windows XP ; il est indispensable pour que ce pauvre vieux XP comprenne à quelle sorte de câble il est connecté. En revanche, le logiciel n'est pas nécessaire sur le PC sous Vista, qui sait reconnaître un câble USB-USB.

2. **Démarrez le programme Transfert de fichiers et paramètres Windows sur le PC sous Windows XP puis cliquez sur Suivant.**

   Insérez le DVD d'installation de Windows Vista dans le lecteur de DVD du PC sous Windows XP. Dans l'écran d'accueil, choisissez Transférer des fichiers et des paramètres vers le nouvel ordinateur.

   Si votre PC sous XP est dépourvu de lecteur de DVD, lisez l'encadré "Copier le programme Transfert de fichiers et paramètres Windows dans l'ancien PC".

3. Sur l'ordinateur sous Windows XP, sélectionnez la technique de transfert des fichiers et des paramètres vers le nouvel ordinateur sous Vista.

Trois options sont proposées, comme le montre la Figure 19.2 :

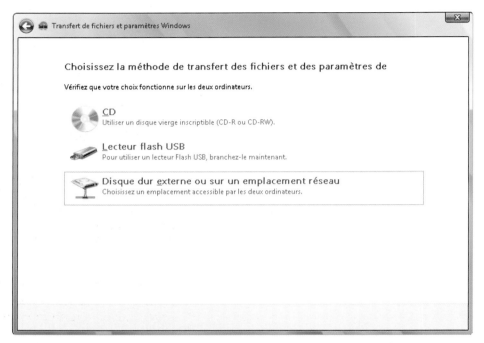

Figure 19.2 : Choisissez la technique de copie des fichiers et paramètres de l'ancien PC vers le nouveau.

- **Utiliser un Câble de transfert (recommandé) :** Si vous optez pour cette solution rapide et facile, connectez le câble à un port USB de chacun des ordinateurs. Quand le programme Transfert de fichiers et paramètres Windows se sera spontanément ouvert sur le PC sous Vista, passez à l'Étape 11.

- **Transférer directement, en utilisant une connexion réseau :** Si vous avez choisi le transfert *via* le réseau, passez à l'Étape 5.

- **Utiliser un CD, DVD ou autre support amovible :** Si vous avez choisi cette option, continuez à l'Étape suivante.

4. **Choisissez une technique de transfert des fichiers et des paramètres.**

   Le programme propose trois choix :

   - **CD ou DVD :** Cette option fonctionne si l'ancien PC est capable de graver des CD ou des DVD et si le nouveau PC est capable de les lire. Préparez-vous à une longue soirée en compagnie des deux PC, que vous devrez tour à tour alimenter en disques.

   - **Lecteur Flash USB :** Plus rapide que les CD et DVD, les lecteurs flash USB, plus connus sous le nom de "clés USB", sont handicapés par leur contenance limitée. Quelques modèles parviennent cependant à stocker jusqu'à 4 Go de données, ce qui devient intéressant. Ne recourez à cette option que si vous avez peu de fichiers à transférer.

   - **Disque dur externe ou un emplacement réseau :** Un disque dur externe – qui se branche au port USB – offre un confortable espace de stockage. C'est l'option la plus fiable et la plus rapide. Si les deux PC sont connectés à un même emplacement réseau – le dossier Public ou Documents partagés d'un autre PC –, cette option est aussi recommandable.

   Après avoir fait votre choix, choisissez la lettre de votre graveur de CD ou de DVD, clé USB ou disque dur externe, ou le chemin menant à l'emplacement réseau. Créez éventuellement un mot de passe afin de sécuriser vos informations (vous devrez le communiquer au PC sous Vista afin qu'il puisse accéder aux données). Cliquez sur Suivant et passez à l'Étape 11.

5. **Choisissez une technique de transfert des fichiers et des paramètres par le réseau.**

   Le programme propose deux choix :

   - **Utiliser une connexion réseau :** Choix de prédilection pour les petits réseaux domestiques, cette option achemine directement les données du PC sous Windows XP vers le PC sous Windows Vista. Si vous avez fait ce choix, passez à l'Étape 6.

   - **Copier vers et depuis un emplacement réseau :** Choisissez cette option pour les réseaux plus compliqués où les PC ne peuvent pas communiquer directement, mais peuvent accéder à des emplacements communs. Si vous avez opté pour cette technique, choisissez éventuellement un mot de passe puis continuez à l'Étape 11.

6. **Indiquez si vous possédez ou non la clé du câble de transfert.**

   Choisissez Non, j'ai besoin d'une clé, puis notez-la sur un bout de papier car le PC sous Vista la demandera (Vista est très pointilleux sur la sécurité).

7. **Passez à l'ordinateur sous Windows Vista, démarrez le programme Transfert de fichiers et paramètres Windows et cliquez sur Suivant.**

   Tout comme sous Windows XP, seuls les détenteurs d'un compte Administrateur ont le droit d'utiliser le programme de transfert.

   Le programme de transfert de fichiers et paramètres tournant sous Vista demande si vous désirez commencer un nouveau transfert ou continuer celui qui est en cours.

8. **Choisissez Continuer le transfert en cours.**

   Le programme demande si les ordinateurs sont connectés à un réseau.

9. **Choisissez Oui, je vais transférer les fichiers et les paramètres par le réseau.**

   Le programme demande de taper la clé de transfert.

10. **Tapez la clé obtenue à l'Étape 6, cliquez sur Suivant puis retournez au PC sous Windows XP.**

    Vous n'avez pas la clé ? Elle est encore affichée sur l'écran de l'ordinateur sous XP. Tapez-la puis cliquez sur Suivant. Vista établit la connexion avec l'ordinateur sous XP.

    Revenez au PC sous XP et passez à l'Étape 11.

11. **Sur le PC sous Windows XP, choisissez les comptes et données à transférer vers le nouveau PC sous Vista.**

    Trois options sont proposées, comme le montre la Figure 19.3 :

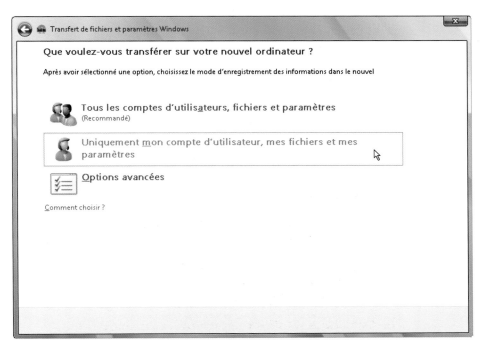

Figure 19.3 : Choisissez les données à transférer vers le nouveau PC.

- **Tous les comptes d'utilisateurs, fichiers et paramètres :** C'est l'option la plus simple et la plus appropriée pour que toute la famille retrouve ses données dans le nouvel ordinateur.

- **Uniquement mon compte d'utilisateur, mes fichiers et mes paramètres :** Seules les données de votre propre compte sont transférées. Cette option est parfaite si vous partagez le PC avec d'autres personnes, mais que vous désirez uniquement déplacer vos données vers votre tout nouvel ordinateur portable.

- **Options avancées :** Destinée à ceux qui sont à l'aise avec l'informatique, cette option permet de sélectionner exactement les fichiers et paramètres à transférer. Les PC actuels contenant une phénoménale quantité de fichiers et de paramètres, cette option est réservée à ceux qui n'ont pas peur de s'aventurer dans les nombreux dossiers.

Si vous transférez les données par un câble USB-USB ou par le réseau, installez-vous devant le nouveau PC sous Vista et passez à l'Étape 16.

Mais si vous avez opté pour une technique de transfert plus laborieuse, passez à l'étape suivante.

12. **Parcourez les fichiers et paramètres sélectionnés puis cliquez sur Transfert.**

Le programme répertorie tous les fichiers et paramètres sélectionnés, comme l'illustre la Figure 19.4. Notez la taille des données, mentionnée au-dessus du bouton Transfert. Cliquez ensuite sur le bouton Personnaliser afin d'accéder à quelques options supplémentaires. Autrement, cliquez sur Transfert pour continuer.

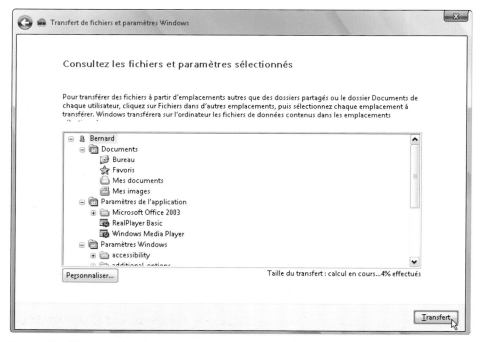

Figure 19.4 : Cliquez sur Transfert pour démarrer la migration de toutes les données et tous les paramètres.

Vista recueille les données du PC et continue en fonction de la technique de transfert choisie :

- **Connexion de réseau directe :** Si vous avez choisi cette technique, passez à l'Étape 17.

- **Gravure de CD ou de DVD :** Vous devrez insérer un ou, plus probablement, plusieurs disques dans le lecteur de l'ancien PC. N'oubliez pas de les numéroter au fur et à mesure avec un feutre indélébile.

- **Lecteur :** Insérez la clé USB ou connectez le disque dur externe.

- **Emplacement réseau :** Le programme transfère les données vers un dossier partagé, sur le réseau, où Vista pourra les récupérer.

Les données étant à présent en transit, passez à l'Étape suivante pour les copier dans le nouveau PC.

13. **Installez-vous devant le nouveau PC, démarrez le programme Transfert de fichiers et paramètres Windows puis, dans l'écran d'accueil, cliquez sur Suivant.**

Si le programme exige la fermeture de certains programmes, cliquez sur le bouton Tout fermer. Il demande ensuite si vous désirez démarrer un nouveau transfert ou continuer un transfert en cours.

14. **Choisissez Continuer un transfert en cours.**

Vista demande si vous transférez les fichiers *via* un réseau.

15. **Choisissez Non, j'ai copié les fichiers et les paramètres sur un CD, un DVD ou un autre support amovible.**

Vista demande où se trouvent les fichiers entrants.

16. **Choisissez l'emplacement du disque ou du lecteur contenant les fichiers puis cliquez sur Suivant.**

Indiquez la lettre du lecteur contenant les données. Si elles sont sur un réseau, indiquez le chemin de l'emplacement.

Entrez le mot de passe, si vous en aviez défini un pour protéger vos données.

Dès que le choix est fait, Vista vérifie aussitôt si les données sont bien à l'emplacement indiqué.

Si vous avez choisi CD ou DVD, Vista vous invite à insérer le premier de la série.

17. **Choisissez les noms des comptes tranférés puis cliquez sur Suivant.**

Vista a besoin de savoir où placer les données de comptes d'utilisateur entrantes. Comme le montre la Figure 19.5, la fenêtre montre la liste des comptes entrants à gauche, celle des comptes présents dans Vista à droite. De ce fait, trois possibilités sont envisageables :

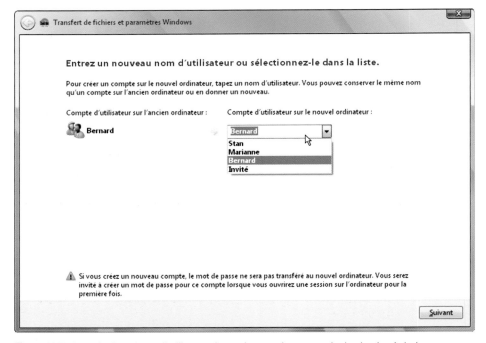

Figure 19.5 : Appariez le compte d'utilisateur à gauche avec le compte de destination à droite.

- **Des comptes d'utilisateurs identiques :** Si vous utilisez les mêmes comptes sur les deux ordinateurs, cette étape est facile, car Vista les apparie automatiquement afin que les données se retrouvent toutes au bon endroit.

- **Des noms de comptes différents :** Si certains ou tous les noms de comptes diffèrent, entre les ordinateurs, vous devez indiquer à Vista dans quels comptes doivent aller les données. Utilisez le menu déroulant pour apparier les noms de comptes de l'ancien PC avec les noms de comptes du nouveau.

- **Des noms de comptes inexistants à destination :** Pour transférer les fichiers d'un compte vers un compte qui n'existe pas dans l'ordinateur de destination, tapez son nom dans la zone de texte au-dessus du menu déroulant. Le programme de transfert créera le nouveau compte.

18. **Vérifiez les fichiers sélectionnés et, selon l'option de transfert, cliquez sur Suivant ou sur Transfert.**

Vista commence à copier les données choisies dans le nouveau PC, créant au besoin de nouveaux comptes. Selon la quantité de données, la technique de transfert et la puissance de calcul de l'ordinateur, le processus peut durer de quelques minutes à plusieurs heures.

Le programme se termine en récapitulant toutes les données tranférées.

Si le transfert a été effectué sur des CD ou des DVD, conservez-les en lieu sûr où ils serviront de sauvegarde en cas d'urgence. Si une calamité venait à s'abattre sur le nouveau PC (les sauterelles, la peste, le tiers provisionnel...), vous disposerez au moins des données de l'ancien.

Se débarrasser de l'ancien ordinateur

Après avoir transféré les données et paramètres de l'ancien ordinateur vers le nouveau, que ferez-vous du vieux PC ? Vous avez le choix entre plusieurs options.

Vous pouvez le donner aux enfants, s'ils ne sont pas trop grands. Parce que, passé un certain âge, ils exigeront un PC hyper puissant, avec une carte graphique surdimensionnée et de la mémoire à foison pour jouer à leurs impressionnants jeux en ligne.

Vous pouvez aussi en faire don à des associations. Elles reconditionnent les ordinateurs pour les distribuer dans des écoles, des hôpitaux pour enfants (Docteur Souris, www.docteursouris.asso.fr/) ou dans des pays du tiers-monde. Une recherche sur Google avec quelques mots clés, comme "don", "ordinateurs", etc., fournit quantité d'adresses d'associations.

Assurez-vous que l'ordinateur est en état de marche et qu'il est donné avec son écran.

Donnez-le à quelqu'un qui est dans le besoin et qui en a besoin : étudiant, chômeur, salarié modeste...

Recyclez-le. Plusieurs fabricants ont des programmes de recyclage d'anciens ordinateurs. Renseignez-vous auprès de celui de votre ordinateur.

Jetez-le à la déchetterie. Il sera dépecé et les matériaux récupérés par des sociétés spécialisées (beaucoup de gens ne soupçonnent pas la quantité d'or plaquée sur les broches des innombrables connecteurs).

Gardez-le pour les pièces détachées, mais ne vous faites pas d'illusions : hormis les lecteurs de CD et DVD et les disques durs, qui peuvent remplacer ou compléter un matériel défaillant ou insuffisant, les autres éléments seront vites obsolètes en raison de l'évolution très rapide des technologies. Avec un peu de chances, vous pourrez aussi récupérer des barrettes de mémoire pour en faire profiter le nouvel ordinateur. Mais tout ceci exige quelques connaissances techniques. Reportez-vous pour cela à mon livre *PC Mise à niveau et dépannage Pour les Nuls*.

Conservez l'ordinateur quelques semaines avant de vous en débarrasser. Vous risquez de vous souvenir d'un important fichier ou de paramètres qui s'y trouveraient encore.

Effacer le disque dur d'un ordinateur mis au rebut

Le disque dur d'un ordinateur mis au rebut est une aubaine pour les malfaiteurs. Il peut en effet contenir les mots de passe vers les sites Web, des comptes de messagerie et des logiciels, mais aussi des numéros de cartes bancaires et de cartes de crédit, des identificateurs personnels, voire des relevés bancaires ou financiers. Toutes informations qui ne doivent surtout pas tomber en de mauvaises mains.

Si votre disque dur contient des données sensibles, achetez un logiciel de destruction de données. Vous en trouverez au rayon des utilitaires des boutiques informatiques. Ils effacent complètement le disque dur et le remplissent de caractères aléatoires. Plusieurs de ces logiciels répètent ce processus plusieurs fois afin d'obtenir un effacement total et irrécupérable, même par les outils les plus sophistiqués.

Ou alors, démontez-le (il faut des clés spéciales, faciles à trouver dans les boutiques de bricolage) ou détruisez-le à la masse. Dan Gookin, l'auteur de *Word Pour les Nuls,* les détruit à coups de fusil.

Chapitre 20

De l'aide sur le système
d'Aide de Vista

Dans ce chapitre

▷ Trouver rapidement le bon conseil.

▷ Trouver de l'aide pour un problème ou un programme en particulier.

---

*P*ourquoi vous coltiner la lecture de ce chapitre alors qu'il existe plusieurs moyens, dans Windows Vista, de trouver l'information qui sauve ?

> ✏ **Appuyez sur F1 :** Que ce soit à partir de Windows ou d'un quelconque programme, appuyer sur la touche F1 ouvre aussitôt une aide circonstanciée.

> ✏ **Cliquez sur le menu Démarrer :** Cliquez ensuite sur le bouton Aide et support.

> ✏ **Le point d'interrogation :** Il se trouve en haut à gauche de certaines fenêtres.

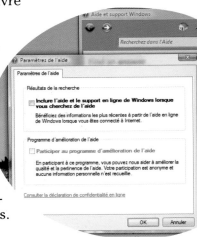

Chacune de ces actions démarre le programme Aide et support, à présent agrémenté de tableaux, de graphiques et d'instructions pas à pas.

Ce chapitre explique comment tirer parti le plus efficacement possible de la fenêtre Aide et support Windows.

Consulter l'expert qui sommeille dans Vista

Presque chaque programme de Windows est doté de son propre système d'aide. Pour tirer de sa torpeur l'expert niché dans un programme, appuyez sur la touche F1 ou choisissez le caractère "point d'interrogation" dans un menu. Voici par exemple comment trouver de l'aide dans Windows Mail :

1. **Cliquez sur "?", dans le menu du programme, et choisissez Afficher l'aide. Ou alors, appuyez sur F1.**

   La Figure 20.1 montre la fenêtre d'aide du Lecteur Windows Media. Pour y accéder, vous devez appuyer sur la touche Alt pour afficher la barre de menus, puis choisir Fichier, "?", puis Aide sur le Lecteur Windows Media. La fenêtre contient des liens pointant vers des sujets généraux.

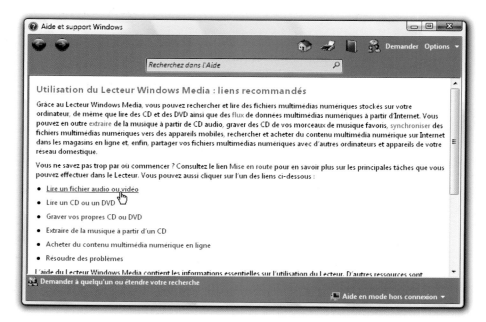

Figure 20.1 : Cliquez sur un sujet qui vous intéresse.

La fenêtre Rechercher dans l'Aide, en haut au milieu, permet d'exploiter l'index du programme d'aide. Taper quelques mots en style télégraphique affiche souvent directement la page où se trouve la réponse, vous épargnant quelques étapes.

2. **Cliquez sur le sujet à propos duquel vous demandez de l'aide.**

   Par exemple, cliquer sur le lien Lire un fichier audio ou vidéo demande à Vista d'en dire plus sur ce sujet.

3. **Choisissez un sous-sujet qui vous intéresse.**

   Après une brève explication du sujet, la page d'aide offre plusieurs sous-sujets : lire un fichier de votre bibliothèque, ou lire un fichier sur Internet en entrant son URL (NdT : L'URL, *Uniform Resource Locator,* "adresse de ressource unifiée", est tout simplement l'adresse Web du site, comme dans www.efirst.com). Ne manquez pas le lien Voir aussi, en bas d'une page, qui pointe vers des informations complémentaires.

4. **Suivez les instructions étape par étape afin de terminer la tâche.**

   Vista indique souvent les étapes nécessaires pour accomplir une tâche ou corriger un problème. Lisez les informations complémentaires proposées à chaque étape. Vous y trouverez souvent des conseils qui faciliteront la tâche, la prochaine fois.

 Vous butez sur un terme technique dans l'Aide ? S'il est d'une autre couleur et souligné, cliquez dessus pour afficher un phylactère contenant une définition en quelques lignes.

 Essayez de placer la fenêtre Aide et support juste à côté de la fenêtre programme en cours. Vous pourrez ainsi appliquer les étapes préconisées sans que les fenêtres se chevauchent.

Recourir au système d'Aide de Windows est souvent une tâche accaparante, car il vous oblige à parcourir des menus incroyablement détaillés pour trouver une information spécifique. Mais c'est souvent votre dernier recours quand cette information est introuvable ailleurs. Et c'est souvent moins embarrassant que de demander au fils du voisin (celui qui réussi à interfacer un PC avec un paratonnerre).

 Si une page d'aide vous semble particulièrement intéressante, imprimez-la en cliquant sur l'icône visible dans la marge.

Trouver une information utile dans le Centre d'aide et de support

Si vous ne savez pas par où commencer, démarrez le Centre d'aide et de support et commencez à chercher par le haut.

Pour lancer ce programme, cliquez sur le bouton Démarrer puis sur Aide et support. La fenêtre de la Figure 20.2 apparaît.

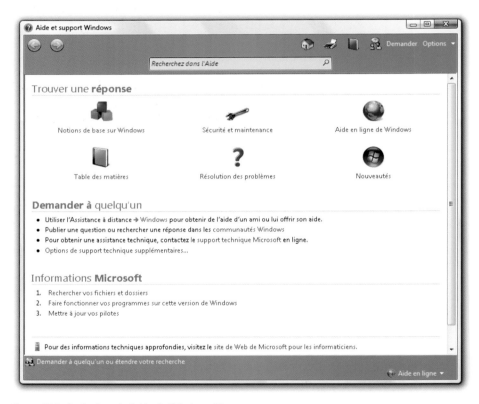

Figure 20.2 : La fenêtre de l'aide de Windows Vista.

La page qui s'ouvre est divisée en trois parties : Trouver une réponse, Demander à quelqu'un et Informations Microsoft. Commençons par la première, Trouver une réponse, puisqu'elle propose une aide sur ces sujets :

✔ **Notions de base sur Windows :** Commencez par là si vous débutez en micro-informatique et avec Windows. Vous y retrouverez toutes les notions couvertes au Chapitre 1, comme l'utilisation de la souris et du clavier, le Bureau, le menu Démarrer, la Barre des tâches, les fichiers, les dossiers et d'autres éléments sur Windows que vous êtes censé maîtriser.

 ✔ **Sécurité et maintenance :** Cette zone aborde des points que les gens se complaisent à éluder jusqu'à ce que ça leur retombe dessus : l'activation des systèmes de sécurité, par exemple, ou le diagnostic de problèmes potentiels détectés par Vista, ou l'assurance que Vista a bénéficié des dernières mises à jour.

 ✔ **Aide en ligne de Windows :** Ne cliquez dessus que si le PC est connecté à l'Internet, car Vista va chercher les informations sur le site Web de Microsoft (Figure 20.3). Elles sont plus à jour que celles de l'aide intégrée, mais aussi rédigée dans un langage nettement plus technique.

Figure 20.3 : Au besoin, Windows Vista cherche de l'aide chez Microsoft.

- **Table des matières :** Cliquer ici affiche un sommaire de tous les sujets. Cliquez sur l'un d'eux pour accéder à une sous-classification réduisant le champ de recherches.

- **Résolution des problèmes :** C'est l'endroit où aller lorsque quelque chose ne fonctionne pas bien. Vous pourrez diagnostiquer et corriger des problèmes de réseau, d'Internet, de courrier électronique et la manière dont le PC interagit avec Vista.

- **Nouveautés :** Les utilisateurs de Vista désireux de connaître les nouveautés de Vista – quelle que soit la version – les trouveront ici.

Ne perdez pas de temps avec la partie Demander à quelqu'un. Elle offre une assistance à distance, utile seulement si vous trouvez l'oiseau rare qui voudra bien se connecter à votre PC par l'Internet et résoudre votre problème. L'option Communautés Windows, dans cette même partie, vous met en contact avec des groupes de discussion, une relique assez compliquée des premiers temps de l'Internet. La dernière option, Contacter le support client en ligne de Microsoft, vous amène à la Base de connaissance de Microsoft, une base de données techniques très documentée, mais écrite pour les professionnels de l'informatique et d'Internet.

La dernière zone de la partie Aide et support, intitulée Informations Microsoft, répertorie les questions les plus fréquemment posées à Microsoft. Vous avez une toute petite chance d'y trouver celle que vous vous posez.

Commencez votre recherche dans le champ de saisie, en tapant quelques mots clés. Tapez **courrier électronique**, par exemple, pour voir tous les sujets traitant de la messagerie. Si Vista reste muet, essayez avec la Table des matières. Commencez par le sujet général puis restreignez la recherche.

Le programme Aide et support fonctionne un peu à la manière d'un site Web. Pour revenir à la page précédente, cliquez sur le bouton fléché bleu, en haut à gauche de la page. Il est surtout utile quand vous vous fourvoyez dans une impasse.

Faire appel au dépannage de Vista

En cas de dysfonctionnement, la partie dépannage du programme Aide et support peut trouver un correctif. Elle fonctionne parfois comme un index qui remonte peu à peu au travers d'une arborescence jusqu'à l'origine du problème, présentant l'unique bouton qui le résout. Ce bouton est ensuite affiché dans la page d'aide afin que vous puissiez y accéder d'un seul clic.

D'autres fois, un bouton magique est loin d'être suffisant. Par exemple, si le signal d'une connexion sans fil est trop faible, le dépanneur vous recommandera de rapprocher l'ordinateur portable du transmetteur.

Voici comment démarrer le programme de dépannage :

1. **Choisissez Aide et support, dans le menu Démarrer.**

   La fenêtre de l'aide s'ouvre.

2. **Dans la page d'accueil, cliquez sur Résolution des problèmes.**

   L'icône Résolution des problèmes se trouve dans la partie Trouver une réponse, dans la page d'accueil du programme Aide et support.

3. **Cliquez sur le sujet qui vous tourmente.**

   La partie Résolution des problèmes contient cinq sujets :

   - **Gestion de réseau :** Vous y trouverez de l'aide pour connecter votre ordinateur portable Wi-Fi aux zones de réception, ou *hotspot,* placés dans divers lieux publics, pour dépanner un réseau domestique (Figure 20.4) ainsi que la connexion Internet.

   - **Utilisation du Web :** C'est ici que se trouve l'aide sur les connexions Internet, y compris le partage d'une connexion entre plusieurs ordinateurs.

   - **Courrier électronique :** Cette zone aborde Windows Mail, les pièces jointes ainsi que l'envoi de photos et de vidéos par courrier électronique.

   - **Matériel et pilotes :** Vista est capable de détecter et diagnostiquer ce qui ne va pas dans la configuration matérielle du PC, notamment les pilotes, une cause majeure de dysfonctionnement car ils font la liaison entre le matériel et Windows.

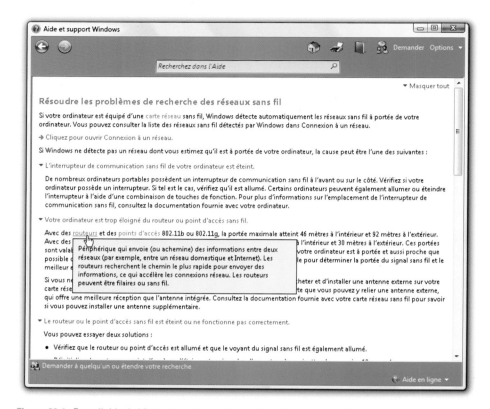

Figure 20.4 : Dans l'aide de Vista, de nombreux termes techniques sont expliqués.

- **Votre ordinateur :** C'est une zone fourre-tout, où l'on trouve entre autres des sujets sur la sécurité et les performances du PC.

Cliquez sur un sujet, et Vista ouvre la page traitant des problèmes les plus courants. Parcourez les sous-sujets jusqu'à ce que vous ayez trouvé celui traitant de votre problème particulier.

4. **Suivez les étapes recommandées.**

Vous trouverez très souvent des procédures pas à pas qui devraient résoudre votre problème. Appliquez scrupuleusement chaque étape.

Septième partie
Les Dix Commandements

"Julien, très honnêtement je ne crois pas qu'il soit possible d'éviter un embrasement du foin avec le Pare-feu Windows."

Dans cette partie...

Windows Vista est parfois farceur et réserve quelques surprises. Vous trouverez lesquelles et comment vous en sortir facilement.

Les possesseurs d'un ordinateur portable ont droit à un chapitre rien que pour eux. Vista est en effet doté de fonctions réservées aux utilisateurs nomades, itinérants, voyageurs ou qui préfèrent travailler au lit, douillettement vautré sous la couette avec une liaison Wi-Fi (ou autre liaison d'une autre sorte mais bon, ce n'est plus de l'informatique...).

Pour clore cet ouvrage, une annexe explique comment mettre Windows XP à jour avec Vista. Mais finalement et en toute logique, on aurait peut-être dû commencer par là...

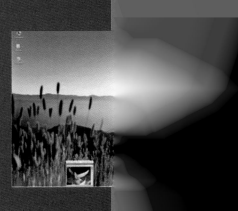

Chapitre 21

Dix points que vous détesterez (et comment les corriger)

Dans ce chapitre :

▷ En finir avec les demandes de permission.

▷ Trouver les menus de Vista.

▷ Désactiver Aero pour accélérer Vista.

*V*ista serait génial si... *(insérez vos récriminations ici)*. Bref, lisez ce chapitre s'il vous arrive souvent de vous en prendre à Vista. Vous trouverez une liste de dix points – et même un peu plus que ça –hautement agaçants au sujet de Vista, et comment en venir à bout.

Ras le bol de ces demandes de permission !

L'écran de demande de permissions de Vista peut être supprimé de deux manières :

- **Celle que Microsoft préfère :** Avant de cliquer machinalement sur le bouton Continuer, demandez-vous si vous avez entrepris une action. Si oui, cliquez sur Continuer afin que l'ordinateur exécute votre commande. En revanche, si la demande de permission est spontanée, sans aucune action de votre part, cliquez sur Annuler, car ce n'est pas normal.

 ✏ **La solution de facilité :** Désactivez la demande de permission comme je l'ai expliqué au Chapitre 17. L'ordinateur sera toutefois plus exposé aux virus, vers, espiogiciels et autres logiciels malfaisants qui écument l'Internet.

Aucune de ces options n'est la panacée, mais c'est la seule alternative que Microsoft vous offre : étudier chaque demande de permission ou faire confiance à vos logiciels antivirus et anti-espiogiciels.

Je recommande l'approche préconisée par Microsoft. C'est un peu comme la ceinture de sécurité : pas très confortable mais plus sûre. Mais en fin de compte, c'est à vous de choisir entre le confort et la sécurité.

Impossible de copier dans mon iPod de la musique extraite ou achetée

Vous ne trouverez jamais le mot iPod dans les menus de Vista, dans les écrans d'aide ni même sur le site de Microsoft. Concurrent de Microsoft, Apple a réussi un coup de maître avec l'iPod, que Microsoft s'efforce d'ignorer superbement.

Ce qui ne saurait être ignoré, ce sont les problèmes auxquels vous êtes confrontés chaque fois que vous essayez de copier dedans des morceaux stockés dans le Lecteur Windows Media. Vous vous heurtez en effet à deux obstacles :

 ✏ Les morceaux achetés dans certains magasins de musique en ligne, comme URGE aux Etats-Unis, sont au format WMA (*Windows Media Audio*) que l'iPod ne peut pas lire.

 ✏ Les morceaux extraits de CD avec le Lecteur Windows Media sont illisibles sur un iPod, car ils sont eux aussi enregistrés au format WMA.

Le second obstacle est facile à contourner : il suffit de demander au Lecteur Windows Media de convertir les extractions au format MP3, lisibles par tous les lecteurs de musique mobiles, même l'iPod. Procédez comme suit pour ce faire :

1. Cliquez sur le bouton Démarrer, choisissez Tous les programmes puis Lecteur Windows Media.

2. **Appuyez sur Alt et, dans le menu déroulant, choisissez Outils puis Options.**

3. **Cliquez sur l'onglet Extraire de la musique et, dans le menu déroulant Format, sélectionnez MP3 au lieu de Audio Windows Media.**

4. **Cliquez pour enregistrer vos changements.**

En extrayant les morceaux au format MP3, vous aurez la certitude que votre audiothèque sera compatible avec tous les lecteurs de musique actuels et à venir (le Lecteur Windows Media est étudié au Chapitre 15).

Tous les menus ont disparu

Dans leur zèle pour faire de Vista un petit chef-d'œuvre de design et de graphisme, les programmeurs ont escamoté les menus utilisés depuis des années dans Windows. Pour les revoir, appuyez sur la touche Alt. Vous pourrez ainsi accéder de nouveau aux bonnes vieilles options.

 Pour empêcher les menus de disparaître de nouveau, cliquez sur le bouton Organiser, choisissez Disposition puis Barre de menus.

Le contrôle parental est trop compliqué

Le nouveau Contrôle parental permet de contrôler exactement ce que les enfants peuvent faire ou ne pas faire avec le PC (cette option est décrite au Chapitre 10). Mais si vous voulez simplement que Vista cafarde... oups... rapporte ce que vos enfants ont fait, appliquez cette rapide procédure :

1. **Cliquez sur le bouton Démarrer, puis sur Panneau de configuration. Choisissez Comptes d'utilisateurs et protection des utilisateurs et choisissez Contrôle parental.**

   Le panneau Contrôle parental apparaît, répertoriant les noms de chaque détenteur d'un compte.

2. **Cliquez sur le nom du compte de l'enfant.**

   Les paramètres du contrôle parental sont affichés.

3. **À la rubrique Contrôle parental, cliquez sur l'option Activé, les paramètres actuels sont appliqués.**

4. **À la rubrique Rapport d'activité, cliquez sur l'option Activé, Recueillir les informations relatives à l'usage de l'ordinateur.**

5. **Cliquez sur le bouton OK.**

Une fois par semaine, vérifiez les activités de l'enfant en exécutant les Étapes 1 et 2. Mais à l'Étape 3, choisissez Afficher les rapports d'activité. Vista détaille sans état d'âme ce que l'enfant a fait sur l'Internet.

Pour avoir tous les détails, déployez les options dans le volet de gauche. Tout y est : les noms des gens envoyant et recevant des messages de l'enfant, les noms des morceaux et vidéos qu'il a écoutés ou regardés, les sites Web visités, le nom des programmes téléchargés, les heures d'ouverture et de fermeture de session, le nombre d'heures passées au clavier et autres informations du même acabit (NdT : il ne manque que la durée de la garde à vue).

Les effets de transparence ralentissent mon ordinateur portable

L'un des effets graphiques les plus appréciés de Vista, appelé "Aero", n'est pas toujours sans conséquences. L'effet Aero rend les cadres des fenêtres floues, comme s'ils étaient en matière plastique. C'est lui aussi qui permet à certains programmes, comme le jeu d'échecs, de flotter en l'air, permettant de l'orienter à votre gré et le regarder sous n'importe quel angle.

Les calculs requis pour ces effets visuels ralentissent sensiblement les PC qui ne sont pas équipés d'une carte graphique haut de gamme, ce qui est le cas de la plupart des ordinateurs portables. Quand l'effet Aero est actif, les cartes à jouer de FreeCell rampent à l'écran.

Pire, l'effet Aero peut réduire l'autonomie de la batterie à une fraction de ce qu'elle est habituellement. Si vous ne voulez plus qu'il plombe votre PC, désactivez-le en procédant comme suit :

1. **Cliquez du bouton droit dans une partie vide du Bureau et choisissez Personnaliser afin d'ouvrir le Panneau de configuration.**

2. **Choisissez Couleur et apparence des fenêtres.**

Si vous voyez l'option Ouvrir les propriétés d'apparence classique pour des options de couleurs supplémentaires, cliquez dessus. Sinon, passez à l'Étape 3.

3. Dans la liste Modèles de couleur, choisissez Windows Vista Basic, puis cliquez sur OK.

Si l'ordinateur est encore trop lent, choisissez Windows Standard, voire Windows Classique, à l'Étape 3.

Pour rétablir les effets Aero, histoire d'épater la galerie, répétez la manipulation mais à l'Étape 3, choisissez Windows Aero.

Si Vista n'est toujours pas très vif, cliquez du bouton droit sur Ordinateur, dans le menu Démarrer puis, dans le volet de gauche, choisissez Paramètres système avancés. Cliquez sur l'onglet Paramètres avancés et, à la rubrique Performances, cliquez sur Paramètres. Choisissez l'option Ajuster afin d'obtenir les meilleures performances, puis cliquez sur OK.

Mais comment éteint-on le PC ?

Le bouton démarrer de Windows XP comportait un commode bouton Arrêter l'ordinateur. Vista, lui, place deux boutons à cet endroit, dont aucun n'éteint le PC. Celui à gauche met le PC dans un "état de faible consommation d'énergie" tandis que l'autre protège votre compte par un mot de passe quand vous abandonnez l'ordinateur pendant quelques minutes.

Pour éteindre l'ordinateur, cliquez sur la flèche à droite des deux boutons et choisissez Arrêter (les différents boutons d'alimentation sont décrits au Chapitre 2).

Procédez comme suit pour transformer le bouton de gauche (représenté dans la marge) en commutateur Marche/Arrêt :

1. Cliquez sur le bouton Démarrer, choisissez Panneau de configuration, puis Système et maintenance et cliquez sur Options d'alimentation.

2. Dans le volet de gauche, Choisir l'action des boutons d'alimentation.

3. **Dans le menu déroulant associé à l'option Lorsque j'appuie sur le bouton d'alimentation, sélectionnez Arrêter. Cliquez ensuite sur Enregistrer les modifications.**

Vista me demande tout le temps de me reconnecter

Quand l'écran de veille est activé, Vista propose deux manières de le quitter et redevenir opérationnel : afficher l'écran d'ouverture où vous devrez rouvrir votre session, ou alors, Vista peut afficher de nouveau le programme que vous utilisiez quand l'écran de veille s'est manifesté.

Certaines personnes préfèrent la sécurité de l'écran d'ouverture. Ainsi, comme le mot de passe est demandé pour se reconnecter, personne ne peut profiter de la pause café pour farfouiller subrepticement dans l'ordinateur et lire le courrier.

D'autres, moins concernés par la sécurité, préfèrent simplement retourner rapidement au travail en cours. Voici comment réconcilier les deux camps :

1. **Cliquez dans une partie vide du Bureau et choisissez Personnaliser.**

2. **Cliquez sur Écran de veille.**

   Windows Vista affiche les options de l'écran de veille, et notamment si Vista doit reprendre à la page d'ouverture.

3. **Selon vos préférences, cochez ou non la case A la reprise, afficher l'écran d'ouverture.**

   Si la case est cochée, la sécurité est accrue. Lorsque l'écran de veille s'arrête, l'écran d'ouverture prend le relais. L'utilisateur doit rouvrir une session dans les règles, avec un mot de passe s'il est exigé.

   Si la case n'est pas cochée, Vista est plus laxiste. Lorsque l'écran de veille s'arrête, il reprend là vous en étiez auparavant.

4. **Cliquez sur le bouton OK afin d'enregistrer vos changements.**

Si vous ne voulez jamais voir l'écran d'ouverture, n'utilisez qu'un seul compte d'utilisateur sans mot de passe. La sécurité offerte par le système de comptes d'utilisateur est désactivée, mais c'est plus commode si vous vivez seul.

La Barre des tâches prend son indépendance

La Barre des tâches est une fonctionnalité de Windows très commode. Elle se trouve généralement en bas de l'écran. Mais parfois, elle prend la clé des champs. Vous trouverez ici quelques moyens de la ramener au bercail.

Si la Barre des tâches s'accroche au bord gauche ou droit de l'écran, voire en haut, tirez-la vers le bas de l'écran. Mais, au lieu de la tirer par un de ses bords, tirez-la par le milieu. Dès que le pointeur arrive près du bord inférieur de l'écran, la barre se met en place. Relâchez le bouton de la souris.

Voici quelques conseils qui empêcheront la Barre des tâches de se balader :

- Pour immobiliser la Barre des tâches et l'empêcher de flotter, cliquez dessus du bouton droit et choisissez Verrouiller la Barre des tâches.

- Si la Barre des tâches disparaît sous l'écran chaque fois que le pointeur de la souris s'en éloigne, désactivez l'option d'escamotage automatique : cliquez sur une partie vide de la Barre des tâches et, dans le menu, choisissez Propriétés. Décochez ensuite la case Masquer automatiquement la Barre des tâches.

- Pendant que vous êtes dans le panneau des propriétés de la Barre des tâches, assurez-vous que la case Conserver la Barre des tâches au-dessus des autres fenêtres est cochée. Elle sera ainsi toujours visible et accessible.

Impossible de suivre les fenêtres ouvertes

Vous n'avez pas à suivre toutes les fenêtres ouvertes. Vista s'en charge très bien tout seul, grâce à la combinaison de touches Alt+Tab. Une petite barre apparaît au milieu de l'écran, affichant une icône par fenêtre ouverte. La touche Alt toujours enfoncée, appuyez plusieurs fois sur Tab afin de sélectionner tour à tour chacune des icônes. Dès que celle qui vous intéresse est sélectionnée, relâchez les touches et la fenêtre correspondante s'affiche au premier plan.

 Si votre PC est équipé d'une bonne carte graphique, cliquez sur le bouton Basculer entre les fenêtres, près du bouton Démarrer, dans la barre Lancement rapide. Vista fait flotter toutes les fenêtres à l'écran. Cliquez sur celle que vous désirez amener au premier plan. Ou alors, faites-les défiler en appuyant sur Tab ou sur les touches fléchées.

Ou alors, utilisez la Barre des tâches, décrite au Chapitre 2. Toutes les fenêtres y figurent. Cliquez sur le bouton de celle qui vous intéresse et elle se place au-dessus de la pile.

Le Chapitre 6 explique comment s'y retrouver dans un Bureau en désordre et comment le ranger.

Impossible d'aligner deux fenêtres côte à côte

Avec Windows Vista, rien n'est plus facile que le couper-coller d'un programme vers un autre. Il en est de même du glisser-déposer, qui permet de faire glisser un contact depuis le carnet d'adresses jusque dans la lettre que vous êtes en train d'écrire.

 Le plus difficile est d'aligner deux fenêtres côte à côte afin de faciliter ces manipulations. C'est là que la Barre des tâches entre en jeu. Ouvrez d'abord les deux fenêtres n'importe où dans l'écran. Réduisez ensuite toutes les autres fenêtres dans la Barre des tâches en cliquant sur l'icône Réduire, à droite dans la barre de titre.

À présent, cliquez du bouton droit dans une partie vide de la Barre des tâches et choisissez, soit Afficher les fenêtres empilées, soit Afficher les fenêtres côte à côte. Les deux fenêtres sont maintenant parfaitement superposées ou juxtaposées.

Vista ne me laisse rien faire, sauf si je suis Administrateur

Windows Vista est très pointilleux sur qui a le droit de faire quoi. Le propriétaire de l'ordinateur reçoit un compte d'utilisateur Administrateur. L'administrateur, lui, octroie des comptes Standard aux autres personnes. Or, seul un Administrateur a le droit d'effectuer les tâches suivantes :

- Installer des programmes et du matériel.

- Créer des comptes d'utilisateurs ou les modifier.

- Connecter certains équipements comme un appareil photo numérique ou un lecteur MP3.

- Lire les fichiers de tous les utilisateurs.

Les détenteurs d'un compte d'utilisateur Standard ne peuvent effectuer que des tâches élémentaires comme :

- Exécuter des programmes installés.

- Modifier l'image de leur compte ainsi que leur mot de passe.

Le compte Invité est réservé aux hôtes de passage, comme la baby-sitter ou des visiteurs qui n'utilisent que sporadiquement l'ordinateur. Si l'ordinateur est connecté en haut débit, ils peuvent aller sur l'Internet, relever du courrier et en envoyer, et démarrer les programmes. Comme il l'est expliqué au Chapitre 13, un invité n'est pas autorisé à démarrer une session Internet, mais il peut utiliser la connexion en cours.

Si Windows signale que seul un Administrateur peut exécuter telle ou telle action, vous avez deux possibilités : demander à un administrateur de taper son mot de passe, ce qui autorise l'action, ou alors demander à l'administrateur de promouvoir votre compte en compte Administrateur (voir Chapitre 13).

Je ne connais pas ma version de Windows

Windows a connu plus d'une douzaine de versions depuis sa sortie en novembre 1985. Comment savoir laquelle est installée dans votre ordinateur ?

Ouvrez le menu Démarrer, cliquez du bouton droit sur Ordinateur et choisissez Propriétés. Consultez la rubrique Édition Windows. C'est là que vous trouverez votre version : Windows Vista Édition Familiale Basique, Édition Familiale, Entreprise, Professionnel ou Édition Intégrale.

Pour les versions de Windows antérieures à Vista, l'information se trouve à la rubrique Système.

La touche Impr.écran ne fonctionne pas

Quand vous appuyez sur la touche Impr.écran (son nom varie quelque peu selon les claviers) Windows Vista n'envoie pas le contenu de l'écran vers l'imprimante, mais le stocke dans le Presse-papiers, autrement dit dans une partie de sa mémoire vive. Vous pouvez ainsi le coller dans une autre fenêtre.

Si vous appuyez sur Impr.écran en maintenant la touche Alt enfoncée, Windows Vista mémorise l'image de la fenêtre active.

Si vous tenez à imprimer l'écran, appuyez sur Impr.écran (il ne se passe apparemment rien, mais c'est normal). Cliquez ensuite sur Démarrer, choisissez Tous les programmes, puis Accessoires. Ouvrez Paint et, dans le menu Édition, choisissez Coller. L'image de l'écran apparaît. Choisissez ensuite Fichier, Imprimer puis envoyez l'image de l'écran vers l'imprimante.

Chapitre 22

Dix trucs pour
les ordinateurs portables

Dans ce chapitre :

▶ Régler les paramètres à la volée.

▶ Changer de fuseau horaire.

▶ Composer un numéro, avec le modem, en différents lieux.

*P*resque tout, dans ce livre, s'applique aussi bien aux PC de bureau qu'aux PC portables. Vista contient toutefois quelques paramètres accessibles uniquement aux ordinateurs portables. Vous les trouverez dans ce chapitre, avec en prime quelques astuces pour les utilisateurs pressés, ce qui est souvent le cas lorsqu'on utilise un portable.

Configurer rapidement l'ordinateur portable

Vista est équipé de fonctions spéciales pour les ordinateurs portables. Réunies dans le Centre de mobilité, elles permettent d'accéder rapidement aux paramètres de base, comme la luminosité de l'écran, le volume sonore, la charge de la batterie ou l'état d'une connexion. Voici comment accéder au Centre de mobilité :

1. **Cliquez sur Démarrer et choisissez Panneau de configuration.**

2. **Choisissez PC mobile et sélectionnez Centre de mobilité.**

Le Centre de mobilité est un tableau de bord permettant de vérifier l'état de l'ordinateur d'un seul coup d'œil, et de régler divers paramètres. Le nombre d'options varie selon le modèle de l'ordinateur, car elles sont personnalisées en usine. En voici la liste :

- **Luminosité :** Une glissière permet de réduire la luminosité de l'écran dans un environnement sombre, ce qui économise la batterie, ou de l'augmenter pour travailler dehors.

- **Volume :** Vous voulez rester discret dans le train ou dans un cybercafé ? Réduisez le son ou mieux, cochez la case Muet pour le rendre silencieux, ce qui économise de surcroît la batterie.

- **État de la batterie :** En plus de la charge exprimée en pourcentage, vous pouvez choisir entre Équilibré pour le travail au quotidien, Économies d'énergie lorsque vous êtes loin d'une prise de courant et Hautes performances lorsque l'ordinateur est branché sur le secteur.

- **Réseau sans fil :** Si l'ordinateur est équipé du Wi-Fi, c'est ici que vous pouvez l'activer ou le désactiver afin d'économiser la batterie.

- **Affichage externe :** Vous voulez brancher l'ordinateur à un écran de grande taille ou à un projecteur pour faire une présentation ? C'est ici que cela se passe.

- **Centre de synchronisation :** Vista permet de synchroniser l'ordinateur avec des équipements extérieurs comme un organiseur, un téléphone mobile, un lecteur de musique, etc., afin que les informations soient à jour sur tous ces appareils et sur le PC portable. Il n'est hélas pas possible de synchroniser l'ordinateur portable avec un PC de bureau ou un iPod. Le bouton Paramètres de synchronisation ouvre le Centre de synchronisation, où vous définissez les échanges de données entre l'ordinateur portable et vos équipements. Cliquez sur Tout synchroniser pour démarrer les opérations.

- **Paramètres de présentation :** Cette option permet de contrôler ce qui apparaît sur le projecteur auquel vous connectez l'ordinateur. Vous pouvez aussi changer d'arrière-plan, désactiver l'écran de veille, régler le volume et désactiver d'autres éléments distractifs.

Bien que le Centre de mobilité soit avant tout un panneau de paramé-trage, c'est aussi votre première étape vers la personnalisation de votre ordinateur portable en fonction de son environnement.

Configurer la fermeture de l'écran

Quand vous avez fini d'utiliser un ordinateur portable, vous rabattez son écran. Mais pour combien de temps ? Toute la nuit ? Le temps de prendre le métro ? De déjeuner ? Vista permet de configurer le comportement de l'ordinateur portable lorsque vous le refermez. Voici comment :

1. **Cliquez sur Démarrer, choisissez Panneau de contrôle puis Système et maintenance.**

2. **Choisissez Options d'alimentation puis, dans le volet de gauche, sélectionnez Choisir l'action de la fermeture du couvercle.**

   Vous pouvez choisir des options différentes selon que l'ordinateur fonctionne sur sa batterie ou est branché au secteur. Chaque menu en contient trois : Ne rien faire, Veille prolongée ou Arrêter.

   Dans la journée, choisissez de préférence Veille prolongée, un état où l'ordinateur tombe en léthargie, mais se réveille promptement, permettant de reprendre un travail où vous l'aviez laissé. En revanche, si vous n'utilisez pas le portable de toute la nuit, il vaut mieux que la fermeture de l'écran l'arrête.

   Vous pouvez aussi définir un mot de passe qui sera demandé chaque fois que l'ordinateur se réveille.

   Enfin, vous pouvez aussi choisir ce qui se passe lorsque vous cliquez sur l'un des deux boutons d'alimentation du menu Démarrer (ils sont décrits au Chapitre 2).

3. **Cliquez sur Enregistrer les modifications afin de les rendre permanentes.**

En déplacement

Un PC de bureau ne quitte généralement pas son bureau, ce qui facilite certaines configurations. Par exemple, vous n'entrez son emplacement géographique qu'une seule fois, après quoi Vista configure automatiquement le fuseau horaire, le symbole monétaire et autres paramètres qui varient de par le monde.

En revanche, un ordinateur portable bouge beaucoup. Vous devrez souvent lui indiquer où il se trouve.

Modifier le fuseau horaire

Procédez comme suit pour indiquer à l'ordinateur portable que le fuseau horaire n'est plus le même :

1. **Cliquez sur l'horloge, dans la zone de notification à droite de la Barre des tâches.**

   Un calendrier et une horloge analogique apparaissent dans une petite fenêtre.

2. **Choisissez Modifier les paramètres de la date et de l'heure.**

   La boîte de dialogue Date et heure apparaît.

3. **Choisissez Changer de fuseau horaire. Choisissez une zone dans le menu déroulant Fuseau horaire puis cliquez deux fois sur OK.**

Si vous changez fréquemment de fuseau horaire, ne manquez pas de tirer parti de l'onglet Horloges supplémentaires, à l'Étape 3. Elle permet d'ajouter jusqu'à deux horloges de plus. Pour connaître l'heure à Caracas ou à Katmandou, il suffit d'immobiliser le pointeur de la souris sur l'horloge. Un menu déroulant affiche l'heure locale ainsi que celles du ou des autres lieux.

Utiliser le modem ailleurs

L'utilisation du modem est décrite au Chapitre 8. Ici, nous présumons que vous composez le numéro d'un fournisseur d'accès depuis une autre ville que la vôtre. Vous devrez donc utiliser un autre indicatif régional, ou une carte d'appel. Voici comment procéder :

1. **Cliquez sur le bouton Démarrer et choisissez Connexion.**

   Liste répertorie toutes les connexions téléphoniques que vous avez configurées dans le passé, y compris la toute première.

Si vous devez modifier le numéro de téléphone, le numéro qui permet d'avoir l'extérieur, changer l'indicatif régional ou utiliser une carte d'appel, passez à l'Étape 2.

2. **Cliquez du bouton droit sur un site existant et choisissez Propriétés.**

   Vista liste les paramètres de l'actuelle connexion téléphonique.

3. **Cochez la case Utiliser les règles de numérotation puis cliquez sur Règles de numérotation.**

   La boîte de dialogue Règles de numérotation apparaît. Elle contient les noms de sites que vous avez entrés lorsque vous avez configuré différentes connexions téléphoniques. Celui nommé Mon site est la connexion créée d'office par Vista lorsque vous avez configuré votre première connexion.

4. **Cliquez sur Nouveau et entrez les paramètres spécifiques au nouveau site d'où vous appelez.**

   Dans la boîte de dialogue Nouveau site, entrez le nom de ce site ainsi que les données requises pour vous connecter : l'indicatif régional, le 0 ou le 9, dans beaucoup d'hôtels, pour accéder à l'extérieur, ou un code qui désactive le signal d'appel.

   Tandis que vous entrez les modifications, le numéro de téléphone que Vista utilisera pour ce site est affiché en bas de la boîte de dialogue.

5. **Quand vous avez fini, cliquez sur OK, puis de nouveau sur OK pour quitter la boîte de dialogue des options de modem et de téléphonie, puis encore sur OK pour quitter la boîte de dialogue des propriétés.**

   Vous vous retrouvez à la boîte de dialogue Connexion à un réseau, où votre connexion téléphonique est nommée.

6. **Cliquez sur Connecter.**

   Vista compose le numéro qui vous connecte à l'Internet en utilisant les nouveaux paramètres que vous venez de configurer. Si vous devez utiliser un autre numéro, reportez-vous au Chapitre 8 qui explique comment configurer un compte d'appel.

Se connecter à une borne Wi-Fi

Chaque fois que vous vous connectez à un réseau sans fil, Vista mémorise ses paramètres afin que vous puissiez vous y reconnecter de nouveau la prochaine fois. Les réseaux sans fil sont décrits au Chapitre 14. Voici un bref rappel :

1. **Si nécessaire, activez l'adaptateur sans fil de l'ordinateur portable.**

   Vous pouvez le désactiver et le réactiver à partir du Centre de mobilité, comme nous l'avons expliqué précédemment. Sur certains ordinateurs portables, vous trouverez un bouton d'activation et de désactivation du Wi-Fi.

2. **Dans le menu Démarrer, cliquez sur Connexion.**

   Vista liste toutes les façons par lesquelles il peut se connecter à l'Internet, y compris les réseaux sans fil s'il en trouve à portée.

3. **Connectez-vous au réseau sans fil en cliquant sur son nom puis sur Connexion.**

   La liaison s'établit immédiatement. Mais si l'ordinateur demande d'autres informations, continuez à l'Étape 4.

4. **Entrez le nom du réseau sans fil ainsi que sa clé de cryptage, si ces informations sont demandées, puis cliquez sur Connexion.**

   Certains réseaux discrets ne divulguent pas leur nom. Vista les affiche avec la mention Réseau sans nom. Si vous devez vous connecter à l'un d'eux, vous devrez trouver son propriétaire et lui demander le nom du réseau ainsi que la clé de sécurité.

   Après avoir cliqué sur Connexion, Vista confirme que la liaison est réussie. Veillez à cocher les cases Enregistrer ce réseau et Démarrer automatiquement cette connexion afin de faciliter la connexion la prochaine fois que vous arriverez à portée.

La connexion Wi-Fi terminée, désactivez l'adaptateur de réseau sans fil afin d'économiser la batterie de l'ordinateur portable.

À propos de la Wi-Fi

La procédure décrite ci-dessus n'est pas la seule. Bon nombre de connexions dans des lieux publics (hôtels, restaurants, aéroports...) s'effectuent en deux temps :

1. La détection de la zone de réception. Windows Vista réagit dès qu'il détecte un signal et vous en informe. Si plusieurs émetteurs sont détectés, vous devrez choisir dans une liste celui auquel vous désirez vous connecter.

2. L'ouverture d'Internet Explorer. Une page Web est aussitôt affichée. Entrez votre nom d'utilisateur et votre mot de passe (fournis par l'hôtel ou le restaurant qui gère la zone Wi-Fi).

Une petite fenêtre indique ensuite que la connexion est établie. Vous pouvez dès lors surfer sur le Web ou relever votre courrier avec Windows Mail.

Sauvegardez l'ordinateur portable avant de voyager

La sauvegarde des données est expliquée en détails au Chapitre 12. La procédure est la même pour les PC portables que pour les PC de bureau. Pensez à sauvegarder systématiquement l'ordinateur portable chaque fois que vous quittez votre domicile ou votre lieu de travail. Il court en effet beaucoup plus de risque d'être volé qu'un ordinateur de bureau. Un ordinateur portable est remplaçable, mais pas les données qu'il contient.

Conservez les sauvegardes dans un local sûr ou, si vous devez les emporter, dans une poche bien fermée ou dans une valise, jamais dans le même sac que l'ordinateur portable.

Annexe A
La mise à jour vers Windows Vista

Dans ce chapitre :
- La mise à niveau vers Windows Vista.
- Installer Windows Vista.

*V*ista est préinstallé dans les ordinateurs vendus actuellement (nous anticipons un peu à l'heure où nous imprimons cet ouvrage). C'est quasiment inévitable. Si vous prenez la peine de lire ce chapitre, c'est peut-être parce que votre ordinateur tourne sous Windows XP. Inutile de vous lancer dans une mise à jour s'il tourne encore sous Windows 98 ou Me : Vista exige un PC puissant équipé de composants haut de gamme.

Pour mettre votre PC à niveau pour Vista, reportez-vous à un autre de mes livres, *PC Mise à niveau et dépannage Pour les Nuls*. Vous apprendrez comment changer de carte graphique, ajouter de la mémoire et exécuter d'autres tâches destinées à satisfaire l'appétit de puissance de Vista.

Une mise en garde cependant : la mise à jour vers Vista est une voie sans retour car vous ne pourrez plus revenir vers XP par la suite. Ne procédez à la mise à jour que si vous et votre PC êtes prêts pour Windows Vista.

La procédure de mise à jour

Windows Vista convient aux ordinateurs achetés ces trois ou quatre dernières années. Effectuez la check-list suivante avant de procéder à la mise à jour :

- **Puissance de l'ordinateur :** Veillez à ce que l'ordinateur soit suffisamment puissant pour exécuter Windows Vista. Les exigences requises sont répertoriées au Chapitre 1.

- **Compatibilité :** Avant toute mise à jour ou installation de Vista, insérez le DVD de Vista puis cliquez sur Vérifier la compatibilité en ligne. Après avoir été connecté au site de Microsoft, vous devez télécharger et démarrer le logiciel Windows Vista Upgrade Advisor. Le programme signalera tous les composants qu'il juge appropriés ou trop faibles pour Vista. Vous pouvez aussi tester l'ordinateur, même sans posséder le DVD de Vista, en allant directement sur le site www.microsoft.com/france/windowsvista/getready/default.mspx.

- **Sécurité :** Avant de procéder à la mise à jour vers Vista, vous devez désactiver votre logiciel antivirus ainsi que tous les autres logiciels de sécurité. Ils risqueraient en effet d'empêcher en toute innocence l'installation correcte de Vista.

- **Sauvegarde :** Sauvegardez préalablement toutes les données importantes qui se trouvent dans l'ordinateur sous Windows XP.

Installer la mise à jour Windows Vista

Procédez comme suit pour effectuer la mise à jour de Windows XP vers Windows Vista :

1. **Insérez le DVD de Windows Vista dans le lecteur de DVD et cliquez sur Installer, comme le montre la Figure A.1.**

2. **Choisissez Télécharger les dernières mises à jour pour l'installation (recommandé).**

   Vista se connecte au site de Microsoft et télécharge les dernières mises à jour – pilotes, correctifs... – qui faciliteront l'installation.

3. **Tapez la clé du produit puis cliquez sur Suivant, comme à la Figure A.2.**

   La clé du produit se trouve généralement sur une étiquette apposée sur le boîtier du DVD. Si vous ne la possédez pas, vous ne pourrez pas aller plus loin. Si vous réinstallez une version de Vista qui était préinstallée dans l'ordinateur, l'étiquette avec la clé du produit devrait être collée sur le capot du PC (si vous ne l'avez pas

Figure A.1 : Prêt à faire le grand saut !

encore fait, notez soigneusement cette clé sur le manuel ou la documentation de l'ordinateur).

Ne cochez pas la case Activer automatiquement Windows quand je serai en ligne, car vous pourrez le faire plus tard, quand vous serez certain que Vista fonctionne correctement.

Recopiez la clé de produit de Vista sur son DVD, avec un feutre indélébile. Veillez à écrire sur le dessus, imprimé, et surtout pas sur la face lisible. Ainsi, vous ne perdrez pas la précieuse clé.

L'activation de Windows repose sur une identification des composants de votre ordinateur (carte-mère, processeur, mémoire...) qui sont associés au numéro de série de Vista. Le but est d'empêcher l'installation du même exemplaire de Vista sur d'autres ordinateurs. Malheureusement, le système d'activation peut se retourner contre vous si vous changez plusieurs composants de votre ordinateur : Microsoft considérera qu'il s'agit d'un nouveau PC et risquera de refuser l'activation de Vista.

4. **Lisez la Licence, cochez l'option J'accepte les termes de la licence d'utilisation, puis cliquez sur Suivant.**

Figure A.2 : Tapez la clé du produit – celle-ci est factice – puis cliquez sur Suivant.

La licence d'utilisation n'est pas de la poésie, mais une sorte de contrat dans lequel vous apprenez entre autres que vous n'êtes pas le propriétaire du logiciel que vous avez acheté. Vous avez uniquement le droit de l'utiliser, sous conditions.

5. **Cliquez sur Mise à jour puis sur Suivant.**

La mise à jour préserve vos anciens fichiers, paramètres et programmes installés. Si cette option est en grisé, cela signifie que la capacité du disque dur est insuffisante. Vista occupe 15 giga-octets.

Le Rapport sur la compatibilité répertorie tous les éléments du PC que Vista ne parvient pas à gérer. Notez-les sur un calepin afin que vous puissiez les mettre à jour par la suite.

6. **Choisissez le pays, le format de date, le symbole monétaire et le type de clavier, puis cliquez sur Suivant.**

Ces données seront non seulement utilisées par Vista, mais aussi par certains de vos logiciels. Par exemple, un tableur se basera sur le symbole monétaire choisi pour la mise en forme des chiffres, dans une comptabilité.

7. **Choisissez Utiliser les paramètres recommandés.**

Les paramètres de sécurité de Vista garantiront sa mise à jour et sa correction automatique.

8. **Vérifiez la date et l'heure puis cliquez sur Terminer.**

Après avoir mouliné pendant quelques minutes de plus et disparu un moment de l'écran, Vista revient sur la scène, affichant la page d'ouverture de session. Mais ne croyez pas que tout est terminé. Il reste encore de quoi s'occuper pour achever la mise à jour :

Appliquer Windows Update : Visitez le site de Windows Update (voir Chapitre 10) et téléchargez les correctifs de sécurité et mises à jour de pilotes édités par Microsoft.

Vérifiez la reconnaissance de vos logiciels par Vista : Exécutez chacun de vos programmes et vérifiez leur bon fonctionnement. Vous devrez peut-être en remplacer certains par des versions plus récentes (voyez sur le site de l'éditeur s'il propose des mises à jour gratuites) ou forcer la compatibilité avec les versions antérieures de Windows, comme cela est expliqué au Chapitre 17.

Vérifier les comptes d'utilisateurs : Assurez-vous qu'ils fonctionnent correctement en y séjournant quelques minutes et en testant des logiciels.

Ceci fait, bienvenue dans Windows Vista !

Index

• P •

• Q •

• R •

● X ●

● Z ●